Polactwo

Dotychczas w serii ukazały się:

1. Rafał A. Ziemkiewicz „Viagra mać"
2. Rafał A. Ziemkiewicz „Frajerzy"
3. Janusz Korwin-Mikke „Naprawić Polskę, no problem"
4. Rafał A. Ziemkiewicz „Polactwo"

Rafał A. Ziemkiewicz

Polactwo

Fabryka Słów

Lublin 2004

Opracowanie graficzne i projekt okładki:
Studio Wizualizacji GRAPHit
Poznań, tel. (61) 856-00-39
Krzysztof Spychał

Redakcja serii:
Eryk Górski, Robert Łakuta

Grafika na okładce:
Krzysztof Spychał

Redakcja techniczna:
Studio „KLON" Katarzyna Gadamska-Rewucka
tel. (22) 756-33-03

Korekta:
Barbara Caban

Wydanie I

ISBN 83-89011-41-7

Wydawnictwo Fabryka Słów Sp. z o.o.
ul. Bursztynowa 17, 20-575 Lublin
www.fabryka.pl, e-mail: fabryka@fabryka.pl

Druk i oprawa:
OPOLGRAF S.A.
Opole, tel. (77) 454-52-44, www. opolgraf.com.pl

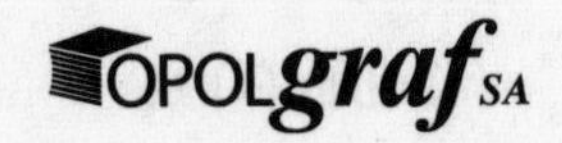

O, jakże szybko nastrój prysnął wzniosły!
Albowiem w kraju tym zaczarowanym
gdzie – jak w złej bajce – ludźmi rządzą osły,
jakież tu mogą być właściwie zmiany?

Tu tylko szpiclom coraz większe uszy
rosną, milicji – coraz dłuższe pałki,
i coraz bardziej pustka rośnie w duszy,
i coraz bardziej mózg się robi miałki.
Tu tylko może prosperować gnida,
cwaniak i kurwa, łotr i donosiciel...

Janusz Szpotański
(ok. 1975)

Od autora

Sam nie do końca wiem, o czym jest ta książka. Ale – to też coś warte – wiem, o czym nie jest. Nie jest na pewno, choć może mniej uważnym Czytelnikom zdawać się może coś wręcz przeciwnego. Więc od tego zacznę: ta książka nie jest o charakterze narodowym Polaków.

Nie może być, bo autor w ogóle w istnienie czegoś takiego jak „charakter narodowy" nie wierzy, a samo pojęcie uważa za głupie. Tak jakby nasze zachowania zostały przesądzone raz na zawsze przez fakt posługiwania się tym a nie innym językiem, albo posiadania słowiańskich rysów. Polacy nie potrafią pracować, powiadano przez lata, tłumacząc, dlaczego wschodnie Niemcy, Czechosłowacja czy Węgry, nie mówiąc o Jugosławii, choć toczone tym samym socjalistycznym syfem, jednak radziły sobie lepiej. Tymczasem wystarczało pierwszego z brzegu Polaka przeflancować na Zachód i pokazać wypłatę w dolarach, żeby robota tylko mu furczała w rękach. Wystarczało, że latami nie mogący obronić habilitacji asystent wyrwał się z dusznej atmosfery peerelu, wiecznej niemożności, układów i układzików nie do przebicia, a nagle stawał się cenionym naukowcem, mającym otwartą drogę na renomowane zachodnie uczelnie. Artyści, nie mogący się tu przebić, tam nagle okazywali się ludźmi rzadkiej pracowitości i talentu. Znam człowieka, który już po 1989 roku dwa razy w Polsce bankrutował, a kiedy przeniósł się za ocean i założył tam ten sam biznes, którego nie był w stanie skutecznie prowadzić u nas, prosperuje. Tu był nieudacznikiem, a tam nagle okazuje się zdolnym przedsiębiorcą? U siebie jesteśmy leniami, a na saksach groźną konkurencją dla

Chińczyków? U siebie nie możemy wyłonić żadnej sensownej elity politycznej i w każdych kolejnych wyborach głowimy się, czy oddać głos na złodzieja, ale przynajmniej fachowca, uczciwego, ale idiotę, czy na tępego chama, ale spoza układu, czy wreszcie, poddając się poczuciu bezradności, w ogóle cisnąć to wszystko w diabły i iść na piwo – a na świecie potrafimy imponować, kandydować do Nobli, doradzać prezydentom?

Nie ma to nic wspólnego z cechami charakteru, zwłaszcza narodowego. Polak w Polsce jest leniwy, a na Zachodzie pracowity z tego samego powodu: bo tak mu się opłaca. Kiedy pojedzie do Ameryki, zaczyna funkcjonować w systemie, który premiuje pracowitość, aktywność i pomysłowość. Ale dopóki jest u siebie, to wie od pokoleń, że tutaj grunt się nie wychylać, że pokorne cielę dwie matki ssie, stój w kącie, znajdą cię, nie bądź orłem, bo wylecisz, a czy się stoi, czy się leży, każdemu się należy tyle samo.

To wyjaśnienie, nie usprawiedliwienie. Ktoś powie: to nie my wymyśliliśmy ten system, czyniący z ludzi wolnych niewolników, a z niewolników zadowolonych ze swego losu degeneratów, którym do szczęścia wystarcza już tylko regularnie zmieniana micha i od czasu do czasu parę najprostszych rozrywek. Nie wprowadzono tego systemu nad Wisłą na nasze życzenie, przeciwnie, przy znaczącym oporze. Owszem: przegraliśmy wojnę, byliśmy przez pół wieku okupowani, zresztą za zgodą i przy obłudnym współczuciu sojuszników, dla których szafowaliśmy – nikt nie odważy się powiedzieć tej oczywistej prawdy, że niepotrzebnie – krwią polskich żołnierzy. Walczyliśmy dzielnie, cierpieliśmy, konspirowaliśmy, nie tylko w ubiegłym stuleciu, ale w całej naszej historii, oczywiście, że o tym wiem.

Tylko że wszystko to dawno i nieprawda. Nie chcemy pamiętać, że kiedy jedni Polacy szli do powstania, do lasu, walczyć za ojczyznę, to inni podążali za nimi, żeby poległych powstańców obdzierać z butów. Tymczasem, naturalną koleją rzeczy, tych pierwszych było coraz mniej, aż w końcu wyginęli – a drudzy mnożyli się, kwitli, aż wreszcie przyniesiono im w darze ustrój będący spełnieniem ich marzeń, idealnie dostosowany do ich oczekiwań, i jeszcze dowartościowujący poczuciem dumy z własnej, chamskiej tężyzny i przekonaniem, że wszyscy, którzy nie pracują łopatą, żyją z łaski robotnika i chłopa. I tak oto socjalizm, narzucony knutem i naganem czekisty, stopił się z pańszczyźnianą mentalnością Polaka i stał jego drugą naturą, a naród ongiś słynący z niezłomnej walki o wolność, dziś spontanicznie stawia pomniki Gierkowi, wielbi Jaruzelskiego i masowo głosuje w wyborach na funkcjonariuszy obalonego reżimu.

Staliśmy się polactwem, bo z nas polactwo zrobiono, ale pozostaliśmy nim po odzyskaniu niepodległości już z własnego wyboru. Obdarowani przez historię wolnością, o jakiej bez żadnej nadziei marzyły przeszłe pokolenia, pozostaliśmy w duszach niewolniczą trzodą. Bo tak jest wygodniej. A trochę także dlatego, że nikt nie ma odwagi polactwu powiedzieć w oczy prawdy. Vox populi, vox Dei – narodu krytykować nie wolno! Ilekroć napomknę w felietonie czy artykule o przywarach tubylczej ludności III RP, zaraz dostaję pęczek listów z wyrazami oburzenia i napomnieniami: nie obrażać Polaków! Jak pan śmiesz krytykować ten naród, który tak wiele przeszedł! My, społeczeństwo polskie, stanowczo protestujemy przeciwko zamieszczaniu w naszej ulubionej gazecie felietonów Rafała Ziemkiewicza, w których autor zionie pogardą dla prostych ludzi!

U nas tak już jest, że cokolwiek się dzieje, winni są zawsze Oni. Inni. Obcy. Nie swoi. Winni są głupi i nieuczciwi politycy, ale w żadnym wypadku nie ci, którym wystarczy obiecać mieszkania na wiosnę, żeby na takich właśnie głosowali. Polskę okradają wielcy aferzyści, ale w żadnym wypadku nie drobni kombinatorzy, wyłudzający masowo zasiłki, renty i zwolnienia lekarskie. Wtrącają ją w nędzę doktrynalni liberałowie, którzy nie pozwalają dodrukowywać tak bardzo potrzebnych pieniędzy, ale na pewno przecież nie szkodzi Ojczyźnie prywata i egoizm prostych roboli, dla których Polska istnieje tylko po to, żeby dopłacać do ich psu na buty potrzebnych miejsc pracy, choćby miało ją to doprowadzić do ostatecznego upadku i bankructwa.

Zdarzało się w historii, że król otaczał się tchórzliwymi dworakami, mówiącymi władcy tylko to, co ich zdaniem chciał usłyszeć. W stolicy już tli się rewolucja, na granicy wróg zajmuje kolejne warownie, właśni poddani przeklinają nieudolnego władcę i witają kwiatami jego wrogów, ale król o tym wszystkim nie wie, bo gnący się w ukłonach dworacy nie mają śmiałości narazić się na podejrzenie, że król nie jest ich zdaniem najmądrzejszym i najsłuszniej postępującym władcą w dziejach. Zamiast myśleć o reformach i zbierać armię, władca trawi więc dni nad projektami nowego, wspanialszego pałacu, rojąc o defiladzie, jaką urządzi dla uświetnienia jego otwarcia.

Coś podobnego dzieje się z Polską. Jak na razie, demokracja okazała się u nas chocholim tańcem, w którym politycy, zamiast cokolwiek zaoferować, poczuli się zmuszeni pląsać w lansadach wokół prymitywa, schlebiać mu, łasić się do niego i na wyścigi przedkładać to właśnie, co powinno mu się najbardziej spodobać: że jest wspaniały, że wszystko mu się należy, i że będzie mu lepiej bez żadnego wysiłku, nie będzie trzeba nic zmieniać, ponosić żadnych wyrzeczeń ani schylać grzbietu. Tak jak polskie media, uwolnione po 1989 roku od bata cenzury i zarządzeń wydziału propagandy KC, poddane zostały dyktatowi oglądalności i runęły do wyścigu, kto wyemituje program głupszy, bardziej krwawy i w gorszym guście – tak samo polska polityka zamieniła się w umizgi do najgorszej ciemnej masy, byle tylko wydrwić od niej głosy potrzebne do wetknięcia zadka w sejmowy fotel. Zamiast liderów, mężów stanu, zdolnych gdzieś nas poprowadzić, mamy poprzebieranych za przywódców pętaków, których stado pędzi przed sobą w przypadkowych kierunkach. Może im samym wydaje się, że dokądś prowadzą, może nawet tak to wygląda z zewnątrz, jeśli nie przyglądać się zbyt długo ani uważnie. Ale tak nie jest.

Chamuś w gumofilcach, podkoszulku i beretce, jak z satyrycznych rysunków Krauzego, stał się polskim bożkiem i wyrocznią. To on mówi elitom, czego chce naród. To pod jego kątem układa się polityczne programy, to na jego rozum przykrawają świat media. Nawet Kościół, przestraszony wybuchem antyklerykalizmu w początku lat dziewięćdziesiątych i nieskrywaną gotowością chamusia do przetrzepania biskupich szkatuł, pilnie uważa, by nie narazić mu się zbyt rygorystycznym stawianiem spraw.

Wydawać by się mogło, że tak dopieszczane i obsypywane komplementami społeczeństwo powinno pławić się w błogim samozadowole-

niu. Ale, o paradoksie, im większa jest tchórzliwość i kunktatorstwo tak zwanej elity, tym polactwo popada w głębszą frustrację. Bo też tym bardziej beznadziejne staje się poczucie jakiejś dojmującej, przygniatającej niemożności wszystkiego. Przyszedł jeden, panie, naobiecywał, i gówno, przyszedł drugi, naobiecywał jeszcze więcej, i jeszcze większe gówno, no to wybierają trzeciego, co znowu obiecuje to samo, tylko jeszcze ładniej... I nie ma do polactwa dostępu myśl, że takich obietnic, jakich się domaga, nie złoży mu nikt uczciwy ani mądry, że czyniąc warunkiem dojścia do władzy zobowiązanie, iż dwa plus dwa zacznie się równać pięć, wyborcy sami skazują się na rządy cynicznych oszustów na zmianę z idiotami. Zresztą, na mocy opisanego przed chwilą mechanizmu, nikt się wyborcom tej myśli nie odważy podsunąć.

Pojawia się więc męczące podejrzenie, że skoro nic tu się nie udaje, nic nie wychodzi, nawet rzeczy dla innych krajów najprostsze i najoczywistsze, to widać jesteśmy jakimiś koszmarnymi nieudacznikami, zgoła wybrykiem natury. Badania socjologiczne pokazują, że stereotypowe wyobrażenie Polaka nigdzie nie jest tak złe, jak w samej Polsce. Nawet Niemcy, którzy widzą w nas głównie złodziei samochodów i bohaterów chamskich polenwitzów, nawet Austriacy, kojarzący Polaka przede wszystkim z handlarzami z Mexico Platz, przypisują nam w badaniach jakieś cechy pozytywne. Polacy – żadnych. Nie widzimy w sobie nic, ale to nic dobrego. Gremialnie podpisujemy się pod opinią, że jesteśmy durniami, brudasami, złodziejami i pijakami. Ale nie wyciągamy z tego, bynajmniej, wniosków, że w takim razie powinniśmy coś ze sobą zrobić, jakoś się zmienić. Rozpad poczucia wspólnoty, z której zostały już tylko karykaturalne angażowanie narodowych symboli w każdą byle szarpaninę, gromadne adorowanie Papieża – Polaka i jednego czy drugiego sportowca, zaszedł tak daleko, że nikt nie czuje się odpowiedzialny za swój kraj czy rodaków. Polacy są okropni, Polska to jeden wielki obciach, ale ja sam do siebie nic nie mam, a skądże znowu.

Ta chorobliwa samoocena, sama w sobie będąca objawem ciężkiej zapaści, dla wielu poczciwych ludzie jest jednym jeszcze powodem, by schować głowę w piasek. „Weź przynajmniej ty nie dołuj już tego narodu", mówi mi znajomy, z którym w generaliach zazwyczaj się zgadzamy.

Rozumiem go doskonale. Jest towarzystwo, w którym kpiny z polactwa przyjmowane są doskonale, stanowiąc pewną drogę towarzyskiego sukcesu, i jest to towarzystwo chyba nie tylko mnie jednego przyprawiające o wymioty. Towarzystwo, gdzie gromki rechot nad dowcipasami z kabarecików Lipińskiej stanowi legitymację, że się jest prawdziwym inteligentem, Europejczykiem, człowiekiem rozumnym i postępowym, słowem – czymś nieskończenie lepszym od tego tu chamstwa. W którym pastwienie się nad dziewiętnastowiecznym stereotypem Polaka-katolika, choć tyle ma on wspólnego z dzisiejszą Polską, co tak zwane „tradycyjne rzymskie cnoty" z przeciętnym Włochem, uważane jest za dowód odwagi i intelektualnej drapieżności; w którym często opowieści o strasznym, endeckim ciemnogrodzie służyć mają wybieleniu rodziców, odznaczanych za wyrywanie paznokci „polskim nacjonalistom" i rozgrzeszeniu własnej wieloletniej kolaboracji z komuną, towarzystwo, wreszcie, w którym oddaje się nabożną cześć różnym szemranym „autorytetom moralnym", na które niejednokrotnie wylansowano zwykłe, stare dziwki z grubo zacerowaną cnotą.

Naprawdę, nie piszę tej książki po to, żeby sprawić temu towarzystwu radość – ma zresztą dość swoich nadwornych pisarczyków. Mój dziadek nie był lewicującym intelektualistą, tylko prostym chłopem, wójtem (a nie sołtysem, jak napisałem, myląc się głupio, w poprzedniej książce) Czerwińska nad Wisłą i zagorzałym endekiem, rozkochanym w swej ojczyźnie do granic śmieszności – nie czytywał, na przykład, i nie gromadził w swoim imponującym skądinąd księgozbiorze książek pisarzy innych niż polska narodowości, bo uważał, że nie warto. Mój Ojciec nie zaznał w pracowitym życiu żadnego heglowskiego ukąszenia, nie skusiło go reformowanie socjalizmu czy posoborowe „otwieranie" katolicyzmu, bo, w przeciwieństwie do różnych subtelnych badaczy ksiąg, od pierwszej chwili, gdy zobaczył wdzierającą się do Czerwińska krasnoarmijną dzicz i ciągnącą za nią mętownię z PPR, MO i UB, od razu pojął swym chłopskim rozumem, że to nie żadna awangarda ludzkości ani zorza nowego wspaniałego świata, tylko zwykli bandyci i okupanci. I na przekór im, z niemałym trudem, przeżył swe życie skromnie i uczciwie, wychowując dzieci, odrzucając myśl o jakimkolwiek sprzedaniu się dla kariery, i od czasu do czasu zbierając kopniaki za swój nieuleczalny katolicyzm – w jego ludowym, „płytkim" i maryjnym wydaniu, które o taki niesmak i dąs przyprawia do dziś naszych katolików salonowych.

Jeśli ktoś chce się schylać, żeby sprawdzać, czy przypadkiem nie noszę słomy w butach, powiem mu od razu: noszę, szkoda fatygi. I właśnie dlatego nie myślę sobie zakładać tłumika i wstrzymywać się od pisania o polactwie prawdy, nie myślę kombinować, komu ta prawda służy i kogo uraduje, a kogo zmartwi. Nic mnie to nie obchodzi. Obchodzi mnie mój kraj, i to, jak wygląda. A wygląda tak, że tylko rzygać. I wiem, dlaczego.

I o tym właśnie tu piszę. Kto chce, niech czyta. A kto nie chce, niech się łaskawie raczy zmusić, bo, do kurwy nędzy, piszę o rzeczach ważnych, i nie napisze wam o nich nikt inny!

Rafał A. Ziemkiewicz

Rozdział I

Niepodległość się nam, Polakom, należy, jak psu buda. Pod takim zdaniem każdy się podpisze z głębokim przekonaniem. Ale zadajmy, proszę, tak z głupia frant, jedno proste pytanie: a właściwie dlaczego? Z jakiej racji? Czym sobie Polacy na prawo samostanowienia zasłużyli?

Już słyszę, że powstania, że Westerplatte i Monte Cassino, zabory i rozbiory, trudy, ofiary i tak dalej. Nie, kochani, proszę was bardzo – nie mieszajmy w to umarłych. Niech sobie spokojnie spoczywają w Panu, szczęśliwi, że nie muszą oglądać tej wymarzonej wolnej Polski, za którą dali się pozabijać. Mówmy o żywych, dzisiejszych Polakach, o tych trzydziestu paru milionach, które jeszcze nie dały stąd nogi i popychają lepiej lub gorzej swoje życiorysy na obszarze pomiędzy Odrą, Bugiem, południowym wybrzeżem Bałtyku a pasmami Sudetów i Karpat. Czym oni zasługują na własne, niepodległe państwo, uczestniczące w międzynarodowej polityce na prawach samodzielnego podmiotu? Tym, że istnieją, mówią innym językiem i mają swoją odrębną historię?

Obawiam się, że to trochę za mało. Kurdowie także istnieją, mają swoją mowę, zamieszkują na zwartym obszarze, a także złożyli w imię swojej niepodległości wiele krwawych ofiar. To samo daje się powiedzieć o Ujgurach, Czeczenach, Tybetańczykach i jeszcze paru innych nacjach, które, cokolwiek by tam gadano, wcale na niepodległość w oczach świata nie zasługują i nikt im jej nie proponuje.

Nikt tego na głos nie powie, ale zasada samostanowienia narodów jest jedną z tych pięknych zasad polityki międzynarodowej, która jej, owszem, przyświeca, tylko że nie zawsze. Przyświeca, konkretnie, wtedy, kiedy nie wchodzi w sprzeczność z zasadą ważniejszą. Jeśli wchodzi, to się o niej dyplomatycznie zapomina. Słowem, z tym samostanowieniem narodów jest tak samo jak z demokracją: generalnie kraje rozwinięte popierają demokrację, ale kiedy, na przykład, w Algierii demokratyczne wybory wygrali fundamentaliści islamscy, to cały demokratyczny świat rzucił się popierać wojskowy reżim, który tam demokrację obalił. Albo jak z prawami człowieka, o które potrafi Zachód narobić wiele krzyku, gdy, na przykład, miejscowy reżim skaże za cudzołóstwo na śmierć obywatelkę jakiegoś mało ważnego afrykańskiego kraiku – ale gdy podobne i większe okropności dzieją się codziennie w sojuszniczej Arabii Saudyjskiej, Czeczenii, stanowiącej „wewnętrzną sprawę" bratniej Rosji, albo w Chinach, z którymi lepiej nie zadzierać, to obrońcy praw człowieka albo sami wiedzą, że powinni patrzeć akurat w inną stronę, albo nagle przestają być zapraszani do telewizji.

*

Muszę tu od razu zrobić zastrzeżenie, które dotyczyć będzie wielu stwierdzeń zawartych w tej książce. Babrzę się w publicystyce od kilkunastu lat, piszę felietony, artykuły i polemiki na bardzo różne tematy, i dobrze już to znam, że ilekroć o czymś, co wygląda ponuro, napiszę rzeczowo, tak jak naprawdę wygląda, to słyszę od razu: ależ pan narzeka, ależ pan straszy, czy wręcz – ależ pan pluje jadem, żółcią i pogardą. Zaproszono mnie, na przykład, do jakiejś dyskusji o polskiej literaturze. Mówię, że w Polsce połowa obywateli nie czyta nic, a przytłaczająca większość pozostałych jeśli w życiu wzięła do ręki jakąś książkę, to tylko telefoniczną, że w związku z tym w naszym prawie czterdziestomilionowym kraju nakład sprzedany książki literackiej 3000 egzemplarzy uchodzi za duży, a 10 000 to już bestseller. Dla porównania, Czesi, których jest od nas ponad trzykrotnie mniej, drukują książki w nakładzie podstawowym 5000 egzemplarzy (co sprawia, że polskiemu pisarzowi bardziej się opłaca być przekładanym na czeski, niż wydawanym po polsku). Co tam Czesi, Litwini, których jest trzy miliony, z czego jeden nie mówi po litewsku, a pozostałe dwa znają rosyjski i mogą czytać wszystko w tamtejszych, masowych, a więc wielokrotnie tańszych wydaniach, za nakład podstawowy uważają dwa tysiące. Na warszawskim Stadionie Dziesięciolecia, przechrzczonym bezsensownie na „Jarmark Europa" (bezsensownie, bo jest to akurat jarmark Azja), nie znalazłem ani jednego stoiska z polskimi książkami; potrzeby kulturalne miejscowych zaspokajają w zupełności pirackie kompakty i wideokasety, przeważnie zresztą z pornosami. Znalazłem tam natomiast aż cztery wypożyczalnie książek rosyjskich. Aż tyle jest potrzebne do obsłużenia handlujących przy barachołkach kacapów, w stosunku do których przeciętny Polak żywi bezgraniczne poczucie cywilizacyjnej wyższości, odreagowując na nich kompleksy niższości, jakie z kolei ma wobec Zachodu. Nie pytałem o szczegóły, ale interesy w tych wypożyczalniach musiały iść nieźle, skoro oferowały nowości sprzed miesiąca, nawet dwóch tygodni. A ile razy zdarzyło się Państwu widzieć polskiego straganiarza czytającego w oczekiwaniu na klientów książkę?

Takie są realia i od tego trzeba rozmowę o polskiej literaturze zacząć. Tymczasem w odpowiedzi słyszę: ach, pan tu kreśli czarny obraz, pan narzeka, no rozumiem, pan jest rozczarowany, rozgoryczony, sfrustrowany, pan się obraża na Polaków, bo pana nie czytają, i po dziesięciu minutach wszyscy w najlepsze dyskutują o objawionej przeze mnie frustracji pisarza, który się nie cieszy taką popularnością, jaką by chciał, a do podanych przeze mnie faktów i liczb nikt się w ogóle nie próbuje odnieść.

O czymkolwiek byłaby mowa – czy o literaturze fantasy, czy o reformach gospodarczych (w III RP to zresztą tematy sobie bliskie) – miałem takich przygód zbyt wiele, żeby wzruszyć na nie ramionami. Wydaje mi się, że w takich chwilach dotykamy jednej z głównych przyczyn, dla których tak trudno w Polsce o sensowną i prowadzącą do jakichś wniosków rozmowę o naszej sytuacji i sposobach wybrnięcia z niej. Nie żyjemy w świecie realnym, tylko w świecie mitów i stereotypów. Samo stwierdzanie faktów, które powinno być po prostu ustalaniem obiektywnego stanu rzeczy i punktem wyjścia do dyskusji, jest tym samym już traktowane jako polemika – polemika z naszym na niczym nie opartym, ale powszechnym: a jakoś to będzie, nie jest tak źle, nie zginiemy. Świętej pamięci Kisiel wspominał kiedyś, że pukano mu się w czoło i nazywano skrajnym defetystą, kiedy w czterdziestym piątym nie podzielał powszechnej wiary, że najdalej za rok, dwa Amerykanie wypowiedzą Ruskim wojnę, żeby nas wyzwolić; we wspomnieniu Janusza Tazbira znalazłem wzmiankę o jego dziadku, który po klęsce wrześniowej jako jedyny, skrajny pesymista w całej podłomżyńskiej okolicy, oburzył wszystkich obawą, że ta wojna może jeszcze potrwać nawet ze dwa lata. Kolekcjonowanie innych, podobnych cytatów (zaręczam, że można ich znaleźć w różnego rodzaju pamiętnikach mnóstwo) pozostawiam Czytelnikowi, jeśli mu się oczywiście chce. Ograniczę się tylko do stwierdzenia faktu, że mamy w Polsce niewiarygodną wręcz skłonność do głupkowatego optymizmu, który dawał nam wielką siłę w chwilach narodowych katastrof (na tej zasadzie, że czyny bohaterskie najłatwiej przychodzą idiocie, bo nie umie on ogarnąć rozmiarów grożącego mu niebezpieczeństwa), ale w rzadkich momentach, kiedy odzyskamy niepodległość i moglibyśmy zacząć żyć i funkcjonować normalnie, natychmiast wprowadza on nas w świat urojeń i fantomów, uniemożliwiając rozsądną ocenę własnej sytuacji, a tym samym sensowne działanie.

Otóż więc: będę pisał o polskich sprawach z brutalną szczerością nie po to, żeby się oburzać, narzekać, protestować czy temu podobne. Nie dlatego również, jakobym był cyniczny i lubił tym epatować, bo to nie ja jestem cyniczny. Ja tylko stwierdzam fakty, a jeśli budzi to w Czytelniku jakieś reakcje emocjonalne, to dlatego, że w Polsce przyjęło się nie przyjmować faktów do wiadomości. Polityczne elity krajów, które takowe posiadają, od pokoleń praktykują sztukę dwójmyślenia, dzięki której potrafią realizować swoje wąsko, a czasem wręcz egoistycznie i cynicznie pojmowane interesy, motywując je różnymi wzniosłymi hasłami – i chyba nawet głęboko w te hasła wierząc, dopóki oczywiście pozostają one wygodne. Polacy natomiast podchodzą do polityki albo z naiwnością dziecka, albo z nieufnością ciemnego chłopa, który instynktem czuje, że ktoś go chce zrobić w konia, ale kto i w jaki sposób – nijak nie jest w stanie pojąć, więc na wszelki wypadek z góry jest obrażony na wszystkich. Obie postawy zresztą wychodzą na jedno, bo nie rozumiejąc praw tej gry, jaką jest polityka międzynarodowa, ani nawet nie rozumiejąc, że to gra, możemy w niej wygrać tylko sporadycznie i czystym fuksem. Ostatni raz udało nam się paręnaście lat temu, a co z tą wygraną zrobiliśmy, o tym właśnie jest ta książka.

*

Świat ma swoje kryterium oceniania, który naród zasługuje na niepodległość, a który nie, i nie ma to nic wspólnego z niepodległościowymi dążeniami tegoż narodu i jego ofiarami. Jest to kryterium czysto praktyczne: na niepodległość zasługują takie kraje, z którymi mniej będzie kłopotu, kiedy będą niepodległe. Jeśli ich niepodległość ma światu przysparzać problemów, to niech lepiej rządzi nimi ktoś inny. Wiele, oczywiście, zależy tu od położenia danego kraju. Gdy chodzi o jakiś zapomniany przez Boga i ludzi kawał afrykańskiego buszu, to wygodniej było państwom zachodnim, zamiast ponosić koszty utrzymywania w nim porządku, zabrać się stamtąd, skoro tylko posiadanie kolonii okazało się nie przynosić spodziewanych korzyści, i nadać miejscowym Murzynom niepodległość – choćby oznaczało to wydanie ich na pastwę ludożerców, sadystów i marksistów po moskiewskiej akademii imienia Lumumby oraz uruchomienie lawiny plemiennych rzezi (oczywiście, Zachód nigdy nie przyznał uczciwie przed samym sobą, że o to w tak zwanej dekolonizacji chodziło – przyjemniej mu trąbić, jak to szlachetnie obdarował Czarne Ludy wolnością). Ale na przykład niepodległy Kurdystan, Palestyna czy którakolwiek z krain kaukaskich byłyby z tak wielkim prawdopodobieństwem państwami niestabilnymi, zagrażającymi spokojowi w regionie i matecznikami międzynarodowego terroryzmu, że lepiej, by były okupowane, skoro przypadkiem tak dobrze się składa, iż ma je kto okupować. Oczywiście, lepiej by było dla świata, żeby każdy z tych narodów wytworzył własny reżim, zdolny utrzymać go w jako takich ryzach. Takiemu reżimowi wybacza się wiele, jak wybacza się choćby środkowoazjatyckim satrapom, bez których świat miałby z tamtym regionem niezły ból głowy. No, oczywiście, tak w ogóle to by było najwspanialej, gdyby tamtejsze narody były w stanie stworzyć demokratyczne państwa, szanujące przyjęte przez Zachód standardy wolności obywatelskich i praw człowieka, ale skoro nie ma na to co liczyć, to trzeba się zadowalać tym, co jest realne.

Gwoli sprawiedliwości trzeba zresztą zauważyć, nie brnąc zbyt daleko w rozważania na ten temat, że ta gra interesów, nie mających nic wspólnego z moralnością, daje skutki na swój sposób moralne. Międzynarodowy ład jest wartością, choćby dlatego, że zapobiega wojnom i rewolucjom, a wojna i rewolucja gdziekolwiek się pojawi, kładzie kres wszelkiemu prawu i rozwojowi. A rozwój jest potrzebny po to, żeby ludzie żyli z pokolenia na pokolenie lepiej, żeby więcej dzieci dożywało dorosłości, a mniej dorosłych pozostawało w nędzy. Nędza sprzyja terrorowi i zbrodni. A postęp cywilizacyjny, zwany potocznie globalizacją, sprawia, że terror i zbrodnię coraz trudniej jest ogrodzić wysokim murem i machnąć ręką na cierpienia bliźnich, którzy się za tym murem znaleźli. Tak właśnie swego czasu zrobiono z byłymi koloniami w Afryce – od czasu do czasu posyłając im obłudnie darmową mąkę z nadwyżek, stare ubrania i różne zbędne rupiecie, które, niszcząc popyt na rodzimą wytwórczość (zarazem pozbawioną, wskutek protekcjonistycznej polityki państw bogatych, szans sprzedaży za granicą), do reszty wykańczają tamtejszą gospodarkę i wpychają coraz większy procent ludności w nędzę. I chętnie by tak postąpiono z innymi obszarami globu, gdyby zamach na WTC nie pokazał światu dobitnie, jak takie „dzikie pola" w dowolnym, najbardziej nawet zapyziałym, punkcie kuli ziemskiej wykorzystać może zdolny i pozbawiony skrupułów, a za to mający na swe zabawy trochę kasy terrorysta.

Polska to, oczywiście, nie Afryka ani Afganistan, ale sprawy mają się zasadniczo tak samo – tylko na innym poziomie. Jesteśmy państwem bez porównania bogatszym i stabilniejszym niż Zambia czy Afganistan. Ale też leżymy w punkcie świata, w którym wymagania są bez porównania większe, niż wobec środkowej Azji czy równikowej Afryki. Co do Zambii czy Afganistanu, światu wystarczy, żeby nie runęła nań stamtąd niemożliwa do opanowana fala imigrantów, żeby żadni terroryści nie mogli tam bez przeszkód szkolić kadr i produkować broni masowego rażenia, i, bardziej perspektywicznie, żeby nikt nie przeniósł tam zakazanych przez prawo krajów cywilizowanych eksperymentów naukowych, stanowiących „wyraźne zagrożenie" (*clear and present danger*, jak ujmuje to stosowna formuła amerykańskiego prawa) dla bezpieczeństwa państw rozwiniętych. No, dobrze by jeszcze było, aby nie miały tam miejsca masowe zbrodnie i katastrofy humanitarne, ale z tym świat zawsze może sobie poradzić, tak samo jak z eksterminacją Czeczenii, po prostu nie wysyłając w trefne miejsce kamer.

Wymagania wobec kraju środkowoeuropejskiego idą dalej: chodzi o to, żebyśmy nie odstawali rażąco od sąsiadów. A więc, żeby Polska się rozwijała, żeby jej gospodarka dawała pracę większości miejscowej siły roboczej, żeby egzekwowano tu prawo, nie czyniono narodowej specjalności z handlu kradzionymi na Zachodzie dobrami materialnymi i spiraconą własnością intelektualną, nie przemycano na masową skalę imigrantów i narkotyków, żeby państwo polskie nie bankrutowało od czasu do czasu, tak jak przydarzyło się Argentynie, było w stanie wybudować tranzytowe autostrady i szlaki kolejowe oraz dopilnować, aby miejscowa ludność nie rozkradła niezbędnych do ich funkcjonowania urządzeń, uregulować rzeki, dopilnować, aby nie zatruwano tu bardziej niż w krajach sąsiednich środowiska, aby nie szwendały się tu setki tysięcy nie leczonych nosicieli HIV-a i gruźlicy. I jeszcze dobrze by było, żebyśmy byli liczącym się partnerem w europejskiej wymianie gospodarczej, który ma co sprzedać i ma za co kupić, i przyczyniali się w ten sposób do rozwoju całej Europy, która nie zarzuciła jeszcze ambicji rywalizowania z coraz bardziej wyprzedzającą ją w rozwoju Ameryką i coraz ostrzej wychodzącymi na pozycję drugiego światowego mocarstwa Chinami. Żeby tutejsza ludność otrzymywała minimum niezbędnego dla funkcjonowania w cywilizacji informatycznej wykształcenia. I żeby, oczywiście, miała Polska stabilny ustrój, spełniający wszelkie pozory demokracji, i względny spokój społeczny.

Taki jest stan wymagań na dziś, pi razy drzwi absolutne minimum. Nie ma, oczywiście, żadnych gwarancji, że nie ulegnie on zmianie. Mamy akurat to szczęście, że po dwóch wielkich wojnach panuje na świecie, a zwłaszcza w Europie, względny spokój i nikt nie zabiera się do przesuwania słupków granicznych. Zachodnia Europa wyludnia się, usiłuje wyleźć ze stagnacji gospodarczej i poddać pewnej selekcji napływ imigrantów ze światowych centrów nędzy. Niemcy, których „Drang nach Osten" przysporzył tyle kłopotów naszym przodkom, dziś borykają się z „ostflucht", ucieczką niemieckiej ludności ze wschodnich, wyniszczonych socjalizmem landów na bogatsze tereny zachodnie, a Rosja, straciwszy rangę światowego supermocarstwa, ma na razie dość kłopotów ze swoją gospodarką, demografią, narodową tożsamością i „ludnością o kaukaskim wyglądzie", żeby starania o odzyskanie kontroli nad swą dawną strefą wpływów odłożyć i ograniczyć do marzeń oraz prac studyjnych (których jednak, skądinąd, nie zaniedbuje, podobnie, jak nie szczędzi kosztów na nic, co w przyszłości może posłużyć odbudowie imperium). Słabowite, wiecznie na poły zdechłe państwo polskie, stale zagrożone pomiędzy dwoma wielkimi drapieżnikami, zyskało od losu chwilę spokoju. Mogłoby ją wykorzystać, aby się wzmocnić, urosnąć, nabrać sił i znaczenia, bo nie wiadomo, jak długo ta laba będzie trwać.

Tylko że nie ma kto o tym myśleć. Nikomu nie spędza błogiego snu z powiek świadomość, że „to co było, może przyjść". Rozwój w ogóle jest ostatnią rzeczą, o której myślimy. Samo trwanie, byle do pierwszego, i tak staje się zadaniem ponad nasze siły. Nie ma dwóch zdań, że gdyby w ciągu najbliższych dziesięciu lat krajom ościennym coś odbiło i zapragnęły nas zaatakować, to sprawa Polska zostałaby załatwiona w ciągu 24 godzin (no, gdyby atakowała armia litewska, to z uwagi na swą liczebność być może potrzebowałaby 48 godzin). Ale nie o tym przecież mówimy, nie o zbrojnej inwazji, bo to na razie nam nie grozi. Mówimy o tym, że jeśli sprawy w Polsce będą dalej szły tak jak idą, to w ciągu najbliższych dziesięciu lat ktoś po prostu będzie musiał odebrać Polakom kompetencje, które wydają się ich przerastać, i zająć się zapewnianiem streszczonego wyżej minimum za nas.

Żebyśmy znowu utracili państwowość, nie trzeba żadnej wojny. Wystarczy, że kolejny „chory człowiek Europy" w tym punkcie mapy jest staremu kontynentowi potrzebny jak gwóźdź w zadku. Jeśli niepodległa Polska okaże się niezdolna do spełnienia minimalnych oczekiwań, jakie ma wobec niej Europa i reszta świata, to sorry Winnetou, trzeba będzie rozwiązać sprawę jakoś inaczej. Możliwe, że poprzez stopniową, niezauważalną kolonizację. Już jakiś czas temu urzędnicy w Brukseli musieli przygotować własne założenia planu rozbudowy polskich autostrad, bo z naszego Ministerstwa Infrastruktury nie mogli się obiecanych papierów latami doprosić. Może więc Belgowie, Niemcy, Francuzi czy ktokolwiek inny zechce też zreformować nam służbę zdrowia, zrestrukturyzować górnictwo, hutnictwo i stocznie, zapewnić bezpieczeństwo na ulicach, wyprowadzić z wiekowego zacofania rolnictwo i załatwić jeszcze parę innych drobiazgów, których Polacy, rękami swoich własnych, demokratycznie wyłonionych rządów, załatwić od kilkunastu lat nie są w stanie. Może skalkulują, że im się to opłaci.

Ale mogą też uznać, że bardziej opłaci się oddać ten przysparzający wiecznych kłopotów kraj pod protektorat Rosji, zawsze chętnej zagwarantować, że w Warszawie znowu zapanuje porządek.

*

Donoszę – pisał Sławomir Mrożek w kpiarskim „Donosie do ONZ", w czasach, kiedy Zachód, a zwłaszcza zachodnia Europa, traktował nas tak, jak dziś wspominaną tu już kilkakrotnie Czeczenię – *że Polacy to też Murzyni, tyle, że biali. W związku z tym należy im się niepodległość.* O niepodległość dla Murzynów faktycznie ONZ się wtedy, w 1982, upominała, o naszą nie. Lubimy, co tu gadać, pławić się w takiej ironii. My dla nich, znaczy, dla Zachodu, tyle robimy, a oni nam co? W 1920 powstrzymaliśmy bolszewicką inwazję na Europę, a w 1939 Francja z Anglią w podzięce wystawiły nas do wiatru. Nasi piloci, marynarze i strzelcy przelewali bohatersko krew, a zachodni dyplomaci po prostu sprzedali nas w Jałcie Stalinowi, jak zajeżdżonego konia na kiełbasę. My do Unii Europejskiej z taką miłością i oddaniem, a ona nas, zamiast przytulić do serca i wsunąć parę groszy w kieszonkę, doi jak frajerów, a to utnie fundusze strukturalne, a to przydusi jakimiś normami, a to w inny sposób odbierze, co wcześniej obiecała. My przy Ameryce wiernie u nogi, bez gadania posłaliśmy do Iraku całe dwa tysiące żołnierzy (kto by tam pamiętał, że na koszt budżetu USA), a ci nam nawet nie odpuszczą z wizami i pozwoleniami na pracę!

Stale skrzywdzeni, wystrychnięci na dudka i wydudkani na strychu, nabrani, wykorzystani i oszukani. Tak się czujemy, i wcale nie mówię, że nie mamy się prawa tak czuć. Ale z pławienia się w poczuciu krzywdy i przeżuwania doznanych zdrad niewiele wynika. A już lubować się w tym, wzruszać się, że jesteśmy niewolnicą Isaurą narodów, to po prostu zboczenie, jakiś cholerny, narodowy masochizm. Jeśli ktoś został oszukany raz, to może się uznać za ofiarę przykrego wypadku, jeśli dwa razy, za szczególnego pechowca. Ale jeśli ktoś jest robiony w konia regularnie, i to stale przez tych samych, i stale w taki sam sposób, to chyba nawet będąc ostatnim idiotą powinien w końcu zadać sobie pytanie, czy może nie popełnia w kółko jakiegoś zasadniczego błędu.

*

Mówiąc nawiasem, ta książka miała mieć nieco inny tytuł. Przyznam się: miała mieć tytuł „Gówno chłopu nie zegarek" (takie powiedzonko, którego czasem używał mój Tata – dalszy ciąg: „bo go będzie kłonicą nakręcał"), a podtytuł: „czyli co Polacy zrobili z niepodległością". Dotąd żałuję, że zgodna opinia wydawcy i mojej żony przeważyła – może i mało kulturalny, ale lepiej by ten tytuł oddawał moje autorskie zamiary. Inna sprawa, że i „polactwo" wystarczy, aby ściągnąć na autora liczne wyrazy oburzenia. Ileż to razy zdarzało mi się wysłuchiwać, że gardzę Polakami! Cóż, na to akurat odpowiedź jest prosta. Gdybym naprawdę Polakami gardził, zbiłbym na tym grubą kasę. Zrobiłbym po prostu to samo co Urban czy Lepper. Założyłbym pismo, przemawiające chamskim, prymitywnym językiem i po chamsku mieszające wszystkich i wszystko z błotem, zgodnie z zasadą, że nic nie daje świni większej radości, niż wywodzenie, że wszyscy są takimi samymi jak ona świniami i taplają się w tym samym błocku. Albo też założyłbym partię polityczną, cynicznie grając na prymitywnych zawiściach prymitywnych ludzi, bluzgając ku uciesze hołoty Balcerowiczowi i bez skrupułów obiecując wszystko, co tylko można obiecać, tak jak w drodze do dyktatury czynił to Lenin. Ten sam Lenin, któremu kiedyś wypsnęło się w chwili szczerości, że aby zostać prawdziwym bolszewikiem, trzeba sobie uświadomić, na jak bezgraniczną pogardę zasługuje istota ludzka. Ciekawe, że podobne powiedzenie przypisuje się też jednemu z amerykańskich magnatów telewizyjnych: pogarda dla widza, miał stwierdzić, zawsze owocuje wzrostem oglądalności. W Polsce ta zasada się sprawdza, czy to w mediach, czy w polityce. Tu pogarda żywiona dla ciemnej masy, podchodzenie do wyborców jak do bandy matołów tak tępych, że można im wcisnąć każdą ciemnotę, stanowi najpewniejszą drogę do władzy i płynących z niej profitów. Kto tak sobie właśnie wyobraża statystycznego Polaka, ten jak dotąd doskonale na tym wychodzi.

Ale kto tymi ludźmi naprawdę gardzi, czy ja, nazywając ich polactwem, bo słowo „Polacy" nie chce mi w odniesieniu do nich przejść przez usta – czy ci, którzy na ich głupocie, naiwności i ślepej nienawiści do wszystkiego dokoła żerują, to już sobie Państwo ustalajcie sami. Proszę tylko, żebyście raczyli uważnie przeczytać to, co piszę, zamiast, jak to jest w Polsce we zwyczaju, wydawać opinię nie skażoną znajomością rzeczy.

*

Polacy mają w swej dawnej historii doświadczenie szczególne, obce większości narodów. Polacy mieli kiedyś państwo, które stanowiło jedną z największych potęg ówczesnego świata, górujące pod każdym względem nad sąsiadami, rozległe, obfitujące we wszystkie możliwe bogactwa – i w ciągu kilku zaledwie pokoleń doprowadzili je do zagłady. Ich państwo rozleciało się nagle jak domek z kart, nie dlatego, że najechała je jakaś potęga, której nie było w stanie się przeciwstawić, nie wskutek jakichś kataklizmów, epidemii, trzęsień ziemi i powodzi, ale dlatego, że po prostu do imentu przegniło. Nie miało ani władzy, ani egzekucji praw, ani sprawnej gospodarki, ani aparatu sprawiedliwości, ani armii, ani obywateli, którzy byliby gotowi w imię wspólnego dobra wyrzec się choć drobnej części swoich stanowych przywilejów. Zabił je nie żaden historyczny determinizm, tylko głupota jego własnych mieszkańców, ich zamiłowanie do powszechnego bałaganu, który zwykli utożsamiać z wolnością, nieodpowiedzialność, intelektualna i moralna degrengolada, a wreszcie kompletny brak elit politycznych, które byłyby w stanie zdefiniować narodowe interesy i kierować się nimi. Osobliwość naszego narodu nie polega jednak na tym, że ma w swych dziejach taką katastrofę – ale na tym, że od kilkuset lat żyjąc w jej cieniu, wypracował niepowtarzalną umiejętność nieprzyjmowania tego co się stało do wiadomości i co za tym idzie, niewyciągania ze swojej historii jakichkolwiek wniosków.

Nieliczni Polacy, którzy zabrali się do analizy dziejów z bezlitosną pasją ich zrozumienia, zostali wykpieni, odsądzeni od czci i wiary i oskarżeni o zdradę, jak historycy z otoczonej przez potomnych pogardą krakowskiej szkoły. Nie wymagaliśmy nigdy od naszych intelektualistów prawdy, bo prawda jest gorzka i kole w oczy, tylko „krzepienia serc", utwierdzania stereotypów i mitów, jakie sobie na własny użytek stworzyliśmy (co zresztą sprawia, że nasza literatura jest dla innych narodów niezrozumiałym dziwaczeniem). Ulubionymi bohaterami polskiej wyobraźni nie byli kraczący realiści, tylko mitomani i opowiadacze bajek, tacy jak Mickiewicz – zręcznie składający rymy wariat, który napisanymi w sekciarskim omamie „Księgami narodu polskiego" na wiele pokoleń ogłupił polskie elity i pozbawił je umiejętności logicznego myślenia. Do dziś w tej dawnej, upadłej Rzeczypospolitej nie chcemy widzieć kraju, o którym ojciec nowożytnej ekonomii Adam Smith odnotował zwięźle, że o ile mu wiadomo, nie produkuje się tu niczego prócz najprostszych rzeczy, niezbędnych do domowego użytku. Kolejne pokolenia wolały patrzeć na to oczami wieszcza: oto tyrani z ościennych krajów, którzy nie mogli patrzeć na wspaniałą staropolską wolność, sprzysięgli się ukrzyżować im ojczyznę. I skutkiem takowej nauki, owe pokolenia zamiast wziąć się do pracy, zakładać banki i budować koleje oraz fabryki, szły od czasu do czasu „w pole", by tam dokonać „czynu zbrojnego". I były bardzo rozgoryczone, że Pan Bóg nie wywiązuje się ze swych obowiązków i mimo regularnie składanych za ojczyznę danin krwi, wciąż żadnego cudu z nami uczynić nie chce.

Komuniści, dyrygujący peerelowską edukacją, wpasowali tylko swoje propagandowe potrzeby w stary schemat. Od małego waleni byliśmy na lekcjach historii w łeb wizjami złej, warcholskiej szlachty, która swawoliła i wiodła Polskę ku zgubie – ale i dobrego, postępowego ludu, który kierowany patriotyzmem o wolność walczył. Tu naród do boju występuje z orężem i czarnymi od brudu paznokciami, a tu panowie sobie kurzą cygara i radzą o czynszach. Innymi słowy: nie naród był winny.

Naród robił, co mógł, tylko ta wstrętna szlachta, ci panowie... Jakże bliskie to dzisiejszemu przekonaniu, że jako naród jesteśmy jak najbardziej OK, tylko mamy skorumpowanych i podłych polityków.

Stopień, do jakiego Polacy wykrzywili i zafałszowali swoją własną historię, naginając ją do narodowych mitów i powszechnego chciejstwa, to temat na osobną, grubą książkę, której na pewno nie powinienem pisać ja, tylko jakiś historyk. Ale muszę o tym wspomnieć, bo na te fałsze stale się nabijamy i ciągle muszę tłumaczyć, że, na przykład, minister Beck plótł wierutne bzdury, twierdząc, jakoby jedyną rzeczą bezcenną był dla narodu honor, bo są rzeczy dla narodu od honoru znacznie cenniejsze, i te właśnie, wskutek wyborów dokonanych przez niego i jego kumpli, straciliśmy. Straciliśmy w imię dogodzenia honorowi sześć milionów obywateli, w tym niemal całą elitę narodu, i 750 000 kilometrów kwadratowych terytorium, a faktu, że honor udało nam się obronić, i tak nikt na świecie nie docenił ani nawet nie zauważył. Naprawdę ktoś uważa, że było warto? Bo tacy, na przykład, Francuzi nie kiwnęli dla swego honoru palcem w bucie, pobili wszelkie rekordy kolaboracji, a jedyne porządne oddziały wojskowe w całej wojnie światowej wystawili na froncie wschodnim w ramach Waffen SS – i jakoś, dziwna sprawa, mają się dzisiaj znacznie od Polski lepiej!

Albo weźmy taką bzdurę: Konfederację Barską stale traktuje się u nas jako pierwsze narodowe powstanie, a Targowicę jako symbol narodowej zdrady, podczas gdy w istocie obie te konfederacje różnił tylko stosunek do Rosji i carycy Katarzyny, natomiast w zasadniczym swym programie i w dziele demolowania Polski z pozycji patriotyczno-katolickich były tak bliźniaczo podobne, zarówno w retoryce, jak i w obiektywnych skutkach, że można je właściwie uznać za dwie odsłony tego samego ruchu społecznego.

Historyczna edukacja o dzielnym ludzie, łącząca propagandę marksizmu z romantycznym badziewiem, ma swój udział w naszej powszechnej i opartej literalnie na niczym beztrosce. Skoro Polskę do upadku doprowadziła szlachta, a dziś już szlachty nie ma, to drugi raz nic nam nie grozi. A zresztą: przecież sam Papież – Polak powiedział, że „nie może być Europy sprawiedliwej bez Polski niepodległej"!

Jakoś nikt nie pomyślał, że Europa może sobie w najlepsze istnieć nie będąc sprawiedliwą. A jeśli będziemy kiedyś zmuszeni przyjąć to do wiadomości wobec takich a nie innych faktów, to tylko po to, żeby mieć Europie za złe, że jest podła. Że Unia Europejska miała zadbać o nasz dobrobyt, a NATO nas obronić, a tymczasem znowu nas zdradzili, oszukali i porzucili.

*

Kto nie wierzy, może sprawdzić, że Adam Smith naprawdę tak właśnie o kraju naszych przodków napisał: „W Polsce, o ile nam wiadomo, nie produkuje się niczego, z wyjątkiem najprostszych rzeczy, niezbędnych dla gospodarstwa domowego, jakie wytwarza się wszędzie".

Polskie inteligenckie elity mają z dawna nawyk niezajmowania się niczym, co ma związek z gospodarką. Gospodarka to rzecz nieważna, drugorzędna. U nas najważniejszy jest człowiek, a jeszcze lepiej, cała ludzka zbiorowość – lud, naród, społeczność. Właśnie dlatego nie możemy zrozumieć tego nieszczęścia, które nas przed wiekami spotkało. Główna przyczyna, dla której dawna Rzeczpospolita musiałaby upaść, nawet gdyby nie zawiązała się Konfederacja Barska ani Targowicka, gdyby jakobini nie przeforsowali zagrażającej rosyjskim interesom konstytucji ani gdyby polski system polityczny nie został całkowicie sparaliżowany przez liberum veto, szlachecką anarchię i magnacką samowolę, została zauważona tylko przez Anglika: Rzeczpospolita Obojga Narodów była rzadkim w dziejach przykładem całkowitej nieproduktywności i niewiarygodnego wręcz przetrwonienia ogromnych zasobów. Jej gospodarka ograniczyła się do sprzedawania na Zachód ziemiopłodów i darów przyrody. Jedyną znaną naszym przodkom metodą maksymalizacji zysków był coraz dalej idący wyzysk chłopstwa, aż do poziomu oznaczającego wtrącanie go w coraz gorszą nędzę oraz zacofanie, a także coraz bardziej rabunkowa eksploatacja lasów. Dochody uzyskiwane w ten sposób kiedyś były zresztą ogromne. Nie tylko polscy magnaci olśniewali bogactwem zachodnie dwory; także poziom życia skromnego mieszczanina czy chłopa w szesnastym i jeszcze na początku siedemnastego wieku dla przeciętnego mieszkańca zachodniej Europy stanowić mógł tylko niedościgłe marzenie – i zresztą przez wieki płynął stamtąd na nasze ziemie strumień osadników, szukających tu poprawy losu i znajdujących ją.

Mieszkańcy mniej przez Boga pobłogosławionych krajów zmuszeni byli imać się handlu i rzemiosła, żeglowali, kombinowali, zakładali manufaktury i banki, wymyślali fundusze asekuracyjne, czeki, obligacje – Polacy zaś wszystko, co samo nie urosło na polu, kupowali, dopóki ich było stać, w najlepszym gatunku, i z czasem coraz bardziej utwierdzali się w przekonaniu, że wszelka praca hańbi, a posiadanie w domu jakiegokolwiek wyrobu krajowego to po prostu ostatni obciach. Od handlu był Żyd, od kuchni i opieki nad dziećmi Francuz, szkło musiało być weneckie, sukno holenderskie, strzelba angielska. Trudno sobie wyobrazić coś bardziej pasożytniczego i bezproduktywnego, niż szlachecka Rzeczpospolita Obojga Narodów. Aż pewnego dnia Pan spojrzał na nią z góry i stwierdził, że trzeba z tym skończyć.

*

Ta książka nie jest o tego rodzaju sprawach, ale skoro wlazłem w historię, wydaje mi się, że dla przykładu warto wspomnieć o jednym z naszych największych, historycznych urazów – wrześniu 1939 roku. Mamy o to straszny żal. Nasi sojusznicy obiecali nam pomóc, a zdradzili. Myśmy poszli z bagnetem na czołgi żelazne, ufni w moc międzynarodowych traktatów, a Anglia z Francją, ani pomyślawszy o swoim honorze, palcem nie kiwnęły, żeby spełnić swe sojusznicze zobowiązania. Owszem, wypowiedziały Niemcom wojnę, ale na wypowiedzeniu się skończyło. Aha, brytyjskie lotnictwo kilkakrotnie „zbombardowało" Niemcy przy użyciu ulotek. Nosimy w sobie ten zapiekły żal i od czasu do czasu sobie o nim przypominamy. Zresztą komuna dbała, żebyśmy nie zapomnieli. Tym, których los Ojczyzny zdawał się cokolwiek obchodzić, zawsze sączyła w uszy: wrzesień 1939 i Jałta, Jałta i wrzesień 1939, Zachód nas zdradził, zawsze nas zdradza, dla ruskiej okupacji nie ma alternatywy, musimy się pogodzić, musimy się z Moskwą ułożyć, musimy się jej podporządkować, bo nie ma innego wyjścia, Zachód nas sprzedał i zawsze sprzeda, wrzesień 1939, Jałta... Jak żyję, a ostatnich piętnaście lat żyję już przecież w wolnej Polsce, nie słyszałem, aby ktokolwiek przedstawiał sprawę nieudzielenia nam pomocy wojskowej w roku 1939 inaczej, niż w tonie „sojusznicy nas zdradzili".

Ale pewnego dnia przyszło mi do głowy, że należy spojrzeć na to tak. Otóż, jak wiemy z historii, kiedy władze II Rzeczypospolitej zdecydowały się na przyjęcie francusko-brytyjskich gwarancji bezpieczeństwa, było to właściwie jednoznaczne z decyzją, że będziemy z Hitlerem walczyć. Skończyły się wszelkie możliwości negocjacji, wszelkie manewry. Nie oddamy ani guzika, postawimy się zbrojnie, Anglia i Francja nam pomogą. Zgadza się?

Moja wiedza o historii politycznej nie jest wiedzą specjalisty. Ale z czasów chłopięcych pozostało mi zamiłowanie do wojskowości. Lubię w wolnych chwilach czytać opracowania dotyczące różnych konfliktów zbrojnych, bitew, rozwoju różnych rodzajów broni. Z tych lektur wiem, że w 1939 roku polscy wojskowi zdawali sobie sprawę z miażdżącej przewagi militarnej hitlerowskich Niemiec. Oczywiście, mieli pełne prawo nie spodziewać się, że poniesiemy klęskę tak szybko – Blitzkrieg był wtedy czymś zupełnie nowym i każda armia świata, poza wyznającą tę samą agresywną doktrynę co Niemcy armią sowiecką, byłaby zaskoczona. Nasi dowódcy mogli liczyć, że utrzymamy się dwa, trzy miesiące. Pół roku na pewno nie. Ale choćby i tyle, na wygranie wojny nie mieliśmy szans. Pomoc zachodnich mocarstw była tu sprawą kluczową.

Ale w tym właśnie cała sprawa, że mocarstwa te pomóc nam militarnie nie były w stanie. Przez całe dwudziestolecie, pod naciskiem swych wyborców, rządy tamtejsze systematycznie się rozbrajały. Wielka Brytania w roku 1939 praktycznie w ogóle nie miała jednostek pancernych, a jej nieliczne czołgi były powolne i przestarzałe. Francja cały wysiłek włożyła w ufortyfikowanie granicy i fizycznie nie była zdolna do jakiejkolwiek akcji zbrojnej poza obroną „linii Maginota". To, że maszyna Blitzkriegu złamała polską obronę praktycznie w ciągu dziesięciu dni, niewiele zmieniało. Gdyby ta obrona trwała dwa czy trzy miesiące, Anglia z Francją też nie zaatakowałyby w tym czasie Niemiec, bo po prostu nie miały czym!

Potencjał zbrojny naszych sojuszników nie był, sprawdzałem w źródłach z epoki, nieznany. Zresztą w państwie demokratycznym nigdy nie ma możliwości, aby takie dane ukryć, tajemnicą da się otoczyć najwyżej pewne szczegóły. Mówi się, że podpisując owe sławne gwarancje, Francja i Anglia doskonale sobie zdawały sprawę, iż pomocy nam nie udzielą. Cóż za cynizm, przyjęło się to komentować. No, owszem, cynizm. Ale zapytajmy: a co nasi politycy? Czy oni tego wszystkiego nie wiedzieli? Jeśli nie zadali sobie trudu sprawdzić, jaki jest rzeczywisty potencjał tych, którzy nam swoje gwarancje obiecali, i zastanowić się, na ile perspektywa ich pomocy jest realna – to wypada stwierdzić, że byli idiotami. Jeśli zaś to wiedzieli, i mimo to podpisali układ, który oznaczał dla bezbronnego kraju nieuchronną klęskę i rzeź – to byli idiotami tym bardziej. Dlaczego uparcie, od pół wieku, nie chcemy tego przyznać, tylko nosimy w sobie pretensję do zachodnich aliantów o głupotę naszych własnych przywódców?

W Polsce się takich pytań nie zadaje. Wielka szkoda. Nie pytając o historię, nic się z niej nie uczymy. Nie ucząc się, w kółko wpadamy w te same pułapki i popełniamy te same głupstwa, a jedyną reakcją są tym głośniejsze lamenty.

*

Ale Polacy mają jeszcze bardziej niepowtarzalne, niewiarygodne i pozbawione jakiegokolwiek precedensu doświadczenie w swej historii – tym razem tej najnowszej. Przez parę lat świat przecierał w zdumieniu oczy, nie dowierzając, że zrujnowany przez komunizm kraj może się podnosić w takim tempie. Dziś, gdy szuka się modelowego przykładu gospodarczego i cywilizacyjnego awansu, wszyscy mówią o Irlandii. A przecież Polska przez tych kilka pierwszych lat była od Irlandii znacznie lepsza. W ciągu tych kilku lat po ustrojowej transformacji powstało w Polsce, kraju niespełna 40-milionowym, 6 milionów nowych miejsc pracy. W ciągu tych kilku lat roczne inwestycje sięgały 10 miliardów dolarów – dziś nie ma co o podobnym wyniku marzyć. Produkt Krajowy Brutto rósł w tempie 5 – 7 proc. rocznie. Powstały 3 miliony nowych firm, głównie małych, rodzinnych. Jeszcze dziś, w początkach roku 2004, widać skutki tamtego rozpędu – jeśli policzyć, ile mamy w Polsce małych firm, wypadamy w tej klasyfikacji wcale nieźle. A jeśli policzyć studentów na 100 tysięcy mieszkańców, to okaże się, że jest ich więcej niż w jakimkolwiek kraju europejskim, więcej nawet, niż w Japonii. Nawet biorąc poprawkę na „szkoły wyższe" założone tylko po to, by dawać chroniące przed deportacją papiery studenckie ruskim prostytutkom i „cynglom".

Na początku lat dziewięćdziesiątych świat przyglądał nam się z autentycznym podziwem. Sam, jak większość rodaków, dopiero wtedy zacząłem wyjeżdżać na Zachód i spotykać się z ludźmi stamtąd. Polskie sukcesy gospodarcze zawsze były tym, od czego zaczynali oni rozmowę. Mogła to być, oczywiście, kurtuazja. Ale renomowane zachodnie pisma nie miały żadnego interesu w tym, żeby bawić się wobec nas w kurtuazję, przeciwnie, nigdy nie miały żadnych oporów, by bezkrytycznie powtarzać stereotypy o „polskim antysemityzmie" czy wręcz „polskich nazistach" – a wystarczy przejrzeć, co tych kilkanaście lat temu pisały o naszych sukcesach. Widziano w nas kraj bezprzykładnego rozwoju, nowych możliwości, nadziei. Zwłaszcza że o miedzę graniczyły z nami wschodnie Niemcy. Wschodnie Niemcy – porównajcie tylko, bo to dobry przykład. Bonn wpompowało w nie w ciągu piętnastu lat półtora biliona dojczemarek. Półtora biliona! Piszę po polsku, nie angielsku, jak to się pod wpływem zalewu złych tłumaczeń zdarza coraz większej liczbie niedouczonych żurnalistów, nazywam więc bilionem tysiąc miliardów, liczbę zapisywaną jedynką z dwunastoma zerami. Tyle właśnie zachodnioniemieckich marek wsiąkło w ciągu dziesięciu pierwszych lat w „enerdówek", i – wbrew wszystkim mitom o niemieckiej zaradności, organizacji i pracowitości – na próżno. Gdyby Niemcy uzyskali tam rezultaty choć w połowie tak dobre, jak ci Polacy, z których lenistwa i bałaganiarstwa tak bardzo lubią się śmiać i od których czują się bezgranicznie lepsi, porobiliby się ze szczęścia. Ale jak na razie enerdówek pozostaje wielkim, walącym się skansenem, z którego młodzi i zdolni pryskają jak tylko mogą na Zachód, i po którym kolejne miliardy, teraz już euro, rozpływają się bez śladu.

Ale ten polski zryw potrwał raptem kilka lat. Kilka lat wystarczyło, by Polacy znienawidzili samych siebie, wolny rynek, kapitalizm i wszystko, co przyszło po roku 1989, by rzucili się w amoku wstrzymywać zmiany, restytuować kawałek po kawałku PRL i trwonić pierwsze owoce świeżo odniesionego sukcesu. Już w 1993 wyrokiem demokratycznych wyborów powrócili do władzy komuniści i wkrótce potem zmiany w kluczowych sferach życia publicznego zostały zatrzymane. W 1995 miłość do peerelu wprawiła polactwo w szał uwielbienia dla Aleksandra Kwaśniewskiego, przeciętnego aparatczyka, człowieka żenująco małego formatu, o życiorysie drobnego cwaniaczka i charyzmie biurowego bawidamka, na dodatek wielokrotnie przyłapywanego na nieudolnych krętactwach. A potem już poszło niepowstrzymaną lawiną. Kto nie zaczynał wykładu swej „myśli politycznej" od lamentu nad tym, jak to Polska została zniszczona, doprowadzona do ruiny, wyprzedana za bezcen, kto nie krzyczał, że Polacy żyją w nędzy i biedzie, kto nie obiecywał, że skończy z tym „wilczym kapitalizmem" i przywróci socjalne bezpieczeństwo, ten w ogóle nie miał czego w polityce szukać – wola ludu zmiatała go w niebyt.

Nic tej chorobliwej sytuacji nie obrazuje bardziej dobitnie, niż nienawiść, jaką żywi polactwo do człowieka uważanego za symbol polskich przemian. Leszek Balcerowicz jest jednym z nielicznych Polaków, których nazwisko jest dziś rozpoznawane na świecie. Jako ekonomista jest ceniony do tego stopnia, że całkiem poważnie rozważano jego kandydaturę do Nobla. Na posiedzeniach tuzów światowej gospodarki traktowany jest z całą powagą jako jeden z ważniejszych członków zgromadzenia, każdy zachodni uniwersytet, na którym zechce wygłosić wykład, poczytuje to sobie za zaszczyt, a ostatnio znalazł się w czwórce kandydatów do kierowania Międzynarodowym Funduszem Walutowym.

U nas tymczasem, w Polsce, wychodzi, ot, taki sobie wsiowy cwaniaczek, wykształcenie rolnicze zawodowe, i publicznie nazywa profesora Balcerowicza idiotą. „Ekonomicznym" idiotą, uściśla, i dodaje do tego jeszcze bandytę, łobuza tudzież szereg innych kwiecistych epitetów. Ale te na razie zostawmy, skupmy się tylko na tym drobnym fakcie, że oto ekonomiczną wiedzę człowieka wysoko cenionego przez największych w tej dziedzinie fachowców na świecie u nas weryfikuje negatywnie osobnik, który skończył przysłowiowe trzy klasy i czwarty korytarz. A polactwo, które tego słucha, zamiast parsknąć śmiechem i posłać głąba, gdzie jego miejsce, do kopania buraków

– bije mu brawo! Prawie jedna trzecia zgłasza gotowość wybrania go premierem Rzeczypospolitej, a pięćdziesiąt parę procent deklaruje w badaniach, że ufa właśnie jemu, nie Balcerowiczowi.

Akurat teraz, gdy siedzę nad tą książką, usiłując natłok ponurych myśli o przyszłości, którą sobie szykujemy, ująć w jakąś nadającą się do czytania formę, polski Sejm po raz kolejny zamienia się w przedwyborcze targowisko głupoty i obietnic bez pokrycia. Po niesławnych rządach Leszka Millera postkomunistyczny Sojusz Lewicy Demokratycznej rozpękł się na dwie części, uwolniona spod jego kurateli partia-huba, Unia Pracy, zamarzyła o samodzielności, a „Samoobrona" wyrosła w sondażach na pierwszą siłę polityczną kraju. A zarazem realna stała się perspektywa przyspieszonych wyborów. Musiało się to, oczywiście, skończyć histeryczną licytacją, kto bardziej jest „po stronie ludzi", kto więcej im da, kto goręcej współczuje i tak dalej. Bardzo charakterystyczną rzeczą jest, kto pierwszy padł ofiarą tej wojny. Otóż – dwóch profesorów z lewicy, Hausner i Belka. Pierwszą, rytualną deklaracją, jaką, chcąc nie chcąc (przeważnie chcąc), złożyć musieli wszyscy ścigający się z Lepperem do łask polactwa, było stanowcze odcięcie się od nich. Hausner, jeszcze parę tygodni wcześniej przedstawiany przez lewicę jako zbawca narodowej gospodarki, nagle stał się dla tejże lewicy śmierdzącym jajem, które każda z lewicowych partii najchętniej podkukułczyłaby konkurencji. Od Belki odcięły się wszystkie lewice niemal rutynowo, jako od „liberała". Jeśli mimo to przejdzie, to tylko dlatego, że większość posłów doskonale wie, że do następnego Sejmu już się nie załapie, i szkoda im tracić diety za jeszcze bez mała rok urzędowania.

Ktoś mógłby sądzić, że w Polsce, zniechęconej do swych polityków i do partyjniactwa, hasło „rządu fachowców" zyska wielki poklask i liderzy polityczni, świadomi, że wyborcy pilnie ich obserwują i wkrótce wydadzą wyrok, będą się musieli zgodzić na oddanie zarządu nad państwem specjalistom od ekonomii i administracji publicznej, zamiast po staremu dzielić ministerstwa według partyjnego parytetu i potrzeb zachowania równowagi między koteriami. A tymczasem, wręcz przeciwnie – okazało się, że w zgodnej opinii większości poselskich klubów premier właśnie w tej sytuacji „musi" rekrutować się z grona polityków.

Dlaczego? W załganym języku polskiej polityki grzech Belki i Hausnera nazywa się „liberalizmem". Ale nie warto sięgać do słownika wyrazów obcych – ludzie, którzy ten załgany język stworzyli i którzy się nim posługują, też tam nigdy w życiu nie zajrzeli. W polszczyźnie politycznej słowo „liberał" nie ma nic wspólnego z liberalizmem jako doktryną. Jest to po prostu rytualna obelga, znacząca mniej więcej tyle, co „ten co nie chce dawać pieniędzy potrzebującym, a nawet jeszcze je im zabiera".

Liberałami we właściwym sensie tego słowa ani Belka, ani Hausner nie są w najmniejszym stopniu. Pierwszy, od zawsze mile widziany na lewicowych salonach, jest po prostu ekonomistą, cenionym przez środowiska fachowe na świecie, jednym z tych, którzy, gdy pojadą do Davos czy na Wall Street, traktowani tam są poważnie – takich ludzi nie mamy w Polsce zbyt wielu, więc wydawałoby się, że tych, których mamy, powinniśmy się starać należycie wykorzystać. Hausnera natomiast można wręcz uznać za lewicowca całą gębą. Współzałożyciel i aktywny działacz krakowskiej „Kuźnicy", stowarzyszenia, które chciało naiwnie budować intelektualne zaplecze dla SLD (naiwnie, bo partii towarzyszy Szmaciaków zaplecze intelektualne potrzebne było akurat jak zawiasy w plecach), we wszystkich swych działaniach starający się realizować wskazania „sprawiedliwości społecznej" i mimo wszystkich swych przykrych przygód z głupimi i egoistycznymi watażkami ze związków zawodowych zawsze podkreślający znaczenie „społecznego dialogu", równoważenia interesów pracodawców i pracobiorców oraz innych tego rodzaju bzdur z lewicowego dekalogu. Tyle, że przy tym mający dobre rozeznanie, co to finanse publiczne, jak działa administracja państwa, jak namnażają się w niej zbędne koszty i nadużycia, i zdecydowany owe patologie zlikwidować. I to właśnie wystarczyło, aby zyskać mu miano „liberała", a jego ograniczony do najniezbędniejszego minimum plan uracjonalnienia walących się finansów państwa uczynić „antyspołecznym", „antyludzkim" i „wymierzonym w najbiedniejszych".

W załganym języku polskiej polityki „liberał" oznacza człowieka, który twierdzi, że dwa plus dwa równa się cztery – i że to się nigdy nie zmieni, mimo jednogłośnych uchwał komisji krajowej czy Wysokiej

Izby. Człowieka, który przestrzega, że nie można wydać więcej, niż się ma w kasie, ani pożyczyć więcej, niż się będzie w stanie oddać. W ten sposób „liberałem" staje się u nas każdy, kto ma szczyptę zdrowego rozsądku i podstawową wiedzę. Zwłaszcza staje się nim, z urzędu, każdy profesor, choćby tak oddany lewicowym ideałom, jak Hausner. „Dobry fachowiec, ale bezpartyjny" – brzmiał za czasów peerelowskiego syfu wyrok, który dyskwalifikował w przedbiegach kandydata do stanowisk zarezerwowanych dla partyjnych kolesiów. Przykłady Belki i Hausnera pokazały, że w III RP, po piętnastu latach jej funkcjonowania, tę samą moc zaczęła mieć w politycznych elitach zasada odwrotna: „dobry partyjny, ale, niestety, fachowiec". A partia, zwłaszcza lewicowa, a która nie jest u nas lewicowa, nie może sobie pozwolić, żeby popierać fachowca. Bo fachowiec, jako się przed chwilą rzekło, to „liberał", a liberał to ten, przez którego nie można dodrukować pieniędzy na zasiłki, renty, emerytury, służbę zdrowia, skupy interwencyjne i dopłaty do węgla. Bo jeszcze się oburzone popieraniem kogoś takiego resztki elektoratu lewicy wypną ostatecznie na swych dawnych ulubieńców z SLD-UP-PSL oraz na innych i pójdą do Leppera, serwującego im te same, po raz nie wiedzieć który odgrzane głodne kawałki o sprawiedliwości społecznej, tylko uwiarygodnione argumentem, że on jeszcze nie rządził.

Skoro wspominałem tu o profesorze Balcerowiczu – a w książce o polactwie trudno o nim nie wspominać, zważywszy, że jest dla tegoż polactwa wcieleniem wszelkiego zła i ulubionym celem do plucia – to jego przykład pokazuje, iż choroba Polski objawia się najgłębszą pogardą nie tylko dla kwalifikacji fachowych, ale także moralnych.

Być może ktoś zechce mi wyrzucać, uważając to za niekonsekwencję, że w początkach swojej publicystyki więcej z Balcerowiczem wojowałem, niż go chwaliłem i bodaj nawet nazwałem go gdzieś w felietonistycznym ferworze „znachorem". I owszem, w początkach lat dziewięćdziesiątych wiele mi się w firmowanych przez Balcerowicza reformach nie podobało – choć nigdy nie napisałem niczego, co współbrzmiałoby z tonem krytyk różnych „pożytecznych idiotów" z prawicy, którzy potępiając Balcerowicza za „doktrynalny monetaryzm", „wyprzedaż majątku narodowego" i „niszczenie Polski" oraz w czambuł krytykując wszystkie skutki zmian po roku 1989, z wolnym rynkiem na czele, mościli komunistom drogę powrotu do władzy równie skutecznie, jak czynił to Adam Michnik swoją faryzejską publicystyką i toastami. Miałem za złe Balcerowiczowi coś dokładnie odwrotnego: zbyt powolne tempo zmian. To, że skupił się na kwestiach makroekonomicznych, zaniedbując dekomunizację aparatu skarbowego, że nie przeciwdziałał łupieniu państwowych banków, których pezetpeerowscy prezesi rozdawali majątki w formie kredytów „na wieczne nieoddanie" spółkom zakładanym przez partyjnych i ubeckich kolesiów, że zaniedbał reprywatyzację, zbyt wolno prowadził prywatyzację, że nawet nie wziął pod uwagę możliwości, by konieczną dla ratowania państwa operację likwidacji tzw. nawisu inflacyjnego połączyć z jakąś formą uwłaszczenia obywateli na majątku państwa, co mogłoby zrównoważyć poczucie przeciętnego Polaka, że nowy ustrój obrabował go z dorobku życia. Dzisiaj doskonale sobie wyobrażam argumenty, których można by użyć do odpierania tych zarzutów, jakie wtedy stawiałem, i zresztą jestem gotów do podjęcia sporu, choć cokolwiek byśmy ustalili, teraz i tak nie ma to już żadnego praktycznego znaczenia. Ale te sprawy nie mają żadnego wpływu na stwierdzenie faktu, w moim przekonaniu jak najbardziej oczywistego, że Leszek Balcerowicz okazał się jednym z bardzo rzadkich w najnowszej historii Polski przypadków autentycznego patrioty i człowieka oddanego idei.

Mówię o tym w tym akurat miejscu, bo trudno o przykład bardziej dobitny. Jako prezes NBP Balcerowicz zarabia pięć, nawet dziesięć razy mniej, niż dostałby jako prezes banku komercyjnego – a można być pewnym, że każdy bank komercyjny, gdyby tylko zechciał, zaofiarowałby mu prezesurę z pocałowaniem w rękę. Nawet, jeśli nie zostałby mianowany szefem Międzynarodowego Funduszu Walutowego – a trudno powiedzieć, jak potoczyłyby się sprawy, gdyby nie odrzucił tej oferty z góry – mógłby Balcerowicz przy swojej pozycji w każdej chwili wyjechać do Ameryki i tam, objąwszy katedrę na najbardziej prestiżowym z uniwersytetów, żyć jak pączek w maśle, zbierając hołdy. A gdyby mu się nie chciało męczyć regularną pracą, mógłby ograniczyć się do objeżdżania przez miesiąc – dwa w roku Ameryki i zachodniej Europy z wykładami, za które w kilka tygodni zarabiałby więcej, niż Rzeczpospolita wypłaca mu przez rok. Cokolwiek kto tam uważa na temat monetaryzmu, liberalizmu czy innych mądrych słów, które budzą w Polsce emocje, choć naprawdę mało kto rozumie ich sens, mamy oto człowieka, który mogąc zarabiać krocie za oceanem, od lat zadowala się w służbie swemu krajowi skromną jak na jego kwalifikacje pensyjką, domkiem pod Warszawą i średniej klasy samochodem. I oto na nienawiści do tego człowieka, na nazywaniu go „bandytą" i wycieraniu sobie nim gęby przy każdej okazji, polityczną karierę robi taki Lepper. Powiatowy cwaniaczek, który w ciągu kilku lat z właściciela zadłużonego gospodarstwa rolnego stał się właścicielem fortuny, nakupował sobie gdańskich mebli, a jego żonę stać na szpanowanie nawet w polu markowymi bluzeczkami po 150 euro. Człowiek, przez ręce którego w sposób nad wyraz podejrzany i przez nikogo nie kontrolowany przepływają miliony, który bezlitośnie wyrzuca z partii każdego, kto ośmiela się zapytać, co przewodniczący raczył zrobić z państwowymi dotacjami na partię oraz z pobieranymi od swych parlamentarzystów haraczami, który holuje za sobą bandę najzwyklejszych mętów, sądzonych i skazywanych za wyłudzenia, pobicia, kradzieże i różnego rodzaju machloje, któremu różne firmy w dyskrecji przekazują nie księgowane „składki na partię" w zamian za odstąpienie od ich blokowania czy terroryzowania w inny sposób – dość powiedzieć, osobnik, który przez jeden ostatni rok więcej zarobił na opluwaniu Balcerowicza, niż sam Balcerowicz na całej swojej służbie Rzeczypospolitej!

I spójrzcie w sondaże: komu z tych dwóch ufa pięćdziesiąt parę procent ankietowanych mieszkańców Polski?

*

Pięćdziesiąt parę procent. Bardzo proszę, żebyście Państwo zapamiętali tę wielkość. Te pięćdziesiąt parę procent powtarza się w rozmaitych sondażach i badaniach. Co kilka lat, na przykład, jeden z ośrodków badawczych organizuje sondaż z prostym pytaniem: kto pani/pana zdaniem powinien rządzić Polską? Pytanemu podsuwa się szereg opcji, obejmujących konkretne partie, a także instytucje takie jak wojsko, Kościół czy telewizja. Jest też na tej liście opcja zupełnie absurdalna:

„koalicja wszystkich istniejących partii". Ktokolwiek ma pojęcie, czym jest demokracja i o co w niej chodzi, nie może na podobny pomysł zareagować inaczej, niż wzruszeniem ramion. Jak mogłaby powstać „koalicja wszystkich istniejących partii", nawet jeśli „wszystkich" nie ma oznaczać naprawdę wszystkich istniejących (w tej chwili bodaj coś koło dwustu), ale tylko tych kilka największych, obecnych w Sejmie i zapraszanych do programów telewizyjnych? Trudno o coś bardziej nonsensownego! A jednak tę właśnie arcyidiotyczną opcję wybiera regularnie, w każdym kolejnym badaniu, pięćdziesiąt parę procent pytanych.

O sposobie, w jaki myślą oni o demokracji, wyborach i państwie, wiele mówi sondaż, który przeprowadzono na krótko przed wyborami prezydenckimi w roku 2000. Można by zrozumieć, że ktoś głosuje na kandydata mającego liczne wady, bo mówi sobie – do licha z wadami, facet ma także zalety, i te zalety w moich oczach przeważają. Tak właśnie wyważają sobie plusy i minusy kandydata – bo ideałów, jak wiadomo, nie ma – wyborcy w krajach o długiej demokratycznej tradycji i o powszechnych obywatelskich nawykach. Ale to nie u nas. Krótko przed ostatnimi wyborami prezydenckimi socjolodzy zapragnęli ustalić, jakie konkretnie cechy kandydatów decydują o preferencjach elektoratu, i zlecili proste badanie: ankietowani mieli konkretnym kandydatom przypisać wyróżniające ich cechy. Potem socjolodzy dostali wyniki i stanęli nad nimi, jak to pięknie ujął poeta, niczym dziecko z usty zdumionymi. Bo okazało się, że pięćdziesiąt parę procent respondentów bez chwili namysłu, mechanicznie, przypisuje w czambuł wszystkie cechy pozytywne Kwaśniewskiemu, a wszystkie negatywne – jego konkurentom. Owe pięćdziesiąt parę procent obdarzyło więc Kwaśniewskiego nie tylko patriotyzmem, fachowością, odpowiedzialnością za państwo i wszelkimi innymi zaletami, ale także stwierdziło, że Kwaśniewski ma ukończone studia i jest wysoki. I odwrotnie – Krzaklewskiemu, który ma nie tylko dyplom, ale i najuczciwszy pod słońcem doktorat, ci sami ludzie odmówili prawa do używania tytułu człowieka wykształconego, a Olechowskiego, który mierzy sobie dwa metry, uznali za niskiego.

Wielka szkoda, że takich badań nie robiono w innych historycznych momentach i w odniesieniu do innych osób publicznych. Jest bardzo podobne, że pięćdziesiąt parę procent mieszkańców naszego kraju w tej chwili, w kwietniu 2004, uważa, że Andrzej Lepper jest wykształcony, kulturalny i uczciwy – w przeciwieństwie do wszystkich jego przeciwników (o smukłej posturze i subtelnych rysach twarzy już nie wspomnę). Możliwie, że podobnie wypadłoby badanie opinii o Leszku Millerze, gdyby je przeprowadzić tuż przed wygranymi przez SLD wyborami. Bo w dwa lata później, oczywiście, już nie. W dwa lata później ci sami ludzie, pytani o Millera, plują, klną i zapewniają, że „panie kochany, jak ja tę mordę widzę, to aż mnie całego, panie, o!". To istotne – ci ludzie nie powiedzą, że Miller zadłużył Polskę, że zmarnował międzynarodową koniunkturę, że oddał kraj na łup byłych wojewódzkich sekretarzy PZPR i komendantów MO. Jedyne, co powiedzą, to że nie mogą patrzeć na jego mordę. Choć jeszcze tak niedawno wślepiali się w nią z uwielbieniem. O Wałęsie też zresztą nie powiedzą niczego innego. Tak żyje polactwo – miotane maniakalno-depresyjnym rytmem od bezrozumnego uwielbienia do równie bezrozumnej nienawiści. Poddane całkowicie irracjonalnym emocjom i odruchom, i nawet niezdolne zastanowić się, w jak wielkim stopniu są one skutkiem propagandy i manipulacji, na które się swoją bezmyślnością wystawia. Tyle tylko, że cykl, w jakim uwielbienie zmienia się w furię, jest coraz krótszy.

Dodajmy, że pięćdziesiąt parę lub nawet więcej procent ankietowanych twardo podpisuje się w naszym kraju pod stwierdzeniami tego rodzaju, że za materialny poziom życia każdego odpowiada państwo, że rząd ma obowiązek zapewnić miejsca pracy, że państwo powinno przeznaczać pieniądze w pierwszym rzędzie na dotowanie deficytowych przedsiębiorstw i utrzymanie w nich zatrudnienia, a dopiero kiedy ewentualnie coś mu zostanie – na inwestycje w przyszły rozwój gospodarczy (tak! było takie badanie!). Zapamiętajmy te pięćdziesiąt parę procent i wszystkie te sondaże, bo jasno pokazują, jaką część mieszkańców Polski stanowi polactwo.

Popatrzmy na nasze państwo. Co się stało po kilkunastu – a Bogiem a prawdą, już po kilku zaledwie – latach z polskimi sukcesami, z gospodarczą przemianą, z tymi milionami drobnych przedsiębiorców? Co się stało z polskim bohaterskim oporem przeciwko komunizmowi, z „Solidarnością", z naszą wiarą? Jak to się stało, że w tak krótkim czasie zmieniliśmy się w pogrążony w głębokiej depresji kraj pastuchów, zdominowany przez rozwydrzoną tłuszczę, która nienawidzi wszystkich i wszystkiego, nikomu nie ufa, na wszystko pluje, wszystkie wartości, zasady i prawa ma głęboko w de, i myśli tylko o czubku własnego nosa? Kraj, w którym 60 procent ankietowanych studentów deklaruje, że chciałoby stąd jak najszybciej wyjechać, z czego ponad połowa – na zawsze?

Co, u diabła, klątwa jakaś? Zmowa? Naród jakiś taki popaprany?

Nie. Oderwijmy się na chwilę od własnych problemów, popatrzmy na tych, którzy mieli podobną do naszej historię i podobne problemy. Litwa – państwo, które odzyskało niepodległość nie po żadnym „okrągłym stole", który można by uznać za „zmowę elit", ale po krwawych zamieszkach i demonstracjach. Wybory prezydenckie wygrał tu „człowiek znikąd", cokolwiek w typie Tymińskiego, który szybko okazał się być powiązany z jakimś szemranym biznesmenem ze Wschodu. Ewidentnie znać w tym wszystkim rękę służb specjalnych imperialnej Rosji, tej samej, która od 1939 trzymała Litwę pod butem. Ale choć mający tak dziwne powiązania prezydent został odsunięty od władzy przez parlament, jego popularność w litewskim społeczeństwie wcale nie zmalała. Gdyby mu tego nie uniemożliwiono, po raz kolejny stanąłby do wyborów i znowu je wygrał. Choćby miał zaraz po tym wysłać w imieniu swego narodu wiernopoddańczy list do Moskwy z prośbą, aby wkroczyła i przyłączyła Wilno do wielkiej rodziny radzieckich stolic. A skąd tak wielka popularność tego człowieka, wręcz zajadłość, z jaką broni go przed zarzutami litewski kołchoźnik, który ulokował w nim wszystkie swoje najlepsze uczucia? Tylko z faktu, że przyszedł z zewnątrz, nie odpowiada za gospodarcze problemy transformacji („jeszcze nie rządził" – znacie to?) i jest przystojny.

Słowacja. Państwo, w którym komuniści przepoczwarzyli się nie, jak u nas, w socjaldemokratów, tylko w narodowców, i przez które fala niszczącego populizmu w stylu „Samoobrony" przewaliła się u zarania dekady. I które, dodajmy, słono za to zapłaciło, nie tylko problemami gospodarczymi, ale także aferami czy brutalnym łamaniem wolności słowa. W ostatnich latach otrząsnęło się i odniosło wielkie sukcesy gospodarcze, zwłaszcza w dziedzinie uzdrowienia systemu podatkowego i finansów publicznych, wzbudzając podziw na świecie. I właśnie w chwili, gdy reformy zaczęły przynosić owoce, większości obywateli nie chciało się pofatygować na wybory prezydenckie, a ci, którzy się pofatygowali, zadecydowali o powrocie odpowiedzialnego za całe zło poprzedniej dekady postkomunisty-nacjonalisty Mecziara. Mało tego, wraz z tym upiorem przeszłości do drugiej tury przeszedł jego były bliski współpracownik, obecnie skłócony, ale w istocie bliźniaczo podobny.

Albo Bułgaria. Przykład nie tak spektakularny, bo tu przemiana komunistów w postkomunistów nie wiązała się z oddaniem przez nich władzy. Kraj od samego początku lat dziewięćdziesiątych rządzony mniej więcej tak, jak u nas zapewniają, że by rządziły PSL z „Samoobroną". Z wielką „wrażliwością społeczną", bez „dzikiego kapitalizmu", bez „doktrynalnego monetaryzmu" i „wyprzedaży majątku narodowego". Każdy zwolennik lewicy czy tak zwanej „narodowej" prawicy, każdy fan redaktora Barańskiego i czciciel księdza Rydzyka powinien uznać taką Bułgarię za prawdziwy raj: jeden wielki brud, smród i ubóstwo, na ulicach samochody przywleczone z polskich złomowisk (to nie figura retoryczna – wraki przywożone do nas przez laweciarzy z Niemiec, kupione za grosze i uznane potem za zupełnie już zajeżdżone, jadą potem dalej, na Bałkany właśnie), w stolicy poza dzielnicą rządową nie znalazłem ani jednego domu, z którego nie łuszczyłby się tynk i ani jednej ulicy bez wybojów i dziur, a od czasu otwarcia granic ludność kraju zmniejszyła się z dziesięciu do dziewięciu milionów, bo młodzi ludzie, którym marzy się porządne życie, wieją stamtąd jak najdalej, choćby do Turcji. I znikąd nadziei na zmianę. Na chwilę co prawda wzbudził entuzjazm były car, ale choć rekomendowany przez niego rząd poprawił nieznacznie gospodarcze wskaźniki, dziś już jest serdecznie znienawidzony, a w kolejnych wyborach, przy coraz mniejszej frekwencji, wygrywają komuniści.

A Białoruś? Nie dość, że zaledwie w kilka lat po odzyskaniu niepodległości wyrzekła się jej przygniatającą większością głosów, powracając do sowieckiego języka, godła i obyczaju, to jeszcze, mimo panującej tam nędzy, zacofania i zamordyzmu, wybrany głosami kołchozów ponury pajac wciąż cieszy się ich uwielbieniem i w cuglach wygra każde następne wybory.

Więc co, prawidłowość? Też nie. Przecież w Czechach i na Węgrzech, które dawno już odebrały nam pozycję prymusa w przygotowaniach do wejścia do Unii Europejskiej, też był taki sam komunizm jak u nas. I jakoś dyskurs publiczny nie został tam zdominowany przez histerię i demagogię, a populiści pozostają na marginesie. A Estonia? Okupacja, jakiej była poddana jako sowiecka republika, straty, jakie zadano temu narodowi w jego ludzkiej i materialnej substancji nie dadzą się porównać ze stosunkami, które panowały w naszym „najweselszym baraku w obozie socjalistycznym". A wystarczyło dziesięć lat, by ten malutki i ciężko doświadczony kraj stał się autentycznym gospodarczym tygrysem, prawdziwym Zachodem, o jakim my długo jeszcze będziemy mogli tylko marzyć!

Jedni potrafili, inni nie. Uwarunkowania wszędzie były mniej więcej takie same, ale ostateczny efekt zależał od konkretnych decyzji konkretnych ludzi, podejmowanych w konkretnych chwilach i okolicznościach.

My, niestety, mimo początkowych sukcesów, stoczyliśmy się. I jak na razie staczamy się nadal. A ponieważ nie leżymy gdzieś na uboczu, na Bałkanach czy skalistych fiordach, tylko w samym środku Europy, pomiędzy Niemcami a Rosją, gdzie nie ma miejsca na bezhołowie wstrząsanej ciągłymi konwulsjami „kartoflanej republiki", grozi nam to utratą państwowej suwerenności.

Dlaczego tak się stało? W gruncie rzeczy łatwo to wyjaśnić. I kiedy już to zrobię, sami dojdziecie do wniosku, że podobny splot głupoty i podłości kolejnych rządzących sił politycznych w połączeniu z takim, a nie innym dziedzictwem, systemem społecznym i latami spędzonymi w syfie „realnego socjalizmu", gdyby spadł na jakikolwiek inny naród na świecie, dałby efekty dokładnie takie same.

Ale zanim weźmiemy się do diagnoz, zbadajmy dokładniej objawy zabijającej nas choroby.

Za mną, Czytelniku!

Rozdział II

Kiedy wicepremier Grzegorz Kołodko stwierdził w radiowych „Sygnałach dnia", cytuję z pamięci, „gołym okiem widać, że polska gospodarka rozkwita", to nikt mu nie uwierzył. Może dlatego, że akurat następnego dnia podał się do dymisji. Kiedy premier Miller oznajmił na konferencji sprawozdawczej, że Polska jest w znakomitej sytuacji, i tylko propaganda nieżyczliwych rządowi mediów wytwarza u co bardziej naiwnych odwrotne wrażenie, a następca Kołodki, Hausner, przy tej samej okazji zrugał jak niegrzecznych chłopców ekonomistów (praktycznie wszystkich, z wyjątkiem dwóch czy trzech afiliowanych bezpośrednio przy SLD), że kraczą i sieją defetyzm, zamiast dostrzegać niewątpliwe sukcesy rządu – to w najlepszym wypadku potraktowano ich wypowiedzi jak bezpodstawną fanfaronadę.

A tymczasem, rzeczywiście, Polska jest gospodarczym mocarstwem. Potęgą. Trzeba tylko umieć, no i, oczywiście, chcieć spojrzeć w odpowiedni sposób, żeby to zauważyć. Naprawdę, powtórzmy to: jesteśmy gospodarczą potęgą, rozkwitamy, rośniemy w siłę i żyje się nam coraz dostatniej.

Myślą Państwo pewnie, że sobie robię jaja?

No cóż, szczerze: oczywiście, że sobie robię jaja. Robienie sobie jaj to ostatnia broń bezsilnych, żadna inna już mi nie została. Ale moje kpiny odnoszą się do faktów, które każdy może łatwo sprawdzić.

Łatwo sprawdzić, że nie jesteśmy państwem biednym. Czy nazwiecie biednym faceta, który buduje sobie ogromną willę z dwoma basenami, spędza wakacje w najdroższych zagranicznych kurortach, jeździ luksusową limuzyną i funduje żonie kosztowne futra? No nie. Możecie go nazwać co najwyżej skończonym idiotą, kiedy okaże się, że wydaje na te luksusy pożyczone pieniądze. Ale biedny nie jest na pewno.

Otóż biedną Polskę, w której każdy kolejny rząd malowniczo wywraca kieszenie i jak mantrę powtarza, że nie ma pieniędzy na tę lub inną potrzebę, stać na takie rzeczy, na jakie nie stać żadnego innego państwa na świecie.

Nie znam na przykład kraju, który by miał w przeliczeniu na głowę mieszkańca liczniejsze władze. W polskim parlamencie zasiada 560 posłów i senatorów. Dokładnie tyle samo, co w USA. Tylko że USA liczą sobie około ćwierć miliarda mieszkańców. O jakimkolwiek zmniejszeniu liczby parlamentarzystów partie polityczne, dla których poselskie diety i ryczałty stanowią istotną część wpływów, nie chcą nawet słyszeć. Z tego samego powodu nie chcą też słyszeć o zmniejszeniu liczby radnych. W amerykańskim sześćdziesięciotysięcznym mieście pod Chicago, gdzie kiedyś bawiłem, rada miejska liczy sobie 8 osób. Kiedy mój współtowarzysz podróży powiedział, że u niego, w miejscowości liczącej sobie sześć tysięcy dusz, radnych jest ponad dwa razy tyle, autochtonom szczęki poopadały. Przez uprzejmość nie skomentowali tego w żaden sposób, ale co sobie o Polsce pomyśleli, nietrudno zgadnąć.

Podobnie jak ja w tym momencie, musiał się poczuć profesor Kieżun, kiedy – opisywał to w jednym z wywiadów – na międzynarodowej sesji zmuszony był odpowiedzieć na pytanie, jak wygląda ustrój polskiej stolicy. To bowiem, co wymyślono w Warszawie, stanowiło szczyt absurdu i pośmiewisko całego świata. Nasza stolica utrzymywała przez długi czas prawie 700 radnych (same ich roczne diety, nie licząc innych kosztów utrzymania tak licznej municypalnej władzy, stanowiły równowartość kosztu budowy jednego mostu). Tu jednak trzeba przyznać, że rzucanie grochem o ścianę dało pewien efekt – iście heroicznym wysiłkiem całej klasy politycznej udało się zmniejszyć tę liczbę o połowę, do 350. I tak jest to cyrk, zważywszy, że wielomilionowe metropolie na Zachodzie mają zazwyczaj po 40 – 60 radnych. Ach, omal bym zapomniał dodać – w większości wypadków pracujących społecznie. We wspomnianym już amerykańskim miasteczku –

podam nazwę, żeby każdy, kto nie wierzy, mógł sprawdzić: Tinley Park; ale jeśli coś w Internecie nawali, możecie sprawdzać w dowolnym innym – radni dostają pieniądze na zatrudnienie sekretarki, prowadzenie biura i opłacanie ekspertyz, ale oni sami nie biorą żadnych diet. Ani centa! Co tam zresztą radni – sam burmistrz też pracuje po godzinach, za friko, na co dzień utrzymując się z pensji nauczyciela w miejscowej szkole. Takie sknerusy z tych jankesów.

Co roku – dane z ostatnich sześciu lat – przybywa w Polsce 30 tysięcy etatów dla urzędników państwowych. Szeroko pojęta administracja publiczna zatrudnia już 530 tysięcy urzędników i zapowiada się, w ramach dostosowania do standardów unijnych, zatrudnienie całej rzeszy nowych: nowi przejmą funkcje dotąd teoretycznie spełniane przez starych, ale o zwalnianiu tych ostatnich jakoś się nie słyszy. Przerosty idą od samego szczytu: ministrów, wiceministrów i sekretarzy stanu mamy około dziewięćdziesięciu, ponad dwa razy więcej, niż licząca o połowę więcej ludności i uchodząca za najbardziej zbiurokratyzowany kraj Zachodu Francja. Pod każdym, oczywiście, zwiesza się piramida zastępców, referentów i sekretarek. W tejże zbiurokratyzowanej Francji z zasady każdy minister ma tylko jednego zastępcę; bodaj w dwóch czy trzech resortach zastępców jest dwóch. U nas na przykład wicepremier Hausner ma wiceministrów – trzymaj się krzesła, Czytelniku – jedenastu! Akurat Hausner przyszedł mi w tym momencie do głowy, bo w ramach swojego bardzo z początku nagłaśnianego planu oszczędności, które potem obcinano, obcinano, aż nie zostało z nich nic poza pośmiewiskiem, zapowiedział ze strony rządu niewiarygodne wręcz poświęcenie i oddanie po jednym stanowisku wiceministra w każdym resorcie. Niestety, rozpatrzywszy uważnie swe potrzeby rząd uznał, że nie może sobie na tak znaczącą redukcję pozwolić: z wielkim bólem zdobył się na zdymisjonowanie... dwóch wiceministrów. Nie chce mi się szukać, kim był ten drugi – pierwszym był zastępca ministra kultury, z tym że akurat ten z jego zastępców, który uchodził za kompetentnego, tylko, wedle opinii panujących w środowisku, miał inny od ministra pomysł na prywatyzację polskiej kinematografii (czytaj – komu obhandlować cenne działki, zajmowane w kilku miastach przez wytwórnie filmowe). Nikt natomiast nie miał zakus na, na przykład, wiceministerialną rangę byłego rzecznika rządu Tobera, który w tym samym resorcie nawet nie udaje, że ma cokolwiek do roboty. Oficjalnie były rzecznik dostał zadanie przygotowania nowej wersji ustawy o mediach, po tym, jak wersję poprzednią trzeba było wywalić do kosza po aferze Rywina. Ale prace nad taką ustawą toczą się w Sejmie, nie w rządzie, zresztą gdyby nawet, to do pisania projektu ustawy nie trzeba przywilejów ministerialnej „siatki R", samochodu, biura i innych luksusów. Trzeba natomiast zawodowych kwalifikacji.

Żeby nie było nieporozumień – w wynagradzaniu stołkami różnych kolesiów SLD Millera nie ustanowił żadnej nowej jakości. W gabinecie AWS, rządzonej rozmaitymi wewnętrznymi „parytetami", liczba ministrów, wiceministrów i podsekretarzy stanu była jeszcze większa – 112. A w mieście stołecznym Warszawa w połowie lat dziewięćdziesiątych zawiązała się do rządów centroprawicowa koalicja, która dla usatysfakcjonowania wszystkich swoich uczestników postanowiła zwiększyć liczbę zastępców prezydenta miasta z trzech do 12 (słownie: dwunastu). Co prawda, koalicja w końcu do władzy nie doszła, ale wcale nie dlatego, żeby ten pomysł kogokolwiek oburzył.

Wydawałoby się, że w sytuacji takiego przerostu administracji wręcz narzuca się opozycji hasło wywalania biurokratów na zbitą twarz. Ale, ciekawostka – taka na przykład partia Leppera stanowczo odcina się od planów cięć w administracji publicznej, oznajmiając swoim ogłupiałym wyborcom, że ma ona pomysł znacznie lepszy, a mianowicie, żeby zamiast ciąć wydatki budżetu, zwiększać jego dochody. I jeszcze przedstawia to jako dowód swej wyższości nad tymi, którzy by chcieli tę przerośniętą biurokrację redukować. Rzecz jest tak charakterystyczna, że warto się nad nią na chwilę zatrzymać. Po pierwsze – dlaczegóż niby jedno miałoby przeczyć drugiemu? Rozsądna naprawa finansów państwa musi uwzględniać oba elementy – i redukcję wydatków, i zwiększenie wpływów. Z tym, że wpływy trzeba zwiększać tak, aby nie zaszkodziło to gospodarce, a to znaczy: poprzez obniżanie podatków. Tak, jak całkiem niedawno udało się to Słowacji, która po bardzo znaczącej obniżce podatków już w pierwszym kwartale 2004 zanotowała nadwyżkę budżetową, bo wiele przedsiębiorstw uznało, iż przy tak niskich podatkach opłaca im się wyjść z „szarej strefy". Wpływy budżetu państwa rosną albo wtedy, kiedy postępuje wzrost gospodarczy i podatnicy, zarówno indywidualni, jak i przedsiębiorstwa, coraz więcej zarabiają – albo wtedy, gdy się ich niszczy coraz wyższymi stawkami podatkowymi, doprowadzając stopniowo do ruiny. Która z tych metod ma sens, chyba nie muszę wyjaśniać. Ale to tak, na marginesie.

Natomiast robienie polactwu wody z mózgu, że „zwiększanie wpływów" jest lepsze od „cięć" oznacza jedną, prostą rzecz: prąca do władzy opozycja ani myśli redukować liczby stołków, bo przecież niebawem zamierza sama je obsadzać. W końcu ma dość kolesiów, których trzeba będzie za zasługi dla wyborczego zwycięstwa jakoś nagrodzić i zobowiązać. To zupełnie tak samo, jak z histerycznymi wrzaskami opozycji, by ustępująca ekipa „nie wyprzedawała majątku narodowego", czyli, by wstrzymała prywatyzację licznych spółek skarbu państwa. Ustępująca ekipa sama to krzyczała, gdy parła do władzy, a kiedy ją objęła, na długi czas istotnie prywatyzację wstrzymała – no, ale wtedy to ona rozdawała królewskim gestem fuchy w zarządach i radach nadzorczych. Pod koniec kadencji, kiedy i tak wiadomo, że wyżerka się skończyła, potrzeba ustawienia się ulega potrzebie napełnienia dziurawej państwowej kasy – i stąd wrzask opozycji: bo gdzie taki na przykład Lepper pousadza swoich licznych kolesiów, jeśli Miller mu posprzedaje spółki skarbu państwa? Cała sztuczka polega na nazwaniu tego, co państwowe, a więc podlegające łupieniu przez polityków, „własnością narodu". Oczywiście polactwo, mentalnie wciąż zanurzone w ustroju, w którym wszystkie fabryki należały do ludu pracującego miast i wsi, ciągle daje się na to złapać. W ten sposób od dziesięciu z górą lat funkcjonuje u nas postkomunistyczny, gospodarczy koszmarek, pod nazwą „jednoosobowa spółka skarbu państwa", czyli przedsiębiorstwo ni to państwowe, ni to prywatne, którego zarząd i rada nadzorcza obsadzane są przez politycznych mianowańców, pragnących wyciągnąć ze swej kadencji maksymalne prywatne korzyści i w najmniejszym stopniu nie zainteresowanych długofalowym sukcesem firmy. Politycy, z właściwą sobie perfidią, tłumaczą to obroną interesów państwa. Łżą bezczelnie. Jeśli państwo chce zachować wpływy w jakimś strategicznym sektorze, ma na to bardzo prosty sposób, z powodzeniem stosowany w Wielkiej Brytanii za czasów rządów Margaret

Thatcher. Nazywa się to „golden share" – złota akcja. Państwo, prywatyzując firmę o znaczeniu strategicznym, zachowuje w niej jedną symboliczną akcję, ale jest to akcja „złota", czyli uprzywilejowana, co najczęściej oznacza powiązanie jej z prawem weta. Jeśli nowy, prywatny właściciel, chciałby podjąć jakąś decyzję sprzeczną z interesem państwa, rząd, jako właściciel złotej akcji, udaremnia to, i już. Gdyby polskim politykom naprawdę leżało na sercu dobro państwa, sięgnęliby po ten sprawdzony wzór. Ale im chodzi wyłącznie o zachowanie przedsiębiorstw w ręku państwa, o te latyfundia, jakie stanowią rady nadzorcze i zarządy, po to, by mieć gdzie usadzać kolesiów.

I ile by już politycy nie zachapali, i tak im tego wszystkiego mało. Mając do podziału tyle etatów we władzach wszystkich szczebli, zwykli jeszcze zatrudniać po kilkudziesięciu doradców oraz „gabinety polityczne" – dziwne, nie przewidziane w konstytucji koleżeńskie gremia, opłacane z kieszeni podatnika nie bardzo wiadomo za co. Przed wojną – podaję za Stefanem Bratkowskim, którego wiedza w takich sprawach góruje nie tylko nad moją, ale i większości odpowiedzialnych za administrację wysokich urzędników – prezydent Mościcki, który skupiał w swym ręku najwyższą władzę, zatrudniał 60 osób; 40 w kancelarii cywilnej i 20 w wojskowej, bo był też najwyższym zwierzchnikiem sił zbrojnych. Dziś prezydent Kwaśniewski, którego obowiązki, poza polityką zagraniczną, mają charakter czysto symboliczny, zatrudnia 600 osób. Jego kancelaria dubluje wszystkie resorty Rady Ministrów, stanowiąc jakby drugi rząd, który tyle tylko, że niczym nie rządzi. A na wszelki wypadek mamy jeszcze trzeci rząd – ogromną i również dublującą wszystkie resorty kancelarię premiera. Proszę mi pokazać inny kraj na świecie, który stać na utrzymywanie trzech rządów, w tym jednego rozdętego ponad wszelkie pojęcie i dwóch rezerwowych!

Ale w wielkim dojeniu Rzeczypospolitej mają swój udział także rzesze prostych obywateli, i to mają w nim udział decydujący, bo żeby się dorwać do rządowego koryta, trzeba najpierw sobie kupić odpowiednio wiele głosów – najlepiej poprzez rozdawanie pomiędzy swoich wyborców pieniędzy publicznych. Stąd, według danych z marca 2004, pracuje w Polsce 13 100 tysięcy osób, a rozmaite zasiłki i świadczenia pobiera 13 200 tysięcy. O sto tysięcy więcej – i nie zdziwię się wcale, jeśli przewaga tej grupy do momentu wydania moich słów drukiem wzrośnie jeszcze bardziej. Oczywiście, trzeba tu wziąć poprawkę na tych, którzy pobierając zasiłki jednocześnie pracują, tylko nielegalnie. Ale z drugiej strony, wielu formalnie żyjących z własnej pracy w istocie wykonuje jakieś bezsensowne, biurokratyczne czynności, z których nic nie wynika. Summa summarum, można więc uznać, że dane Eurostatu odzwierciedlają faktyczne proporcje. Pokażcie mi drugie państwo na świecie, które stać na to, żeby połowę swoich dorosłych mieszkańców utrzymywać z budżetu! A Trzecią Rzeczpospolitą – owszem. Stać nas na 3 miliony 100 tysięcy rencistów, w większości w kwiecie wieku i zdrowych jak byki. Drugi po nas kraj OECD w tej konkurencji, Norwegia, ma rencistów w stosunku do całej ludności dwukrotnie mniej niż my. Można by sądzić, że przez nasz kraj przeszły jakieś potworne kataklizmy, jakaś Czeczenia i Afganistan do kwadratu, tak, iż po prostu nie zostało tu ani jednej rodziny, w której ktoś nie miałby urwanej ręki albo nogi. Ale odpowiedź jest prostsza. Wystarczy u nas iść do lekarza-orzecznika, powiedzieć, że ma się depresję albo chorą nóżkę, oczywiście wsuwając przy tym drobną grzeczność do kieszonki, i renta załatwiona. Kolejne rządy przymykają oko na radosne rozdawnictwo uprawnień rentowych, w błogim przekonaniu, że w ten sposób pacyfikuje się nastroje bezrobotnych, poprawia statystyki i nie musi się im płacić zasiłków.

Co bynajmniej nie znaczy, żeby którykolwiek z naszych włodarzy skąpił na zasiłki dla bezrobotnych. Jak przed chwilą wspominałem, znaczna część tych, którzy je pobierają – według autorów raportu sporządzonego na jesieni 2003 jedna trzecia, czyli, skromnie licząc, koło miliona – albo pracuje na czarno, albo nie pracowała nigdy w życiu i pracować nie zamierza, a zasiłek traktuje jak rentę socjalną. Stać nas.

Przeciętny obywatel Unii Europejskiej odchodzi na emeryturę w wieku nieco ponad 61 lat, a USA – ponad 63. U nas na emeryturę przechodzi się statystycznie mając lat niespełna 57. Krócej od nas zachowują zawodową aktywność tylko Belgowie, Francuzi i obywatele Luksemburga, ale i oni zauważają coraz częściej, że ceną takiego lenistwa jest spowolnienie wzrostu gospodarczego i zadają swoim rządom pytanie, czy aby ich na to stać. W Polsce nikt nie ma takich wątpliwości.

Tłumy krzepkich ubeków i milicjantów, którym III RP łaskawie pozwoliła lata poświęcone utrwalaniu w Polsce *sowieckoj własti* zaliczać sobie do stażu pracy podwójnie, są dla pracodawców nader atrakcyjni, bo nie trzeba za nie płacić horrendalnych składek na ZUS, podobnie jak za tych, którym rozmaite branżowe przywileje pozałatwiali zawodowi związkowcy. Pozałatwiali, oczywiście, na koszt podatników, a nie swoich związków. Zresztą ich związki też żyją na koszt państwa. Same pensje górniczych działaczy związkowych to rocznie kilkaset milionów złotych, na wypłacanie których też Rzeczpospolitą stać.

*

Skorośmy już o tym wspomnieli: górnictwo... Duma i potęga peerelu, wbrew potocznemu mniemaniu, wcale nie przestała być oczkiem w głowie III RP. Nie wiem wprawdzie, czy nadal jesteśmy – jak się chlubiła gierkowska propaganda – czwartą światową potęgą w wydobyciu „czarnego złota". Na świecie, generalnie, wiek dziewiętnasty dobiegł już końca (choć nie wszyscy to zauważyli), zapotrzebowanie na węgiel kamienny jest niewielkie i wydobycie tego surowca spada z roku na rok, mimo pewnych perturbacji na światowych rynkach wywołanych podjęciem przez Chiny intensywnych zbrojeń, skutkujących wzmożonymi zakupami tego surowca – więc możliwe, że awansowaliśmy w zaszczytnej rywalizacji jeszcze wyżej; z drugiej strony, przodujący przed laty w wydobyciu bratni Związek rozpadł się na kilka państw z równie rozbudowanym przemysłem wydobywczym, co musiało namieszać w statystykach. Przyznam, że nie dotarłem do odpowiednich danych. Ale dotarłem do wiadomości, że pod koniec 2003 mieliśmy w Polsce 140 tysięcy górników. Cała Unia Europejska (ta jeszcze nie rozszerzona) razem wzięta miała ich w tym samym czasie tylko 110 tysięcy. Unia to, bądź co bądź, 15 krajów, w tym parę znacznie od naszego większych, ale jeśli ktoś uważa, że to za mało, by się czuć węglowym mocarstwem, to dodajmy jeszcze 36 tysięcy górników pozostających na pięcioletnich urlopach, na których dostają oni wprawdzie tylko 75 proc. pensji, ale zachowują wszystkie przysługujące im ze wspólnej łaski komuny i „Solidarności" dodatki socjalne (z najzabawniejszym „ołówkowym", czyli zasiłkiem na przybory szkolne dla dzieci – co zdaje się dowodzić jakiegoś szczególnego w tej grupie zawodowej zamiłowania do kształcenia potomstwa), deputat węglowy, nagrody jubileuszowe i barbórkowe, trzynaste i czternaste pensje. Publicysta, od którego spisuję te dane, oszacował takiego „urlopowanego" na pięć lat górnika na jakieś dwa tysiące miesięcznie na rękę. W Warszawie to może niedużo, ale na Śląsku z taką kasą można już funkcjonować, zwłaszcza że nie wiąże się ona z jakimikolwiek obowiązkami. Zresztą byle tylko dotrwać do emerytury. Przeciętny górnik, który zjechał pod ziemię w wieku lat 18, emeryturę dostaje mając lat 43; czas spędzony na urlopie liczy się oczywiście tak samo, jakby pracował. Cóż, górnictwo to zawód niszczący zdrowie, a nasz naród, sądząc po liczbie rencistów, jest wyjątkowo wątły. W takich Niemczech górnik haruje jak w każdej innej branży, a kiedy słyszy, że jego Polski kolega w wieku lat 43 już jest emerytem, łapie się za głowę i nie może uwierzyć, z jak bogatym krajem sąsiaduje.

Nie muszę chyba dodawać, że krzepki emerytowany górnik jest dla pracodawcy równie atrakcyjnym nabytkiem jak emeryt „mundurowy", albo krzepki rencista. Zresztą górnik na urlopie też. Co prawda, z górnikami jest ten problem, że przeważnie nie potrafią oni niczego innego poza ryciem w podziemnych złożach, ale i na to jest rada. Kopalnie, które na koszt państwa wypchnęły swoich pracowników na górnicze urlopy bądź emerytury, muszą przecież zatrudnić kogoś, kto będzie rył pod ziemią zamiast nich – inaczej spadłoby im wydobycie i przykopalniane spółki nie miałyby długów do hodowania. Podpisują więc umowę z prywatną firmą, tak się dziwnie składa, że przeważnie należącą do jakiegoś zawodowego obrońcy praw ludu pracującego, a górniczego zwłaszcza, ta zaś dostarcza im siłę roboczą zatrudnioną na umowę zlecenie, czyli tych właśnie niby-urlopowanych bądź odprawionych. Rzeczpospolita płaci, stać ją na to.

Jakich znowu odprawionych? – ma prawo zapytać słabiej zorientowany w problematyce górniczej Czytelnik. Otóż urlopy dla górników, aczkolwiek zyskały sobie wśród nich największą popularność, nie były jedynym sposobem okazywania im przez Rzeczpospolitą swej hojności. Przez kilka lat górnik, który tylko łaskawie zgodził się przestać być górnikiem, dostawał za to na rękę czterdzieści tysięcy z hakiem (piszę

„na rękę", oficjalnie było to bodaj 55 tysięcy, ale brutto, bo państwo wyjąwszy tę sumę z jednej kieszeni, odliczało zaraz od niej i przekładało do drugiej kieszeni różne składki i podatki; jak każda hojna ciocia Rzeczpospolita bywa cokolwiek sfiksowana, zresztą takie przekładanie z kieszeni do kieszeni pozwala znaleźć zatrudnienie dla tych rzesz urzędników, których utrzymywanie świadczy o opiekuńczości i wrażliwości społecznej rządzących). Według zgodnej opinii znawców problemu te 30 tysięcy górników, którzy skorzystali z oferty i których możemy śmiało doliczyć do liczby 140 tysięcy nadal pozostających na utrzymaniu kopalń i 36 tysięcy urlopowanych, to najlepiej wykształceni, najbardziej zaradni i najbardziej przedsiębiorczy z całej górniczej braci. Wyobrażam sobie tych niezaradnych – bo spośród zaradnych prawie jedna trzecia przehulała odprawy w kilka miesięcy i zgłosiła się po zasiłek do pomocy społecznej. Oczywiście, nikt im go nie poskąpił. Gdzieżby tam Polski nie było stać na zasiłki!

W zasadzie liczba pracowników kopalń (zostawmy już na boku górników na urlopach, odprawach i zasiłkach) nie jest bezwzględnie związana z ilością wydobywanego węgla. We wstrętnej, kapitalistycznej Wielkiej Brytanii, gdzie przed dwudziestu laty Margaret Thatcher w okrutny sposób pogwałciła prawa socjalne i związkowe, 12 tysięcy górników wydobywa w ciągu roku 33 miliony ton węgla; u nas w 2002 roku 146 tysięcy górników wydobyło 100 milionów ton. Z tego 23 miliony sprzedaliśmy na eksport. Wydobycie tony węgla w polskiej kopalni kosztuje średnio 140 złotych, a cena, jaką można za tę tonę węgla uzyskać, to około 100 złotych. Ostatni głąb, jeśli nie jest działaczem związkowym albo partyjnym, potrafi policzyć, że do każdej tony dopłacamy 40 złotych, co daje kolejną imponującą sumę 800 milionów złotych; w praktyce zresztą więcej, bo kopalnie, o czym za chwilę, mają swoje powody, by sprzedawać poniżej cen rynkowych. Jest to kwota, którą Rzeczpospolita, z pieniędzy zabranych swoim obywatelom, dotuje obywateli państw znacznie od nas bogatszych. I na to też nas stać.

Choć niektórzy pocieszają: w praktyce spora część tego węgla eksportowana jest tylko na papierze. Spółki, pasożytujące na deficytowym górnictwie jak pchły na zdychającym psie, kasują co jest do skasowania i upychają towar na rynku krajowym. Poza tym miliardy złotych, które regularnie ofiarowuje górnictwu rząd, mają przede wszystkim charakter rozmaitych umorzeń i oddłużeń, a kopalnie potrzebują także żywej gotówki, skryptami przecież swoim prezesom i dyrektorom pensji nie wypłacą. Aby tę gotowiznę uzyskać, opychają węgiel na krzywy ryj, za półdarmo. W efekcie działania tych wszystkich mechanizmów, choć nikt nie ma wątpliwości, że węgla wydobywa się w Polsce za dużo, to kupić go nie sposób. Na pustych składach przed kopalniami całymi tygodniami koczują kierowcy ciężarówek z firm, które chciałyby kupić węgiel po obowiązującej cenie i sprzedać na opał tym, którzy go potrzebują. Taką sprzedażą węgla kopalnie nie są zainteresowane, bo nie ponoszą na niej strat.

A gdyby kopalnia nie ponosiła strat, nie miałaby długów, którymi może handlować, nie byłoby umorzeń, nie miałyby więc z czego żyć spółki dające zarobek zawodowym związkowcom, albo, o zgrozo, mogłoby się okazać, że w ogóle są psu na buty potrzebne wszystkie te ponadkopalniane biurokratyczne struktury, zjednoczenia czy kompanie węglowe, dające z kolei zarobek partyjnym nomenklaturom. Gdyby węgiel nie przynosił strat, Rzeczpospolita nie pakowałaby w górnictwo miliardów, a gdyby nie te miliardy, jeszcze by się mogło okazać, że wydobycie tony węgla wcale nie musi kosztować aż 140 złotych. Że może nawet jesteśmy w stanie wydobywać węgiel po cenach zbliżonych jak w innych krajach i nawet sprzedawać go bez dopłat. I nawet, Boże uchowaj, okazałoby się, że górnictwo zamiast kulą u nogi i kotwicą, może być dla gospodarki napędem!

Kilka miesięcy przed tym, jak usiadłem do pisania niniejszej książki, obliczano, że w polskim górnictwie na 20 pracowników pod ziemią przypada jeden prezes. Jak to wygląda w tej chwili, nie mogę sprawdzić, bo akurat trwa kolejna reorganizacja. Ale jestem dziwnie spokojny, jeszcze nie było w dziejach III RP takiej reorganizacji, po której zatrudnienie, zwłaszcza na stanowiskach kierowniczych, by zmalało. Powiedzmy sobie szczerze; wyrzucenie na bruk pięciu, dziesięciu, czy nawet pięćdziesięciu tysięcy górników, którym straszy się u nas takich, co ośmielają się podważać sens wydawania na górnictwo tak wielkich pieniędzy – to jeszcze pikuś. To by się jakoś przeżyło. Ale wyrzucić z gabinetów tylu prezesów, z których przecież każdy jest czyimś kumplem, kogoś wspiera, pod kogoś jest podwieszony, który komuś wyświadczył jakieś przysługi i sam ma prawo oczekiwać przysług – tego by system społeczno-polityczny III RP na pewno nie wytrzymał. Więc Rzeczpospolita płaci. Co jej szkodzi, w końcu płaci z naszych pieniędzy. Samo oddłużenie kopalń w roku 2003 to 18 miliardów. Bez mała 10 procent całego budżetu państwa! Do tego wspomniane już osłony i dodatki socjalne, odprawy, urlopy, a zresztą czort jeden wie, co właściwie, bo przez trzynaście ostatnich lat celowo tak pogmatwano wszelkie rozliczenia tej branży, pozaplatano je w tak misterne pętelki i kłębowiska, oparto na tylu fikcyjnych przelicznikach i wyssanych z palca parametrach, że księgowy z Enronu nad bilansami naszych spółek węglowych tylko by gwizdnął z uznaniem i zaczął się rozglądać za jakąś prostą pracą fizyczną.

Dobrze. Zostawmy na razie górnictwo na boku, bo jeszcze parę akapitów na ten temat i szlag mnie trafi przy klawiaturze. A przecież to nie jedyna podstawa naszej gospodarczej mocarstwowości.

*

Według oficjalnej informacji ze strony internetowej Ministerstwa Rolnictwa, dzierżymy chwalebne czwarte miejsce w Europie, a siódme w całym świecie, w produkcji żywca wieprzowego.

Na liście naszych sukcesów gospodarczych ten akurat plasuje się daleko za uprawą ziemniaków (3 miejsce na świecie, 2 w Europie – ale wcale nie to decyduje o tym, że nazywanie Polski „republiką kartoflaną" jest więcej niż uzasadnione) czy nawet buraków cukrowych (7 miejsce w świecie, 6 w Europie). Ale napiszę parę słów o hodowli świń, bo, podobnie jak węgiel, jest to doskonały przykład, jak funkcjonuje i czym się kieruje państwo polskie.

Być może to prawda, co twierdzą niektórzy historycy, że to właśnie hodowla świń zadecydowała o potędze Imperium Rzymskiego (że niby nażarci wieprzowiną Rzymianie lepiej się rozmnażali i żwawiej bili od innych ludów śródziemnomorskich, stroniących od tego wysokoenergetycznego pożywienia ze względów religijnych), ale było to już dość dawno temu. Dziś w krajach cywilizowanych wieprzowina nie jest w modzie. Lekarze zrobili jej fatalną opinię, zapanowała moda na fitness i podobnie jak w krajach zachodnich, spożycie wieprzowiny spada w Polsce z roku na rok. A mimo to z roku na rok wzrasta jej produkcja.

Ach, więc pewnie sprzedajemy ją gdzieś za granicę – wyrwie się może ktoś naiwny. Oczywiście, nie. Gdzie niby moglibyśmy ją sprzedawać? Po pierwsze, jest droga. Nie jesteśmy Nową Zelandią, gdzie całe rolnictwo zostało urynkowione i w ciągu kilku lat jego efektywność wzrosła tak, że opłaca się Nowozelandczykom sprzedawać swe produkty nawet na drugim końcu świata. Polska, żeby było ją stać na to wszystko, na co ją stać, musi nakładać wysokie haracze, wszelkiego rodzaju VAT-y i akcyzy na co tylko popadnie. Chłopi, oczywiście, cieszą się, bo od zarania III RP praktycznie nie dawało się tu stworzyć rządowej większości bez którejś z partii chłopskich, dzięki czemu chłopi załatwili sobie zwolnienie z podatku dochodowego i wydzielenie rolnictwa z tzw. ubezpieczeń społecznych (osobny kryminał, ale o tym w innym miejscu). Myślą więc, że to nie oni płacą, tylko miastowi. Oczywiście się mylą – płacą. Płacą, bo przecież muszą kupować benzynę i olej napędowy, muszą kupować nawozy, maszyny, ubrania, gumofilce, magnetowidy, zestawy satelitarne i wszelkie inne produkty, których producenci bądź importerzy zmuszeni są płacić podatki i za siebie, i za pozwalnianych od podatków chłopów, i które muszą zostać wielokrotnie przewiezione, z fabryki do magazynu, z magazynu do hurtowni, z hurtowni do sklepu, i w ten sposób przechodzi w ich cenę akcyza nałożona na paliwa, z której bierze się prawie połowa budżetu tego najhojniejszego na świecie państwa. A skoro płacą, to nie mają innego wyjścia, niż wliczyć to z kolei w ceny swoich produktów, i przez to są one drogie.

Nigdy, nawiasem mówiąc, nie przestanie mnie dziwić, że u nas tak elementarne rzeczy ogłaszać można niczym prawdy objawione. To przecież oczywiste, że podatki są jak naczynia połączone – koniec końców wszyscy zapłacą mniej więcej tyle samo, z dwoma wyjątkami: miliarderów, których stać na takich księgowych, że nawet jak płacą, to w istocie nic nie płacą, tylko jeszcze zarabiają – i nurków śmietnikowych, którzy wszystko, czego potrzebują, wyławiają z recyklingu. Natomiast ci, którzy chcą normalnie żyć i utrzymywać rodziny, chcąc nie chcąc, muszą w rozmaitych cenach zapłacić podatki za tych, którzy im dostarczają towarów i usług. Tak, jak „ścieka w dół" bogactwo, bo bogacz zatrudnia do swej obsługi sekretarzy, kamerdynerów, ogrodników, tapicerów, dziwki i instruktora jazdy konnej – tak samo rozpływają się po obywatelach nakładane na nich podatki. Piekarz musi mieć buty, więc zapłaci w ich cenie część podatków nałożonych na szewca, no ale gdyby nie szewc, kupujący u niego bułki, to z kolei nie miałby z czego zapłacić swojego podatku piekarz. I tak, żeby tej starej wyliczanki nie przedłużać, każdy płaci za każdego, karmiąc molocha państwowej biurokracji – i właśnie dlatego nikt w Polsce nie ma kasy, mój maleńki kolego, chyba że kręci coś na lewo.

To przecież elementarne, drogi Watsonie – jak mawiał sławny detektyw. Wystarczą trzy szare komórki, by zrozumieć, że cały ten socjalistyczny bełkot o „redystrybucyjnej funkcji podatków" jest gigantyczną bzdurą. Że obietnice, iż władza zabierze bogatym po to, by dać biednym, pomijając już ich moralny aspekt, są gigantycznym łgarstwem: wszystkie nałożone na bogaczy podatki i tak zapłacą za nich właśnie biedni. A jednak przyjęcie do świadomości tej prostej prawdy, że podatki są przerzucalne, przekracza zdolności umysłowe nie tylko przeciętnego Polaka, ale i przeciętnego Francuza czy Niemca. Widocznie marzenie o „sprawiedliwości społecznej" tak się ludziom rzuciło na głowy, że jeśli fakty to marzenie niweczą, to tym gorzej dla faktów. Tylko w Ameryce, gdzie zresztą zasada przerzucalności podatków została odkryta, wyborcy po prostu przyjęli ją do wiadomości, i dlatego Ameryka wygląda tak, jak wygląda, a Polska też wygląda tak, jak wygląda.

Nasi hodowcy zatem, kończąc tę dygresję, nie mogą sobie pozwolić na ceny, po których można by ich świnie sprzedać na zagranicznych rynkach. Zresztą niby na których? Unia Europejska sama dusi się w nadprodukcji rolnej, Rosja weźmie wszystko, ale nie bardzo ma czym płacić, zresztą chętniej kupi od zachodniej Europy, bo tamci dopłacają do eksportu, żeby sprzedać taniej (dotując tym samym statystycznego Rosjanina z pieniędzy swoich podatników). Z tego samego powodu nie ma co marzyć o podbijaniu rynku amerykańskiego, o nowozelandzkim nie mówiąc.

Więc skąd to wysokie miejsce Polski w światowym rankingu produkcji rolnej? Odpowiedź jest prosta: ze skupu interwencyjnego. Możecie śmiało nie kupować od rolników wieprzowiny czy zboża, zrobi to za nas rząd. Już nie wyjaśniam, za czyje pieniądze, bo skoro ktoś dobrnął w lekturze aż tu, już to wie. Ale może zapyta ktoś dociekliwy, co rząd robi z tym skupem potem? Przecież nie sprzedaje nam, bo, po pierwsze, jak się już rzekło, nie jemy aż tyle, a po drugie, wolimy kupować produkty z importu, bo tańsze. Importu rząd zakazać nie może, choć każdemu idącemu po władzę politykowi wydaje się, że to najprostsze rozwiązanie i bez cienia zażenowania obiecuje chłopstwu na wiecach i w ulotkach, że zabroni. Potem, jak już się do władzy dopcha, dowiaduje się – wtedy dopiero! – że jest coś takiego jak umowy międzynarodowe, światowa organizacja handlu, różne arbitraże, że gdyby chcieć tą metodą dogadzać wyborcom pana polityka, to inne państwa z punktu nałożą cła na nas i dostaniemy na tym w plecy, że hej. Polityk musi przyjąć to do wiadomości (choć coraz częściej odmawia – za złamanie przez rząd Millera umowy prywatyzacyjnej PZU możemy zabulić miliard euro, w chwili pisania tej książki sztokholmski sąd arbitrażowy otrzymał właśnie stosowne pozwy), ale nie ma odwagi powiedzieć chłopstwu prawdy, więc dalej żyje ono w przekonaniu, że na jego bolączki jest sposób prosty jak w pysk dał, i zniechęcone do zdrajcy szuka kogoś, kto następny zrobi je w głąba.

No więc – co robi Rzeczpospolita z tym nieszczęsnym skupem interwencyjnym?

Ano nic. Magazynuje go. I trzyma. Państwo, oczywiście, nie ma tylu chłodni i silosów, ile do tego trzymania potrzeba, ale to żaden problem – wynajmuje prywatne. Tak się przypadkiem składa, że w zdecydowanej większości należące do prominentów różnych chłopskich partii i związków, co oczywiście szalenie wzmaga determinację tych ostatnich w prowadzeniu chłopstwa na blokady i demonstracje do walki o zwiększenie zakresu skupu interwencyjnego i podniesienia jego cen. Mówiąc krótko: najpierw z naszych pieniędzy, ściągniętych w formie podatków, z PiT-ów, akcyz, VAT-ów, obowiązkowych składek i innych, skupuje rząd nikomu niepotrzebne płody rolne, a potem jeszcze płaci cwaniakom, którzy tym interesem kręcą, za to, że zechcą je przechować w swoich magazynach. Cwaniaczkom zresztą często i to jeszcze mało – chamowi zawsze mało, pazerność jest jedną z jego głównych cech, o czym szerzej w innym miejscu – i, jak poseł Bonda z „Samoobrony", najbezczelniej ten przechowywany u nich skup interwencyjny sprzedają, kasując po cenie rynkowej, znacznie niższej od interwencyjnej, ale w żywej gotówce do własnej kieszeni, w błogiej nadziei, że nikt się o te góry zboża czy mięsa nigdy nie upomni.

Albowiem, co w tym wszystkim najważniejsze, zakupionej interwencyjnie przez państwo żywności nie magazynuje się u nas w jakimś konkretnym celu. Jeśli ktoś naiwnie sobie wyobraża operację w stylu tego, co niejaki Kunik podpowiadał Nikodemowi Dyzmie – że państwo skupuje w czasie klęski urodzaju, by po paru latach, wyczekawszy na nieurodzaj, sprzedać i na tym zarobić – to jest po prostu jeszcze jednym z zaludniających nasz kraj naiwnych leszczy. Ceny interwencyjnych skupów, określane wskutek politycznych targów i pod naciskiem ulicznych rozrób, dawno już weszły na taki poziom, że o sprzedaży tego wszystkiego z zyskiem nie ma nawet co marzyć. Pamiętajmy, że w każdej z branż czy grup interesu, rozrywającej czerwone sukno Rzeczypospolitej jak stado sępów ścierwo, rywalizują pomiędzy sobą liczne partie i związki. Każda chce zagarnąć jak najwięcej stołków, przyssać się do koryta w jak najliczniejszej gromadzie, a droga do sukcesu wiedzie przez pochwalenie się polactwu: patrzcie, my wam załatwiliśmy więcej, niż tamci. Tamci chcieli tylko po dwa pięćdziesiąt za litr, a my wytargowaliśmy trzy pięćdziesiąt! Tamci chcieli skapitulować, a myśmy wyrwali jeszcze po sto złotych dotacji do każdej tony, plus gwarancje, plus jeszcze coś. To na polactwo działa, to jest argument...

Cholera, znowu zniesie mnie w dygresję, ale taka to już jest książka – trudno o tym wszystkim pisać spokojnie, metodycznie, według konspektu. Ale skoro już przy tym, demokracja w Polsce, w czternaście lat po jej zadekretowaniu, to w praktyce zwykły bandycki targ. Nic to nie ma wspólnego z pięknymi ideami ojców założycieli amerykańskiej demokracji, ani nawet z pomysłami jakobinów. Po prostu, w Polsce budżet państwa to taki, powiedzmy, roczny udój Rzeczypospolitej. Mniej więcej połowa tego, co się rocznie w Polsce udaje wytworzyć i zarobić, i czego nie uda się ukryć przed pazernością aparatu państwowego, trafia w ręce rządu. Być w rządzie, to mieć możność skierowania jakiejś części tej kasy do określonych środowisk. Żeby być w rządzie, trzeba być w parlamencie, żeby być w parlamencie, trzeba dostać odpowiednio wiele głosów, a żeby się nabrać głosów, trzeba przekonać odpowiednio liczną grupę, że będzie się – jak to ładnie politycy w swoim załganym języku nazwali – „reprezentować jej interesy", czyli że się wyrwie innym, a da im. Raz kasa podatników szła na dofinansowanie banków spółdzielczych, raz na interwencyjny skup, kiedy indziej znowu na górnictwo czy jeszcze co innego, zależnie od układu sił i umów koalicyjnych. Kto wygrał, kto się ułożył z innymi wygranymi, nabywa na czas kadencji prawo do łupienia społeczeństwa jako takiego i obdarzania zyskami swoich wyborców i – nie zapominajmy o tym – swoich sponsorów z czasów kampanii. Do sponsorów wrócę potem, ale co do kupowania sobie głosów rozmaitych grup, to zwróćmy uwagę, że w swej istocie oznacza to uruchomienie swoistego społecznego darwinizmu. Silna branża, która może politykom dostarczyć struktury i kasę, która może ściągnąć pod URM parę tysięcy miotających mutrami i palących opony demonstrantów, albo sparaliżować cały kraj strajkami, wyrwie ze wspólnej kasy tyle, że nachapią się i jej przywódcy, i szeregowe, strajkowe mięso. A emeryci, pielęgniarki i wszyscy, którzy takich możliwości nie mają, mogą sobie zdychać. To się ładnie nazywa „sprawiedliwością społeczną", względnie, w wersji solidarnościowej, „społecznym solidaryzmem".

No dobrze, macie Państwo prawo powiedzieć – ale może, Ziemkiewicz, skończysz wreszcie o tym skupie interwencyjnym?

Słuszna uwaga, już mknę ku konkluzji. A zatem: władza, aby okazać rolnikom swą łaskę, skupuje ich produkty – nie za swoje pieniądze, bo takich przecież nie ma, tylko za nasze, wspólne – a potem trzyma je w magazynach. I nie pytajcie mnie, na co liczy, bo to ostatnia rzecz, jaką wiem. Liczy chyba tylko na to, że to wszystko pieprznie nie za jej kadencji, tylko kiedyś tam, za następców, kiedy ludzie aktualnej władzy, już nachapani po uszy, będą się mogli po cichu śmiać z polactwa w kułak, a głośno mówić, że gdyby to oni nadal rządzili, nigdy by do czegoś takiego nie doszło.

Pod koniec roku 2003 okazało się nagle, że Polska przechowuje w chłodniach (prywatnych, należących do zawodowych obrońców ludu, i odpowiednio za to kasujących – przypomnę) 170 tysięcy ton mrożonej wieprzowiny. Może na kimś ta liczba nie robi wrażenia, może trzeba przeliczyć, ile to setek tysięcy półtusz, ile milionów kotletów schabowych. A może wystarczy powiedzieć, że cała razem wzięta Unia Europejska – było nie było 15 państw, w większości znacznie od Polski ludniejszych i bogatszych – w tym samym okresie miała w swoich chłodniach 140 tysięcy ton. Rzecz nader symptomatyczna, że pewnie byśmy się o tym w ogóle nie dowiedzieli, gdyby nie Bruksela. Okazało się, że według unijnych norm możemy mieć najwyżej 40 tysięcy. Większych zapasów Bruksela nie toleruje, uważając – skądinąd słusznie – że kto ma tak wielkie zapasy, prędzej czy później rzuci je na sprzedaż po dumpingowych cenach i rozwali w ten sposób regulowany z takim trudem unijny rynek.

Oczywiście, nasze kolejne rządy, prąc, z różnych zresztą względów, do członkostwa w UE, jakoś nie pomyślały, że w ramach akcesji trzeba będzie z tym i dziesiątkami innych absurdów coś zrobić. No i zaczął się lament: jak w parę miesięcy upłynnić 130 tysięcy ton mrożonej wieprzowiny? Ktoś wymyślił, żeby ją rozdać za darmo charytatywnym jadłodajniom, żywiącym bezdomnych. Oczywista bzdura: 130 tysięcy ton to wielokrotnie więcej, niż takim jadłodajniom potrzeba, zresztą rzucić na rynek taką ilość darmowego mięsa, w jakikolwiek bądź sposób, znaczy kompletnie załatwić bieżącą sprzedaż. Więc ktoś inny wymyślił – wysłać to wszystko do Afryki dla głodnych Murzynów. Że przy okazji puści się z torbami tysiące czarnych rolników, będzie tylko w zgodzie z tradycją postępowego świata, który upychając w Afryce swoje nadwyżki pod obłudnym hasłem „pomocy humanitarnej", a jednocześnie stawiając przed biednymi krajami mury zaporowych ceł, od dawna metodycznie wtrąca je w coraz głębszą nędzę i jeszcze bardzo się przed samym sobą chlubi swą łaskawością. Ale, niestety, nie mamy statków-chłodni, żeby ten dar dla głodującej Afryki zawieźć na miejsce, ani pieniędzy na taką operację. Ktoś nawet wymyślił, że za mrożone mięso można by drogą wymiany towar za towar kupić nowe samoloty dla naszego rządu, bo lata takimi sowieckimi trupami, że aż żal.

Ale, niestety, nie znaleziono na szerokim świecie chętnego do dokonania takiej wymiany. Pewnie niedługo, wzorem niesławnej ustawy o utylizowaniu nadwyżek produkcji rolnej poprzez dolewanie ich do paliw, zaproponuje ktoś wzniesienie z mrożonej wieprzowiny drugiego kopca Kościuszki, albo ustawowy nakaz mieszania zgniłej wieprzowiny z cementem (gdzieś czytałem, że na bazie padliny robiono zaprawę murarską w średniowieczu). Zanim do tego dojdzie, proponuję sposób prostszy: wszystkim tym mądrym, którzy tej cholernej wieprzowiny nakupowali, wszystkim tym obrońcom chłopa i zawodowym związkowcom wypłacać wszystkie ich diety, ryczałty, pensje i premie w naturze. Dużo bym dał, żeby móc zobaczyć Kalinowskiego z Lepperem, Serafinem i resztą ferajny, jak wpieprzają cały ten wieprzowy nawis. I nie mogliby, przy tej wypisanej na twarzach wrodzonej inteligencji, wykręcać się, że im religia nie pozwala.

Myślę sobie nawet, że mógłby to być iście kopernikański przewrót w myśleniu naszych elit politycznych o gospodarce. Gdyby tak nagle dowiedzieli się, że nie wystarczy wyprodukować, trzeba sprzedać, i że sprzedać można tylko za tyle, ile nabywca gotów jest zaoferować, a nie za cenę, którą sobie wymyśliła władza... Już widzę oczyma ducha, jak jeden z drugim nasz włodarz dostaje rano telefon: panie premierze, wczoraj dostał pan w naturze premię, tysiąc złotych – to znaczy, ciężarówka zrzuciła pod kancelarią dziesięć ton węgla po stówie za tonę. Ale ponieważ dzisiaj węgiel zdrożał do stu pięćdziesięciu za tonę, powstała u pana rezerwa rewaluacyjna na kwotę pięćset złotych, i tyle właśnie ma pan zaraz zwrócić gotówką. Nie zrozumiałby wreszcie, jeden z drugim, co to takiego ta rezerwa, którą od miesięcy wycierają sobie gębę, mącąc w głowach naiwnym?

Cóż, znów sobie robię jaja, ale jak już pisałem, to ostatnie co mogą ci, którzy nic nie mogą – przecież i tak wiem, jak to się skończy: po cichu, korzystając z faktu, że opinia publiczna zajęta jest odkrywanymi co dnia nowymi aferami, rząd zapłaci Brukseli za tę nieszczęsną wieprzowinę żądane kary i będzie ją trzymał nadal. Na takie wydatki Rzeczpospolitą zawsze stać.

Oczywiście, rzecznicy tych wszystkich dopłat, subwencji i interwencyjnych skupów, o których tu piszę, mają swój argument.

Argument jest ważki i brzmi następująco: przecież tak jest na całym świecie.

Nie wierzcie w to Państwo. To kolejne, obrzydliwe kłamstwo, jedno z wielu, których używają cyniczni dranie, by na plecach zdesperowanej biedoty dorwać się do rządowej kasy i stołków.

Po pierwsze: „cały świat" oznacza w ich ustach kilka bogatych państw zachodniej Europy. Stany Zjednoczone, wspominana tu Nowa Zelandia czy azjatyckie „tygrysy" zasadniczo od podobnych pomysłów stronią i świetnie na tym wychodzą. A jeśli od czasu do czasu, chcąc przekupić wąską grupę wyborców w jakimś konkretnym stanie, któryś z tamtejszych polityków ulegnie pokusie i pójdzie na łatwiznę – to, jak w stosunkowo niedawnym przykładzie wsparcia udzielonego przez Busha amerykańskim stalowniom, i USA jako całość, i ten polityk, i wspierana branża wychodzą na tym źle.

Po drugie: gdyby nawet państwa zachodniej Europy naprawdę robiły to samo, co kolejne rządy Polski (a nie robią, o czym za chwilę), to są to państwa bogate i jeśli mają kaprys wyrzucać swoje bogactwa w błoto, stać je na to – my natomiast jesteśmy państwem biednym. I jeśli przy naszej polskiej biedzie zamierzamy się wzorować na Francji czy Niemczech, trwoniących co roku gigantyczne pieniądze na socjal i gospodarczy interwencjonizm, to zachowujemy się jak biedak, który za pożyczone pod zastaw domu pieniądze kupuje luksusową limuzynę, a resztę przepuszcza na popijawy w ekskluzywnych knajpach, bo zobaczył, że tak żyją bogacze, i uznał, że jeśli będzie ich naśladował, to też zostanie bogaczem.

Ale w istocie wspieranie niewydolnego przemysłu i nadprodukcji rolniczej z funduszy publicznych „na całym świecie", czyli w tych kilku państwach Unii Europejskiej, od radosnego rozpierdzielania budżetu przez Rzeczpospolitą różni się zasadniczo. Tam, choć są to kraje bez porównania bogatsze i niewiele mniej od nas przeżarte zarazą socjalizmu, widać jednak jakąś szczątkową troskę o państwo. Jeśli państwo dopłaca chłopu do jego produkcji, to zarazem wyznacza mu produkcyjny kontyngent, którego chłop przekroczyć nie może. Ktoś siada i liczy: w skali kraju możemy wyprodukować wieprzowiny (czy czego tam) tyle a tyle ton, w budżecie do wyrzucenia mamy tyle a tyle milionów, wypada po tyle a tyle ton i tyle a tyle euro na chłopa. I cała subwencja ma charakter transakcji: masz tu kasę, ale za to ograniczasz produkcję. Podobnie z subwencjami do przemysłu: dostaniecie kasę podatników, jeśli najpierw przedstawicie i zobowiążecie się wdrożyć plan naprawczy, który da państwu gwarancję, że za pięć czy siedem lat to, co dostaliście, zwrócicie mu w formie podatków – a przynajmniej staniecie na własnych nogach i przestaniecie być dla państwa ciężarem. Powiedzmy, górnictwo – nie opłaca się, ale podtrzymamy was dotacją w ramach troski o bezpieczeństwo energetyczne, tylko pod warunkiem, że zmniejszycie wydobycie do wyznaczonego poziomu. Stocznie – tu kasa, tu biznesplany, i wymieniamy się z ręki do ręki. I tak dalej.

U nas jest inaczej. U nas, jeśli rząd dopłaca z pieniędzy obywateli do nadprodukcji rolnej, to po prostu daje kasę każdemu, kto się zgłosi – wskutek czego, mechanizm dość oczywisty, z roku na rok nadprodukcja ta, zamiast maleć, coraz bardziej rośnie. Chłop byłby idiotą, gdyby w tych warunkach nie rzucał innej, niepewnej produkcji, i nie przestawiał się na hodowlę świń, skoro wie, że świnie rząd skupi na pewno, i to po gwarantowanej cenie. W kilka tygodni po tym, jak ujawniony został problem z zapasami mrożonej wieprzowiny, „Samoobrona", pospołu z kółkami rolniczymi, peeselem, „Solidarnością Rolników" i czym tam jeszcze, zapowiedziała blokady pod hasłem skłonienia rządu do podniesienia tegorocznej kwoty przeznaczonej na interwencyjny skup i, jakże by inaczej, interwencyjnych cen. Do protestów nie doszło, bo ledwie je zapowiedziano, odpowiedni minister obiecał przedstawicielom rolniczych związków, że kasa na wykupienie od chłopów i zmagazynowanie kolejnej partii świniny znajdzie się na pewno. I jestem dziwnie spokojny, że na to akurat kasa naprawdę się znajdzie.

Podobnie, jak się znajdzie na skupienie po absurdalnie wysokiej – w porównaniu ze światowymi – cenie kolejnych tysięcy ton zboża, i jak znajdą się kolejne miliardy na dotowanie pamiętających jeszcze czasy carskie cukrowni, co roku zasypujących kraj stertami drogiego jak diabli cukru, z którym nie ma co robić.

No bo przecież tak się robi „na całym świecie". Ale na owym „całym świecie" rolnicy to parę procent społeczeństwa. Na dodatek

Francja, która najwięcej im oferuje rozmaitych dopłat i z tego powodu stanowi natchnienie naszych działaczy, w dużej części robi to bardzo sprytnie za pieniądze niemieckie – bo taka była logika funkcjonowania wspólnoty europejskiej u jej zarania, że Niemcy, łożąc hojnie na rozmaite „wspólne polityki", kupowały sobie prawo powrotu do Europy po tym, co zrobiły jej w czasie wojny. Ale nawet gdyby Francja nie sięgała po środki unijne, to z rolnictwa utrzymuje się w niej kilka procent społeczeństwa, a nie, jak u nas, prawie jedna piąta. Już samo to jest wystarczającym powodem, by powiedzieć sobie, że Polski na podchwytywanie francuskich pomysłów po prostu nie stać.

Tylko dlaczego miałby to ktoś powiedzieć akurat chłopom? A dlaczego nie pracownikom tej czy owej huty, albo bankrutującej fabryki samochodów, albo stoczni? A dlaczego nie kolejarzom? A czym się różnią pod tym względem od prostego chłopa z blokady tak zwane środowiska twórcze? Niewątpliwie mówią lepszą polszczyzną i mają mniejszą siłę przebicia, ale przekonanie, że ich właśnie Rzeczpospolita powinna utrzymywać i obdarzać szczególnymi przywilejami żywią dokładnie takie samo.

*

Gwoli uczciwości: piszę tu sporo złych rzeczy o naszych politykach, bo piszę szczerze, co myślę, a o naszych politykach, poza wyjątkami dającymi się wyliczyć na palcach jednej ręki, nie sposób myśleć dobrze – ale coś trzeba tu rzec na ich usprawiedliwienie. Margaret Thatcher mogła sobie pozwolić na to, by wypowiedzieć wojnę górniczym związkom zawodowym, bo przez cały czas miała za sobą poparcie większości społeczeństwa. Przeciętny angielski wyborca tych czasów wiedział, że oto pewna grupa zawodowa walczy o swoje przywileje, których koszt ponosi całe społeczeństwo, i że likwidacja tych przywilejów jest w interesie wspólnym, w interesie kraju. Dziś, jak wcześniej wspominałem, wydajność zreformowanego i zredukowanego do rozmiarów uzasadnionych ekonomiczną potrzebą brytyjskiego górnictwa jest najwyższa w Europie.

Kiedy w Stanach Zjednoczonych strajk ogłosili kontrolerzy lotów, Ronald Reagan, odwołując się do swoich uprawnień, po prostu ten strajk złamał siłą, a jego przywódców powywalał z pracy na zbity pysk. Mógł to zrobić i puścić mimo uszu histeryczny wrzask wrogich mu mediów, bo i on odwołał się do milczącej większości – wytłumaczył Amerykanom, że to, czego egoistycznie domagają się kontrolerzy, wykorzystując swe szczególne możliwości sparaliżowania amerykańskiej komunikacji, jest sprzeczne z interesem ogółu. I Amerykanie się z nim zgodzili, czego dowód złożyli wkrótce potem, wybierając go na drugą kadencję.

Kiedy w Polsce ktokolwiek strajkuje, blokuje drogi albo tory kolejowe, wysypuje zboże, okupuje gmachy publiczne, pali opony, rzuca kamieniami i tak dalej – można być pewnym, że większość pytanych przez ankieterów rodaków wyrazi dla niego poparcie. Ci albo ci chcą od państwa więcej pieniędzy? Dać im! Mają rację! Widocznie im się należy! Należy się przecież każdemu. Spójrzcie Państwo, jak z roku na rok na fali ogólnej życzliwości dla wszelkiego rodzaju protestów ujawniają się roszczenia coraz bardziej groteskowe. Oto, czytam w gazecie, w ramach protestu kilkaset tak zwanych „mrówek", czyli drobnych przemytników, zdemolowało przejście graniczne, żądając, aby celnicy przestali im egzekwowaniem obowiązujących przepisów utrudniać działalność, z której się utrzymują. Oto, czytam kilka miesięcy później, w Szczecinie, gdzie od lat działa w najlepsze wielkie targowisko kradzionych w Niemczech samochodów i wszyscy udają ślepych, kiedy pod naciskiem mediów policja zdecydowała się wreszcie zrobić na to targowisko nalot i zatrzymać parę trefnych bryk, handlarze zrabowanym mieniem odpowiedzieli zablokowaniem jednej z ulic miasta, żądając, aby policja natychmiast przestała im utrudniać zarobkowanie i żeby za swą niewczesną akcję poniosła stosowną karę. W tym samym czasie pod wałbrzyskim ratuszem demonstrowało tysiąc kopaczy z tak zwanych biedaszybów, domagając się – cytuję za gazetą – „m.in. zapewnienia pracy na dwa lata z pensją co najmniej 2,2 tys. miesięcznie, a jeśli byłoby to niemożliwe – trzyletnich zasiłków dla bezrobotnych i zaprzestania nękania przez policję...". Nie zauważyłem, żeby w tej z kolei sprawie też przeprowadzono sondaż, ale i bez niego wiem, że znowu 80 proc. pytanych powiedziałoby, że kopacze mają rację. Kiedy wyjdą na ulicę złodzieje samochodów, domagając się przywrócenia w kodeksie karnym peerelowskiego paragrafu o „czasowym zaborze mienia", który przez wiele lat zapewniał im bezkarność, albo dilerzy narkotyków, też pewnie pięćdziesiąt parę procent indagowanych przez ankieterów przyzna im rację. Co dopiero wtedy, gdy od państwa domagają się pieniędzy jacyś ludzie, którzy przestępcami nie są?

Nawet nie dopatrywałbym się w tym jakiegoś wyrachowania – że niby, dzisiaj popieram roszczenia innych, żeby jutro, kiedy ja sam będę chciał wyrwać coś dla siebie, oni popierali mnie. To coś głębszego, spontanicznego. Odruch solidarności: my wszyscy, razem, przeciwko państwu. Jest w tym jakiś wyrodzony, zdegenerowany ślad bohaterstwa, z którym poprzednie pokolenia stawiały mniej lub bardziej czynny opór zaborcy czy okupantowi.

Tylko że dzisiaj jest to solidarność przeciwko państwu własnemu, wreszcie odzyskanemu, czego nikt jakoś nie dostrzega. Dziś jest to odruch walki przeciwko tej właśnie Polsce, za którą tylu frajerów dało się zaszlachtować na jakichś redutach, za którą ludziom wyrywano paznokcie, miażdżono genitalia, strzelano w potylicę, zsyłano na Sybir – Polsce chwilowo niepodległej. Ta Polska nie jest dla przytłaczającej większości tutejszych mieszkańców wartością, wspólnym dobrem, nadrzędnym interesem. Ta Polska jest dla polactwa tylko dojną krową, którą każdy chce klepać po cyckach, i nikogo nie obchodzi, że krowa w końcu może paść. To nie jego problem. Ale nie dosyć na tym: państwo polskie jest dla polactwa głównym wrogiem, i poza skokami Małysza oraz adorowaniem Papieża nic nie jednoczy go skuteczniej, niż wspólny wysiłek skierowany na wyrwanie z tegoż państwa kolejnych pieniędzy i wtrącenie go w jeszcze bardziej beznadziejną sytuację. Wspominam tu nieraz, że w większości swoich zachowań nie różni się polactwo od rozmaitych innych ludów, przetrąconych długotrwałym zniewoleniem. Ale ta perwersyjna solidarność przeciwko własnemu państwu, ta pasja, z jaką zwalczamy własny kraj, wydaje się ewenementem na skalę światową – i jeśli można znaleźć dla niej jakąkolwiek analogię, to tylko w naszej własnej przeszłości, tylko w tej zajadłości, z jaką pokolenia polskiej szlachty walczyły z urojonym zagrożeniem „absolutum dominium" i w imię swej „złotej wolności" paraliżowały wszelką władzę, rwały sejmy, niszczyły administrację i uniemożliwiały królom zdobywanie pieniędzy na zaciąg wojsk, dopóki w końcu nie wzięli ich za mordy i pod but caryca pospołu ze starym Frycem.

Profesor Wilczyński nazwał ten fenomen – jak na profesora przystało, mądrze – „wrogim państwem opiekuńczym". Z jednej strony, polactwo postrzega swoje państwo jako dawcę dóbr, zobowiązanego zapewnić każdemu środki utrzymania, szkołę, opiekę zdrowotną, pracę, wczasy, i tak dalej, aż do renty i emerytury. Z drugiej jednak strony ów wielki rozdawca dóbr jest powszechnie znienawidzony. Bo ilekolwiek by dawał, i tak zawsze daje za mało.

Można tu więc i trzeba rzec na obronę polskich polityków, że ustępując przed najbardziej nawet egoistycznymi i szkodliwymi dla ogółu żądaniami, rozdając coraz to nowym grupom kolejne pieniądze i przywileje, ustępują zawsze przed wolą większości – a w końcu w demokratycznym kraju, w którym polityk uzależniony jest od kaprysów tłumu jak gwiazda telewizji od humorów publiczności, trudno sobie wyobrazić demonstracyjne postępowanie wbrew tej woli. Ale trzeba dodać, że ustępując tchórzliwe przed każdym tupnięciem, wcale sobie poparcia nie kupują. I tak zostaną znienawidzeni, i tak pod koniec kadencji rządząca partia będzie biła kolejne rekordy niepopularności, a jej szeregowi, mniej znani tłumom członkowie będą się ratować przemalowywaniem szyldów.

*

Oczywiście, w przekonaniu polactwa „oni" – politycy – nie dają, bo nie chcą. Pieniądze z wielkiego wora, jakim jest budżet państwa, zamiast przeznaczać, jak obiecali, na nas, biorą dla siebie i swoich kolesiów, złodzieje jedni. „Złodzieje" to jedno z kluczowych słów polskiej debaty ulicznej, skandowane rytmicznie: zło-dzie-je-zło-dzie-je podczas każdej demonstracji, bez różnicy, kto demonstruje, w jakim celu i z jakich pozycji. Oczywiście w tej ludowej intuicji jest coś z prawdy, w końcu nie jesteśmy tacy głupi, żeby nie wiedzieć, kogo posyłamy do władzy. Ale jest też wielkie rozgrzeszenie: skoro wszyscy tam na górze to w czambuł złodzieje, my tutaj, na dole, nie robimy nic złego, usiłując urwać coś dla siebie. Ba: bylibyśmy frajerami, gdybyśmy tego nie robili.

Polactwo, choć generalnie jest w stosunku do polityków po chłopsku nieufne, w jedno wydaje się im wierzyć bez zastrzeżeń: w coraz to nowe obiecywane sposoby wyczarowania pieniędzy. Żaden polityk nie powie przecież wyborcom: słuchajcie, na zaspokojenie waszych oczekiwań kasy nie ma i nie będzie. Zamiast tego mówi, jak Miller czy Lepper – my wiemy, gdzie są pieniądze, i jak je wziąć. (Święta prawda, jeśli rozumieć tę zapowiedź „my wiemy, skąd się będziemy mogli nachapać" – ale na pewno nie jako „my wiemy, skąd wziąć na te wszystkie zasiłki, dopłaty i subwencje".)

Więc przede wszystkim – pieniądze mają się wziąć z „rozliczania aferzystów". „Rozliczanie aferzystów" obiecuje nawet zdychający SLD, co już mnie rozśmieszyło do rozpuku, bo przecież, żywiąc o postkomunistach jak najgorsze mniemanie, nie uważam ich za tak głupich, żeby mieli obrócić się przeciwko ostatniej grupie społecznej, która ich jeszcze popiera.

Rozliczanie aferzystów to jedna z najbardziej niezniszczalnych bzdur III Rzeczypospolitej. Oczywiście, afer było w naszym kraju, jak w każdym innym kraju postkomunistycznym, co niemiara – znacznie więcej, niż się to zdarza w starych demokracjach. Afery, szwindle założycielskie, były wpisane w logikę „pokojowego przekazania władzy", zgoda „Solidarności" na bezkarną grabież przez funkcjonariuszy partyjnych i ubeków państwowego mienia, jak się dziś wydaje, stanowiła wręcz niewypowiedziany na głos warunek całej umowy. Ale wszystko wskazuje, że sumy, o jakie wskutek nich zubożono państwo, stanowią inny zupełnie rząd wielkości, niż potrzeby budżetu (przypomnijmy: budżet na rok 2004 to pi razy drzwi 200 miliardów złotych. Zależnie od kursu, nieco więcej lub nieco mniej niż 50 miliardów dolarów. A miliard to tysiąc milionów, jedynka z dziewięcioma zerami). A na dodatek działa tu mechanizm, znany każdemu, kto miał przykrość przeżyć w domu włamanie: złodziej z reguły mniej ukradnie, niż zniszczy. Po to, aby bezkarnie ukręcić parę milionów, nieuczciwi zarządcy państwowego majątku powodowali straty kilkanaście, kilkadziesiąt razy większe. Tych strat odzyskać po prostu nie można, tak jak nie można złapanemu włamywaczowi odebrać pieniędzy, które kosztowała właściciela domu naprawa zniszczonych drzwi i wstawienie nowego zamka. Można, zapewne, skonfiskować jakąś jedną czy drugą willę, luksusowy samochód, ale jeśli ktoś wierzy, że z tego będzie na wypłacanie parunastu milionom ludzi minimum socjalnego dziewięćset złotych miesięcznie, to jego nauczyciele dostali za swoją pracę znacznie więcej, niż im się należało.

Afery, oczywiście, rozliczyć by wreszcie należało, począwszy od tych głównych – rublowej, spirytusowej czy FOZZ. Ale trzeba to zrobić dlatego, że na ich bezkarności cierpi państwo, i dlatego, że wymaga tego poczucie sprawiedliwości – nie dlatego, że będą z tego kokosy na dalsze finansowanie gierkowskiego „czy się stoi, czy się leży".

Tylko że kto chce wierzyć, uwierzy we wszystko. Niedoceniony showman Grzegorz Kołodko wymyślił, że można by się dobrać do wspomnianej już rezerwy rewaluacyjnej NBP. Owa rezerwa w istocie nie istnieje, jest tylko wielkością księgową. Po prostu, kiedy NBP skupuje waluty, czyni to po określonym kursie, i te zmiany kursu, a ściślej, różnica pomiędzy ceną zakupu, a ceną bieżącą, to właśnie owa rezerwa. Dostałeś na imieniny, PT Czytelniku, porcelanową durnostojkę, która w sklepie kosztowała pięć dych, a pewnego dnia, patrzysz na wystawę – taki sam mathom wyceniają w pamiątkarskim na siedemdziesiąt złotych. Czy czujesz się bogatszy o dwie dychy? Teoretycznie tak. Ale będziesz bogatszy dopiero wtedy, gdy zdołasz komuś swoją figurkę za te siedem dych opylić. Natomiast jeśli ktoś powiedziałby ci, żebyś już teraz, bez sprzedawania czegokolwiek, te dwie dychy, skoro ci nagle spadły z nieba, dał mu na piwo – pewnie byś go spuścił ze schodów, prawda?

Tymczasem pan Kołodko umyślił sobie, żeby pod tę wirtualną rezerwę – ale bez sprzedawania rezerw walutowych NBP, bo to wywołałoby skutki, które wykształconemu ekonomiście są znane – dodrukować trochę kasy na bieżące potrzeby dziurawego budżetu. W istocie był to pomysł ryzykownej, dodatkowej emisji pieniądza bez pokrycia. Pomysł równie rozpaczliwy i doraźny, jak inne kołodkowe rady, z niesławną abolicją podatkową na czele. I, o dziwo, przy powszechnej w naszej klasie politycznej ignorancji w dziedzinie ekonomii, pomysł eseldowskiego żonglera przeżył jego samego, podchwytywany nawet przez polityków, których bardzo chciałbym móc uważać za poważnych. Przy okazji jednym wyraźnie się pomyliła rezerwa rewaluacyjna z rezerwami walutowymi NBP, a innym – z poziomem tzw. rezerw obowiązkowych, określanych przez Bank Centralny. Pogłoska, że gdzieś tam u znienawidzonego Balcerowicza w piwnicy leżą skrzynie pełne dolarów, do których można by się dobrać, bardzo rozpala namiętności różnych przywódców ludu i ich pomagierów. Do tego stopnia, że nie pytają o szczegóły.

W ogóle, jeśli chodzi o pomysły, skąd wziąć pieniądze na spełnienie wszystkich składanych po drodze do władzy obietnic, panuje u nas swoisty głuchy telefon: nie dość, że obrońcy praw socjalnych ludu podkradają je sobie bez żenady, to jeszcze po drodze wszystko im się myli (byłoby to bardzo zabawne, gdyby nie fakt, że chodzi w końcu o nasz kraj). Ktoś coś tam powie, inny podchwytuje, a za czas jakiś, jak Polska długa i szeroka, powtarza się to na wiecach od lewicy do prawicy, korzystając z faktu, że naród niekształcony. Kiedy euro kosztowało cztery złote, jak mantrę słyszałem, że złoty jest za mocny, i byle się osłabił, gospodarka rozkwitnie. W rok później euro było już prawie po pięć złotych, i oczywiście obiecywane korzyści jakoś nie nastąpiły, ale próżno by szukać kogoś, kto by umiał wyjaśnić, dlaczego rok temu twierdził, że tańszy złoty ma być lekiem na wszystkie problemy. Wszystko, co się wiąże z pieniądzem, jego kreowaniem, z kredytem i stopami procentowymi, to dla przeciętnego polityka, tak samo jak i dla jego wyborcy, czarna magia – można pleść, co komu do głowy przyjdzie. Że polska gospodarka jest jak wysuszona gąbka i można ją nasycić „nieinflacyjnym dodrukiem pieniądza". Albo że można by wykreować „pieniądz narodowy", pod zastaw zaufania narodu do siebie samego (jak bogackiego, dokładnie coś takiego usłyszałem kiedyś z ust działacza partii przekraczającej w sondażach pięcioprocentowy próg, jakim obwarowano wejście do sejmu). Albo... Do diabła zresztą z tym, nie zamulajmy sobie mózgów pomysłami żądnych sejmowych diet cymbałów.

Przypomniał mi się niejaki Siemienas, facet, który straszył gdzieś na początku lat dziewięćdziesiątych, a potem zniknął nie wiedzieć gdzie i jak. Uchodził za milionera z Ameryki, jeździł białym rolls-royce'em, którym podwoził zaczynającego wtedy przy nim karierę

Leppera, robił długi – do tego, jak się zdaje, ograniczały się jego biznesowe uzdolnienia – i sypał różnymi genialnymi pomysłami na zamienienie Polski w Kuwejt (nie w sensie obfitości ropy naftowej, tylko sum pieniędzy, sypiących się na każdego obywatela za to tylko, że istnieje). Jeden z nich szczególnie zapadł mi w pamięć. Otóż policzył był pan Siemienas, ile jest w Polsce ziemi ornej, porównał to z ilością pieniędzy w obiegu, następnie wykonał takie obliczenie w stosunku do USA, i wyszło mu, że w Ameryce na jeden hektar przypada ileś tam wyemitowanych przez bank centralny dolarów, a w Polsce wielokrotnie mniej złotych. Ergo, można i należy w Polsce wydrukować ileś tam jeszcze miliardów. To, że pieniądz jest ekwiwalentem obecnych na rynku towarów i przeliczanie, jak się jego podaż w Ameryce i gdzie indziej ma w stosunku do długości granicy w centymetrach, rocznej produkcji parasoli albo dni deszczowych i słonecznych nie ma najmniejszego sensu, nie zmieniało faktu, że cała rzesza ludzi łykała te brednie niczym karmny gąsior gałki.

Bardzo przepraszam, że wyciągam tu jakieś skrajne przypadki, ale to tylko dla przykładu – jeśli chodzi o wymyślenie jeszcze jednego „dowodu", że może być tak, jak w wyidealizowanych przez sklerozę czasach słodkiego gierkowskiego nieróbstwa i radosnego przeżerania pierwszych dolarowych kredytów, polactwo kupi każdą, najgorszą nawet głupotę. A wiara, że gigantyczne pieniądze są gdzieś w zasięgu ręki, tylko tę rękę wyciągnąć, potęguje z kolei wściekłość na polityków, którzy z niezrozumiałych przyczyn sięgnąć po nie nie chcą.

Trzeba naprawdę tłumaczyć, że gdyby jakiekolwiek cuda dało się zrobić, politycy nie wahaliby się ani chwili? Przecież gdyby którakolwiek z rządzących ekip zdołała zaspokoić roszczenia, rządziłaby do dziś. Ba – gdyby umiała jakąś kasę wyczarować, sama by się jeszcze nachapała!

Ale, niestety, wbrew przekonaniu wielkiej części mieszkańców naszego kraju pieniądze nie biorą się z drukarni. Ich zasoby są ograniczone. Dwa plus dwa równa się cztery, i będzie tak zawsze, choćbyś pękł – w cywilizowanym świecie to podstawa rachunków, a u nas przecież „liberalizm", i to jeszcze liberalizm „doktrynalny" i „antyspołeczny". Nie można więcej wydawać, niż się ma, i więcej pożyczać, niż się będzie w stanie oddać – w innych krajach takie przekonanie nazywa się zdrowym rozsądkiem, ale u nas to „monetaryzm", chętnie nazywany „skrajnym" czy „obłędnym". A każdy, mniejsza, czy deklaruje się jako katolik, czy jako ateista, kto w liberałów i monetarystów wali jak w bęben, może u polactwa liczyć jeśli nie na poparcie, to przynajmniej na poklask. Pod hasłem walki z monetaryzmem i liberalizmem już od dawna wygrywa się u nas każde kolejne wybory. Dopiero potem, po wygranych wyborach władza otrząsa z siebie wiecową retorykę, zaczyna przeglądać szuflady świeżo wziętych w posiadanie biurek i szukać jakiegoś profesora, który jej objaśni, o co w tym interesie chodzi.

Ja, oczywiście, profesorem nie jestem, ale potrafię to każdemu, kto chciałby sobie Polską porządzić – naprawdę, jak pokazują kolejne przykłady, nie wymaga to żadnych kwalifikacji i każdy może – wyjaśnić sprawę bardzo przystępnie. Dawno już odkryłem i ogłosiłem prawo, które rządzi u nas konstruowaniem finansów publicznych. Pozwoliłem sobie nawet, w swej nieokiełznanej pysze, nazwać je „prawem Ziemkiewicza". Prawo to jest bardzo proste. Owoż: rząd musi wydawać pieniądze w pierwszej kolejności na to, czego obywatele nie potrzebują. Na to, czego obywatele potrzebują, rząd wydawać pieniędzy nie musi.

Dlaczego? Z bardzo prostej przyczyny. Za to, czego potrzebują, ludzie zapłacą i tak. Na przykład – potrzebujemy opieki medycznej, więc jeśli lekarzowi nie zapłaci państwo, zrobią to pacjenci. Państwo może latami tolerować stan, w którym profesor specjalista nominalnie dostaje pensję mniejszą niż sprzątaczka, bo wiadomo, że jak ktoś zachoruje, albo zachoruje mu ktoś z najbliższej rodziny, sprzeda medalik i obrączkę, żeby dostać się na odpowiedni oddział i załatwić operację. Potrzebujemy bezpieczeństwa, więc jeśli na ulicy nie ma policjantów, właściciele sklepów najmą ochroniarzy, a za tych ochroniarzy zapłacą, w cenie towarów i usług, ich klienci.

A komu z państwa przyszłoby do głowy wcisnąć kopertę z pieniędzmi reprezentującemu go i walczącemu o jego żywotne interesy przywódcy związkowemu? Kto gotów jest zapłacić chłopu za mnożenie wieprzowej nadprodukcji, i jeszcze potem chłopskiemu posłowi za to, że raczy trzymać tę nadprodukcję w swojej chłodni albo silosie? Kto z własnej kieszeni wyłożyłby kasę na pensję pełnomocnika do spraw równego statusu kobiet, na idiotyczne ekspertyzy, służące tylko temu, żeby dać zarobić kolesiom władzy, na tysiące stołków w administracji istniejących tylko w tym samym celu? Nikt. A kto weźmie na siebie zaspokajanie roszczeń „silnych branż"? Kto dobrowolnie da bodaj złotówkę na przekupywanie związkowego aparatu, żeby zapewnić krajowi „pokój społeczny"? Też nikt, oczywiście.

I właśnie dlatego musi to zrobić państwo.

Dobrze. Jakoś mnie to wszystko nagle przestało śmieszyć, więc teraz już przez chwilę śmiertelnie poważnie. Od chwili swego powstania III Rzeczpospolita trwoni nasze skromne zasoby na rzeczy, z których jako naród nie mamy i nie będziemy mieli żadnego pożytku. Duża część tych zasobów została od razu na starcie, w ramach ustrojowej transformacji przeprowadzonej według ubeckiego scenariusza, zmarnowana i rozkradziona przez komunistyczne specsłużby i aparat. Jeszcze większa została roztrwoniona na kręcenie kiełbasy wyborczej, bo, jak już pisałem, żeby móc się dorwać do koryta, trzeba sobie kupić wyborców. Wbrew jednak potocznemu mniemaniu, nawet kilkuset wielkich aferzystów i oligarchów nie jest w stanie ukraść drobnej części tego, co kradną rzesze drobnych wyłudzaczy i oszustów powszednich; to tak jak z piraniami, które, choć malutkie, potrafią, dzięki swej mnogości obgryźć krowę do gołego szkieletu w kilkadziesiąt sekund, czego nie dokona największy nawet rekin. Ale i to wszystko, co ukradziono i co nadal się kradnie, to jeszcze grosze wobec strat, jakie wywołuje fakt, że priorytety finansowe naszego państwa ustalane są dokładnie odwrotnie, niżby nakazywał interes wspólny.

Wspominałem już o pewnym badaniu opinii publicznej z roku 2001. Pytanie: na co rząd powinien w pierwszej kolejności przeznaczać pieniądze, można wybrać więcej niż jedną opcję. Utrzymywanie nierentownych miejsc pracy, zabezpieczenie społeczne, interwencyjny skup płodów rolnych i tego typu rzeczy – wszystko powyżej 50 procent wskazań. Obronność – osiem procent. Inwestycje – dwanaście. Edukacja – jedenaście.

Cokolwiek mówić złego o kolejnych ekipach rządzących, spełniały one to społeczne oczekiwanie. Kraj, który przez tyle pokoleń krwawił w walkach o niepodległość, od 1989 co roku wciąż bardziej i bardziej obcina budżet swoich sił zbrojnych (jak ten budżet jest potem wykorzystywany, to osobny kryminał, ale może napisze o tym ktoś inny) i dziś mamy armię mniej więcej taką, że, proporcjonalnie do sąsiadów, w porównaniu z tym w 1939 byliśmy autentyczną militarną potęgą. Kraj, który bardziej niż czegokolwiek innego potrzebuje wykształconych kadr, modernizacji, rozwoju, którego być albo nie być leży w dogonieniu Zachodu, wszelką edukację ma za piąte koło u wozu – profesorowie i badacze nie przyjdą przecież pod URM napierdalać kamieniami, więc władza ich olewa. Nie podoba im się, to niech wyjeżdżają do Ameryki, tym lepiej, pastuchami łatwiej się będzie rządziło. Kraj zapóźniony w cywilizacyjnym rozwoju o pół wieku, którego żywotnym interesem jest wyjść z zacofania poprzez inwestycje, inwestycjom szczególnie nie sprzyja; chyba, że to spektakularne, dające się zdyskontować w politycznej propagandzie wielkie fabryki, które „tworzą miejsca pracy" – nikt nie zwraca uwagi, że kosztem takich podatkowych umorzeń i budżetowych dotacji, iż więcej na tym Polska traci, niż zyskuje.

Na co kieruje, zamiast tego, nasz kraj zasoby? Na podtrzymywanie w stanie wegetacji archaicznego, niewydolnego rolnictwa. Na utrzymywanie milionów nierobów i meneli. Na przedłużanie agonii kopalń i hut, pobudowanych swego czasu na potrzeby sowieckich zbrojeń, i oddalanie w nieskończoność zmian w państwowych kolejach, zorganizowanych nie na potrzeby krajowego transportu, ale do przewiezienia w stosownej chwili setek tysięcy sołdatów i czołgów ruszającej na Europę *krasnoj armiji*. Na „sprawiedliwość społeczną". Na rozkurz. Na wyrzucenie w błoto.

Krótko mówiąc, na to, co w przyszłości profituje, co przynosi rozwój, zwiększa bogactwo i daje korzyści – nie mamy pieniędzy. Bo wszystko przeznaczamy na rzeczy, z których pożytek dla narodu jest żaden, a często wręcz niosą one szkody.

Naród, który tak się rządzi, szykuje sobie zagładę.

Naprawdę.

Rozdział III

Problem zasadniczy tego, co przywykło się u nas szumnie nazywać „debatą publiczną", polega na tym, że jej uczestnicy ciągle nie potrafią znaleźć klucza do polskiej mentalności. Kiedy mówią o przeciętnym Polaku, to nikt, z nimi samymi na czele, nie wie, co to właściwie oznacza. Bo też nie jest łatwo to pojęcie wyjaśnić. Uśrednić paręnaście milionów ludzi na tyle, aby móc opisać zespół ich charakterystycznych zachowań, a przede wszystkim – znaleźć sposób opisania ich w sposób zrozumiały, przejrzysty, a zarazem trafny: oto wyzwanie! Wyzwanie, w podjęciu którego przedstawicielom innych narodów pomagają wykuwane latami stereotypy, uogólnienia, tworzone przez literaturę i przez kulturę masową. U nas te stereotypy zamiast pomagać, jeszcze bardziej przeszkadzają. Nie były tworzone po to, by cokolwiek wyjaśniać, ale dla pokrzepienia serc, dla dodania sobie sił potrzebnych w zmaganiach z losem. W chwili, kiedy owe zmagania wygraliśmy, cały ten bagaż okazał się tylko obciążeniem. Niczemu już nie pomaga, a tylko zakłamuje rzeczywistość i utrudnia rozpoczęcie normalnego życia. Komentator, myśliciel, felietonista, a nade wszystko polityk, który próbuje do zrozumienia rzeczywistości III RP używać starego – przepraszam za przemądrzałe sformułowanie – aparatu pojęciowego, wypracowanego w publicystyce pism podziemnych i emigracyjnych, przypomina rycerza, który po zakończonej wojnie zapomniał ściągnąć zbroję. Tłucze się po domu jak potępieniec, co chwila się o coś potyka albo wali łbem w szafę, bo przyłbica zasłania trzy czwarte widoku, i wszystko mu wypada z usztywnionych żelazną rękawicą palców.

Na przykład: w książce Teresy Torańskiej „My", złożonej z wywiadów z działaczami byłej opozycji, Jarosław Kaczyński cytuje swoją rozmowę z Antonim Macierewiczem. Miał mu w niej czołowy animator narodowo-katolickiej Konfederacji wyjaśniać, że nie ma sensu budowanie w Polsce nowoczesnej chadecji w typie niemieckim, tylko tworzyć trzeba coś takiego jak ZChN, bo, cytuję z pamięci, to społeczeństwo przez pół wieku żyło w stanie zamrożonym i jest „jakby z Sienkiewicza".

Z Sienkiewicza! Co za bzdura! Pamiętam, że mało nie rozpękłem się nad lekturą ze śmiechu. O społeczeństwie, które wybrało sobie na prezydenta, jak to bezbłędnie ujął brytyjski „The Economist", „disco-Polaka" i przez dwie kadencje obdarza go nieodmiennie ponad pięćdziesięcioprocentowym poparciem, które wielkim poważaniem darzy Urbana i z nikogo nie śmieje się tak chętnie, jak z księdza proboszcza, można powiedzieć wszystko, tylko nie to, żeby było z Sienkiewicza. To kompletne urojenie, zresztą szlachetne, płynące z głębokich patriotycznych wzruszeń, których sam niegdyś doznawałem, śpiewając z tłumem „Ojczyznę wolną racz nam wrócić Panie" – ale nijak się mające do rzeczywistości. Jeśli pominąć wymierających z wolna niedobitków pokolenia AK i garstkę Młodzieży Wszechpolskiej, to Bóg, Honor, Ojczyzna i inne takie sprawy obchodzą dziś nad Wisłą przysłowiowego psa z kulawą nogą. A w każdym razie budzą emocje nieopisanie mniejsze, niż pierwsza z brzegu promocja w hipermarkecie.

Zresztą dokładnie ten sam błąd, co Macierewicz i jego narodowokatoliccy komiltoni (mam nadzieję, że nikogo nie obraziłem, insynuując mu takie komiltoństwo – chociaż nie wiem, bo to środowisko jest wyjątkowo skłócone i z reguły najbardziej zagorzały libertyn i kosmopolita jest dla narodowego katolika daleko mniejszym wrogiem, niż inny narodowy katolik) popełnia także skłócona z nimi na śmierć Familia. Dla niej także podstawowym gatunkiem występującym na obszarze III RP jest Polak-katolik, jakkolwiek widzi w nim ona ucieleśnienie wszelkiego zła, z antysemityzmem i nietolerancją na czele.

Familia (proszę wybaczyć, że operuję tymi określeniami, Familia i Konfederacja, jakby wszyscy mieli obowiązek czytać moje wcześniejsze książki; tym, którzy nie czytali i nie mają ochoty, obiecuję wytłumaczyć je nieco dalej) ma też jednak bohatera pozytywnego. Jest to bohater zbiorowy, któremu na imię „społeczeństwo upodmiotowione". O ile niepodległościowa część opozycji krzepiła się za czasów peerelowskiego syfu wiarą, że byle przebić głową mur, zaraz tu powstanie tłum Rzędzianów, Charłampów i Soroków restytuować Rzeczpospolitą w imię orła w koronie z krzyżykiem i Najświętszej Panienki, to z kolei opozycja wyrosła na bazie sprzeciwu prawdziwie ideowych marksistów przeciwko temu, że realny socjalizm nie spełnia danych klasie robotniczej obietnic, uroiła sobie, że mieszkańcy kraju pomiędzy Odrą a Bugiem łakną, aby ich „upodmiotowić". Jak się ich tylko upodmiotowi, to z punktu staną się społeczeństwem obywatelskim i jako społeczeństwo obywatelskie zajmą się prowadzeniem poważnych debat publicznych nad każdym z kluczowych dla kraju problemów.

Może ktoś powiedzieć, że te marzenia, które snuli niegdyś ludzie mający dość odwagi i determinacji, by znosić ciągłe aresztowania na cztery-osiem, obmacywania przez ubeków i dziesiątki innych sposobów uprzykrzania im życia, nawet jeśli były naiwne, nie zasługują, bym sobie dziś z nich drwił, siedząc w wygodnym fotelu i popijając markową whisky. Będzie miał świętą rację. Ale trudno mi powściągnąć złośliwy ozór, kiedy przypominam sobie, co ci wyznawcy upodmiotowiania robili po roku 1989. Wydawałoby się rzeczą najoczywistszą pod słońcem, że jeśli się chce z poddanych totalitarnej władzy uczynić obywateli, to trzeba im przywrócić odpowiedzialność za samych siebie. Niech poczują, że ich własny los leży w ich rękach, że od tego, jaką podejmą decyzję, zależeć będzie lepsza lub gorsza przyszłość ich samych, ich rodzin i bliższych oraz dalszych znajomych. Czy można było to zrobić? Tak, w najprostszy sposób, poprzez odwrócenie tego, co stanowiło istotę komunizmu. Istotę całej tej ponurej, zbrodniczej w każdym jej przejawie ideologii stanowiło zaś odebranie ludziom własności. I aby odwrócić skutki bolszewickiej inżynierii społecznej, aplikowanej mieszkańcom Polski przez pół wieku, należało zacząć od oddania ludziom własności. Gdzie było można – w naturze, zwracając dawnym właścicielom zrabowaną ziemię, place i kamienice. Gdzie indziej natomiast – dzieląc pomiędzy Polaków dobro państwowe, ziemię, mieszkania. Pies trącał, czy nazwalibyśmy to „powszechną prywatyzacją" czy „uwłaszczeniem". Ważne było, żeby stworzyć tę „klasę średnią", bez której demokracja istnieć nie może. Klasę średnią, którą, wbrew temu, co by można sądzić z notorycznie głupkowatych polskich mediów, tworzą nie Kulczyk z Krauzem i Starakiem, ale miliony zwykłych, średnio zamożnych ludzi, pracujących w pocie czoła na utrzymanie rodziny i zapewnienie przyszłości dzieciom – tyle tylko, że pracujących na swoim.

Ale, ciekawa rzecz: im głośniej kto gęgał o upodmiotowieniu społeczeństwa i potrzebie stworzenia klasy średniej, tym bardziej zawzięcie zwalczał wszelką myśl o oddawaniu zrabowanych przez komunizm dóbr właścicielom i uwłaszczaniu społeczeństwa majątkiem, które to ono przecież, pod batem i w kieracie kompartii, wytworzyło. Prywatyzacja, oczywiście, owszem, ale tylko taka, która polega na oddawaniu wielkich fabryk w ręce wielkich koncernów, pozostawiająca pole do popisu dla spółek doradczych i dająca okazję do wszystkiego, co się z tym wiąże. Prywatyzacja powszechna, jak najbardziej, ale w drodze przekazania majątku pod zarząd wybranych przez władzę firm-menedżerów, z jednoczesnym wyprodukowaniem papieru wartościowego idealnego do wyprania nakradzionych w ramach ustrojowej transformacji brudnych pieniędzy. Ale tak, żeby z milionów pracowników najemnych stworzyć wielomilionową klasę średnią – nigdy w życiu. Bóg jeden wie, dlaczego właściwie. Być może, mimo całej opozycyjnej przeszłości, w ukąszonych Heglem serduszkach pozostała młodzieńcza wiara w wyższość własności kolektywnej nad tą indywidualną, która rodzi burżuazję, drobnomieszczaństwo, egoizm i „sprzeczności kapitalizmu". Być może hasła uwłaszczeniowe padły po prostu z niewłaściwych, oszołomskich ust – gdyby do debaty publicznej zgłosił je profesor Geremek, a „Gazeta Wyborcza" dała jasny sygnał, że powszechne uwłaszczenie jest trendy, to co innego. A może poszło tylko o polityczne wyrachowanie; w końcu oddanie własności Polakom musiałoby oznaczać uszczuplenie stanu posiadania ubecko-komunistycznego Układu, w którym sobie oberguru Michnik upatrzył głównego sojusznika do walki ze straszącymi go po nocach demonami polskiego nacjonalizmu. Z drugiej ręki, ale od osoby, do której mam pełne zaufanie, znam rzucone w początkach lat dziewięćdziesiątych w zamkniętym gronie stwierdzenie jednego z luminarzy nieboszczki Unii Demokratycznej, że reprywatyzacja byłaby „społecznie szkodliwa", bo odbudowałaby znaczenie grup społecznych stanowiących naturalne zaplecze materialne dla prawicy.

W ten sposób, wbrew własnemu gęganiu, dokonała Familia zasadniczego ustrojowego wyboru – bardzo możliwe, że nie zdając sobie sprawy z jego skutków, ani w ogóle z faktu, że go dokonała. Zamiast społeczeństwa obywatelskiego, z szeroką klasą średnią, czyli – objaśnię to raz jeszcze, dobitnie, choć strasznie skomplikuje to składnię niniejszego zdania – warstwą społeczną tworzoną przez ludzi żyjących z pracy własnych rąk, materialnie niezależnych od państwa, ponoszących odpowiedzialność za swoje wybory i przez to niepodatnych na socjalną demagogię i populizmy – zamiast takiego społeczeństwa zbudowano w początku lat dziewięćdziesiątych ekonomiczne podstawy kapitalizmu w stylu latynoskim, z wąską grupą potężnych oligarchów i rzeszą całkowicie wydziedziczonej biedoty, z natury swej tworzącej nieprzewidywalny i podatny na wszelkie oszustwa motłoch.

Mimo wszystko, klasa średnia zaczęła w Polsce powstawać – codzienną krzątaniną drobnych handlarzy, rzemieślników i ludzi „small businessu", zaczynających od przysłowiowych „szczęk" na ulicach i krok po kroku budujących dobrobyt swój i swojego kraju, pomimo wszystkich rzucanych im pod nogi kłód, mimo nękających ich na każdym kroku kontroli i inspekcji, samowoli wymuszających haracze urzędników, paskarskich podatków i składek na dobrodziejstwa socjalizmu. Nikomu na tych ludziach nie zależało, nikt ich nie bronił, nie wspierał, najwyżej czysto werbalnie, w praktyce zaś, przeciwnie, spadł na nich cały ciężar utrzymywania rozdętego socjalu i wszystkich patologii postkomunizmu. W końcu, żeby utrzymać tego molocha biurokracji, żeby rozdawać wszystkie te zasiłki i dopłaty, żeby odwdzięczać się sponsorom kampanii wyborczych i kupować sobie elektorat, trzeba pieniędzy. A skąd je brać? Wielki, odziedziczony po peerelu przemysł ciężki, wybudowany na potrzeby sowieckich zbrojeń, to ostoja związków zawodowych, współtworzących polityczną siłę i postkomuny, i postsolidarności – ci i tak żadnych podatków i składek nie płacą, jeszcze trzeba ich oddłużać. Inwestorów zagranicznych też się ogolić z kasy nie da, bo raz, że mają dobrych księgowych, a dwa, że dla efektu propagandowego przyciągnięcia jednego czy drugiego koncernu daje im się zwolnienia podatkowe i ulgi aż do granic absurdu i daleko poza nie. Rodzimych oligarchów skubnąć nie ma mowy, wiadomo dlaczego. Chłopstwo od jakichkolwiek powinności finansowych na rzecz kraju, poza czysto symbolicznymi, zwolnione zostało dożywotnio. Tylko drobnych przedsiębiorców można gnoić ile wlezie, jeszcze przy sporej aprobacie polactwa, po którym wieloletnia propaganda przeciwko „prywaciarzom" wcale nie spłynęła jak woda po kaczce.

A wytrzymałość ludzka ma swój punkt krytyczny. Dziś, gdy spisuję te swoje duszne boleści, w pierwszej połowie roku 2004, wielka część tej niedoszłej, stale tłamszonej i stąd genetycznie skarlonej klasy średniej znalazła się w obozie Leppera. To znaczy, ni mniej, ni więcej, tylko że polscy drobni przedsiębiorcy mają już dosyć „wolnego rynku", który w wydaniu III RP oznacza dla nich nieustanną walkę o przeżycie. Z dwojga złego wolą być znowu prywaciarzami w państwie, które wyznaczy im pułapy, których nie będzie wolno przerosnąć – ale i obroni przed konkurencją. Nie rozbudujesz sklepu, ale też nikt nie postawi ci pod bokiem hipermarketu, z którym byś musiał konkurować. Tak jak chłopi, którzy w peerelu niby to byli prywatnymi właścicielami, łamiąc ideologiczne założenia marksizmu, ale funkcjonując w systemie kontyngentów i dopłat wolni byli i od pokus, i od zagrożeń wolnego rynku, co dzisiaj wielu z nich wspomina jak najlepiej.

Fakt, że tak się dzieje – że rolnicy marzą dziś o powrocie tamtego systemu, a drobni przedsiębiorcy chętnie schowaliby się pod kieckę opiekuńczego państwa – jest znakiem zasadniczej, dojmującej klęski reform, które Polska podjęła na początku lat dziewięćdziesiątych i z których już po kilku latach zaczęła się stopniowo wycofywać.

Ale o tym gdzie indziej, w tym rozdziale pisać chciałem o kłopotach ze znalezieniem podstawowego wzorca, opisującego mentalność przeciętnego Polaka. Nie jest to więc, niestety, wzorzec amerykańskiego *entrepreneura*, rzutkiego przedsiębiorcy, pioniera z gatunku tych, którzy ucywilizowali Dziki Zachód, choć, oczywiście, takich ludzi w Polsce nie brak. Nie jest to także dziewiętnastowieczny Polak-katolik, choć ludzie do tego stereotypu pasujący wciąż jeszcze występują w naszym kraju na tyle licznie, że skupienie ich głosów na jednym szyldzie wystarczy, by wprowadzić do Sejmu trzydziestu – czterdziestu posłów. I nie jest to także, uwierzcie mi na słowo, żeby nie dłużyć już argumentacji, Szwoleżer, Powstaniec, ani Sarmata, choć pewien zespół cech Sarmatyzmu, ale wyłącznie tych negatywnych, daje się u dzisiejszego polactwa wyraźnie obserwować – z przyczyny, którą przy jakiejś okazji pewnie wyjaśnię.

Więc które z licznych historycznych wcieleń Polaka patronuje III Rzeczypospolitej? Moim zdaniem odpowiedź jest prosta jak w pysk dał: pańszczyźniany chłop. To z niego właśnie, czy raczej z tej jego formy, w jakiej przetrwał dziejowy kataklizm, wyhodowała komuna podstawowy model obywatela peerelu, przejęty potem z dobrodziejstwem inwentarza przez „Solidarność" i III RP.

Czemu nie jest to uważane za rzecz oczywistą, dlaczego pisząc tę książeczkę 15 lat po Okrągłym Stole mam wrażenie, jakbym, wskazując na pańszczyźniane korzenie współczesnego Polaka, mówił coś oryginalnego? Może dlatego, że pańszczyźniany, czy fornal, nie doczekał się specjalnego zainteresowania ze strony naszej literatury. Nie wszedł do masowej wyobraźni jako typ ludzki, model, stereotyp, do którego można by się przymierzać. Jeśli już zauważała ona chłopa, to gospodarza, jak u Reymonta. Parobek z zasady swojej był przedmiotem, w najlepszym wypadku – punktem odniesienia. Ruchomy element polskiego pejzażu i nic więcej.

I tak, oczywiście, powinno było pozostać. Ale przyszła najpierw jedna okupacja, hitlerowska, potem druga, dłuższa i gorsza w skutkach – sowiecka. Pamiętam z jakiegoś nagrania, może filmowego, może radiowego, Zbigniewa Herberta, jak wspominał swe szkolne lata. Było nas w gimnazjalnej klasie dwudziestu czterech, mówił Herbert (może rzucił nieco inną liczbę, ale nie o ścisłość tu chodzi), ja byłem spośród nich najmniej zdolny, i z całej klasy tylko ja jeden przeżyłem wojnę. Odrzućmy to stwierdzenie o najmniejszych zdolnościach, będące zapewne przejawem skromności wielkiego poety;

ale takich zdziesiątkowanych gimnazjalnych klas, jak wspominana przez niego, były przecież tysiące. Wyginęły całe rodziny – te z tradycjami, z obywatelskimi i patriotycznymi nawykami. Setki tysięcy ludzi wywieźli Sowieci na zagładę w głąb Rosji. Od pierwszej chwili wkroczenia na ziemie polskie w 1939 i naziści, i komuniści mordowali każdego, kogo można było zaliczyć do klas wyższych. Palmiry i Katyń, Syberia i Kazachstan, Powstanie Warszawskie, a po wojnie – polowanie na akowców, gnojenie klasowego wroga i krwawy przerób ubeckich katowni... Nie o tym jest ta książka, kto zapomniał, niech sięgnie sobie po dowolny podręcznik historii i zajrzy do rozdziału „straty ludzkie w czasie drugiej wojny światowej", a potem niech doliczy do tych strat kolejne spustoszenia, powojenne: emigrację, bataliony górnicze dla „wrogów klasowych" i „awans społeczny".

Wyobraź sobie, klarowałem swojemu amerykańskiemu przyjacielowi, że przez USA przeszła pół wieku temu taka epidemia, która zabijała każdego, kto miał roczny dochód powyżej pięćdziesięciu tysięcy dolarów albo skończony *college*. No, nawet, powiedzmy, nie każdego – czterech na pięciu. Wszyscy wasi profesorowie, eksperci, wszyscy wielcy biznesmeni, wszyscy ludzie tworzący potęgę tego kraju wyginęli. Prezydentem jest syn analfabety, po studiach, na których, z braku prawdziwych wykładowców, uczyli go półanalfabeci. Sekretarzem stanu został z braku laku lekko poduczony szoferak, a o gubernatorach poszczególnych stanów nawet nie warto mówić, jeszcze się nie nauczyli jeść nożem i widelcem, bo w ich sferach nie uchodzi to wcale za potrzebną umiejętność. Powiem od razu, że mój przyjaciel nie umiał sobie wyobrazić, jak by wyglądał jego kraj po takim kataklizmie. A ja sobie swojego wyobrażać nie muszę. Ja usiłuję sobie wyobrazić, jak wyglądałaby Polska, gdyby zamiast tych wszystkich półinteligentów, chamów, durniów i mętów dyrektorami, ministrami, prezesami oraz działaczami społecznymi byli dzisiaj ci, którzy nie mieli szansy się urodzić, bo ich rodziców pochłonęła zawierucha wzniecona przez dwa zbrodnicze totalitaryzmy.

A przecież przykład, który podałem, był i tak niewspółmiernie łagodniejszy od polskiego doświadczenia. Gdyby nagle cztery piąte mądrych i dobrze wychowanych Amerykanów zabrała jakaś zaraza, to USA, oferując wysokie zarobki i fantastyczne perspektywy ściągnęłyby sobie na ich miejsce wykształconych imigrantów ze wszystkich krajów świata. A sami Amerykanie z niższych półek, aspirując do nagle opuszczonych miejsc na szczytach społecznej hierarchii, świadomi tego, co się stało, staraliby się za wszelką cenę do nich dorosnąć. W Polsce przecież było dokładnie odwrotnie. Przez pół wieku działał tu pełną parą stanowiący istotę „realnego socjalizmu" system selekcji negatywnej. Im byłeś głupszy i bardziej skłonny do podłości, tym wyżej miałeś szansę zajść. Dla zrobienia kariery wiedza była całkowicie zbędna, a elementarna przyzwoitość oraz uczciwość stanowiły wręcz przeciwwskazanie. Kariera wymagała służalczości, zręcznego wkręcania się w układy i zmieniania ich w porę, gdy nowy układ wykańczał poprzedni, cwaniactwa i braku skrupułów. Tu i ówdzie, czasem, partia skłonna była tolerować na ważnym stanowisku fachowca – ale to były odosobnione przypadki, nie reguła. Regułą było to, że człowiek, który nie chciał zmarnować życia na duszenie się w tym syfie, rozpaczliwie kombinował, jak by się stąd urwać. I odkąd w pewnym momencie komuniści uświadomili sobie, że w gruncie rzeczy bardziej im się opłaca takich wypuszczać, niż mieć z nimi kłopoty – wielu z tych najbardziej rzutkich, przeważnie dobrze wykształconych, rzeczywiście spakowało manatki. Zamiast nadrabiać wojenne straty, naród wciąż i wciąż tracił najlepszą krew. Pierwszy taki wielki upust, pierwsza wielka ucieczka – to czasy Gierka. Druga – to lata osiemdziesiąte, po tym, jak Jaruzelski przetrącił Polsce kręgosłup i zabił w kolejnym pokoleniu nadzieję na to, że w swoim kraju kiedykolwiek będzie mogło żyć normalnie. Trzecia wielka fala trwa teraz – to wyjazdy młodych ludzi rozczarowanych tym, co zrobiło polactwo z wolnej Polski, nie myślących żyć w kraju rządzonym teraz już nie przez „dyktaturę ciemniaków", ale, co jeszcze gorsze i bardziej beznadziejne, przez tychże ciemniaków demokratyczną większość.

Kto zaś nie wyjeżdżał, a nie umiał zabić w sobie uczciwości, starał się przetrwać i zachować czyste ręce – a to oznaczało konieczność odrzucenia marzeń o wielkiej karierze i poprzestania na małym. Myślę, że był to swoisty heroizm – nie jakiś wielki, tylko mały heroizm dnia codziennego. Są trzy luksusy, które można mieć w peerelu, mówiono, własny samochód, własne mieszkanie i własne zdanie, ale kto zacznie od własnego zdania, ten własnego samochodu i mieszkania nie dorobi się już nigdy.

Tej milczącej, przyzwoitej większości – a jeśli nawet nie większości, bo kto i jak ich dziś policzy, to w każdym razie grupie znaczącej – sposób, w jaki pożegnano się nad Wisłą z „realnym socjalizmem" wyrządził ogromną, nie do wybaczenia krzywdę.

Peerel skończył się dokładnie tak, jak będąca doskonałą metaforą komunizmu powieść Orwella „Folwark zwierzęcy". Zwrócił już zresztą uwagę na to podobieństwo w jednym ze swych „Dzienników pisanych nocą" Gustaw Herling-Grudziński. U Orwella świnie, które w końcu zawładnęły folwarkiem, bratają się przy stole z zaproszonymi ludźmi, wznosząc wspólnie toasty i pokwikując z rozkoszy, a zaglądające przez okno zwierzęta nagle uświadamiają sobie, że już nie potrafią odróżnić, kto jest świnią, a kto człowiekiem – tak się wszystko pomieszało, zamazało i pomyliło. Jedyna różnica, że u nas stół był okrągły. I w imię tego okrągłego mebla takim ludziom jak mój Tata, ludziom, którzy całe życie brzydzili się tą czerwoną hołotą i jej świńskimi sprawami, napluto w twarze. Oznajmiono im wprost, że byli frajerami. Że trzeba było robić karierę, bo prawdziwa sól tej ziemi to Jaskiernie, Czarzaści, Kwiatkowscy, Kwaśniewscy i ich ordynackie świty zetesempowskich i zetespowskich cwaniaczków o rozbieganych oczkach i lepkich rękach.

Dziś czytam i słucham, jak ludzie niekiedy bezpośrednio odpowiedzialni za to wielkie okrągłostołowe świństwo i za wszystkie szwindle założycielskie III RP labidzą, że współczesnej młodzieży brak ideałów, a życiu publicznemu – przyzwoitości. Że zapanował kult pieniądza i kariery za wszelką cenę. Zanikła uczciwość, jedynym liczącym się kryterium jest skuteczność, mierzona materialnym powodzeniem. Oni tego nie rozumieją. Oni ubolewają. Oni nie o to walczyli.

Bardzo jestem ciekaw, co ci zmartwieni mędrkowie podpowiedzieliby ojcu, któremu dorastający syn oznajmia – tato, nie pieprz mi o uczciwości, bo po całym uczciwym życiu masz osiemset złotych emerytury albo zasiłek dla bezrobotnych, a wszyscy czerwoni pokupowali sobie i swoim dzieciom zagraniczne gabloty. Bardzo jestem ciekaw, jakim argumentem doradzaliby mu przekonać syna, że jednak warto w życiu trzymać się jakichś zasad i nie szmacić się.

Ale, niestety, w tej akurat kwestii niczego nie mają do powiedzenia. Oni się tylko troszczą i ubolewają. Taka już dola intelektualistów.

*

Kilka razy miałem okazję rozmawiać z ludźmi, którzy z racji swych zawodowych zajęć uczestniczą w procesach, mających oddać sprawiedliwość ludziom prześladowanym w czasach peerelu. Bo takie procesy jeszcze się toczą – przeciwko milicjantom i esbekom, którzy odbijali nerki i łamali palce, przeciwko sędziom, którzy z dekretu o stanie wojennym wsadzali na parę lat więzienia za ulotkę, przeciwko różnym czerwonym bandytom. Nawet nie po to, by ich ukarać, ale by była formalna podkładka do wypłacenia ofierze skromnego odszkodowania. Przeczytałem gdzieś, że za dwa i pół roku więzienia można dostać pięćdziesiąt tysięcy złotych. *Bad business*, jak w pewnej powieści podsumowali Anglicy Powstanie Warszawskie.

W opowieściach o takich procesach zawsze powtarza się jedno. Kiedy dziś, po piętnastu latach wolności, spotykają się na sali sądowej ofiary i oprawcy, ci drudzy zresztą przeważnie w charakterze świadków – to mamy z jednej strony ludzi w wytartych biednych paletkach i starych butach, a z drugiej tłustych bysiorów o rumianych, zadowolonych gębach, w drogich garniturach albo skórzanych kurtkach – a do tego złoty rolex na ręku i wypasiona fura na parkingu przed sądem. Tak nie jest na tych rozprawach „często" ani „przeważnie" – tak jest na nich zawsze. Tak po prostu wygląda ta Polska, która miała przywrócić sens takim słowom, jak „uczciwość" i „sprawiedliwość", a w której główną troską jej „autorytetów moralnych", które błyskawicznie skumplowały się z czerwonymi, było uchronienie swoich nowych przyjaciół przed „nienawiścią", „zemstą" i rozliczeniami.

*

„Trzydzieści lat Polski Ludowej to okres, który w dziejach naszego narodu stworzył najtrwalsze, największe, nieodwracalne procesy historyczne mające głęboki wpływ na naszą świadomość społeczną i jej duchowe uzasadnienia", powiedziano na rocznicowym plenum KC PZPR w roku 1974. Właściwie mógłbym z tego cytaciku

– jakże typowego dla całego tego partyjnego bełkotu, którym nas karmiono – zrobić motto. Powstrzymałem się tylko dlatego, że musiałbym wtedy wskazać autora tych pokrętnych i mętnych zdań z imienia i nazwiska, a szkoda mi się nad nim pastwić, bo poza wszystkim był to wielki artysta i rzadki przypadek człowieka, który swą kolaboracją z komuną nie wyrządził w sumie zła nikomu poza samym sobą. Ale zawarta w cytacie myśl, choć tu, oczywiście, miało to wszystko brzmieć pochwalnie, odpowiada prawdzie. W peerelowskim syfie rzeczywiście dokonano na naszym narodzie operacji nie mającej w jego tysiącletnich dziejach precedensu. Nie wierzę, by jej skutki były aż nieodwracalne – ale w każdym razie odwrócić je i powrócić do normalności będzie szalenie trudno.

Najczęściej ujmuje się jej sens słowami „awans społeczny". Ba, ów „awans" przedstawia się jako wielkie dobrodziejstwo i zasługę komuny. Do dziś jest to jedno z haseł, na które najchętniej powołują się różni starzy ubecy i „utrwalacze" w swych apologiach peerelu i socjalizmu. Z ich punktu widzenia to bardzo rozsądne; nic nie mobilizuje ich społecznego zaplecza lepiej, niż przypomnienie mu, skąd się wzięło. Z ich punktu widzenia dobrze jest znacznej części polskich „elit" przypominać, że są elitami zastępczymi, nieprawdziwymi, że zawdzięczają swą pozycję nie swoim talentom, wiedzy i kwalifikacjom fachowym, tylko łasce „władzy ludowej".

W istocie ten „awans społeczny" był dla Polski nieszczęściem nie mniejszym, niż wojenna orgia morderstw i wypychanie młodych, zdolnych ludzi na emigrację. „Opierać się na biedniaku, neutralizować średniaka, niszczyć kułaka" – brzmiała „leninowska trójzasada polityki rolnej", którą wbijano w głowy pokoleniu mojego Ojca (właśnie tego typu mądrości stanowiły ową „edukację", za którą zdaniem piewców komuny powinniśmy być peerelowi dożywotnio wdzięczni). Tę samą „trójzasadę" stosowano w odniesieniu do całego społeczeństwa, w niewiele zmodyfikowanej formie: opierać się na prymitywach i prostakach, neutralizować poczciwych przeciętniaków, tępić wybitnych. W największym skrócie i uproszczeniu, taka była istota komunistycznej socjotechniki. Komunizm stawiał sprawę jasno: trzeba wychować nowego człowieka, bo ten stary jest obciążony tyloma złymi nawykami, że się do idealnego ustroju po prostu nie nadaje. I przez cały czas swego istnienia, w każdym kraju, który zdołał wziąć pod swoje panowanie, starał się tego „nowego człowieka" wyhodować. Pracował nad tym na wiele sposobów – naganem i knutem, rozdawaniem talonów na deficytowe dobra, ustawianiem zasad polityki kadrowej. Wyszło mu nie całkiem to, co wyjść miało, ale coś tam wyszło. Mianowicie, człowiek wytresowany, okaleczony psychicznie, przejawiający odruchy i nawyki zupełnie odmienne od człowieka normalnego, wychowanego w normalnym kraju, normalnych rodzinach i systemach wartości. W cywilizowanym świecie ludzie uczeni są, żeby nie robić rzeczy złych, żeby wstydzić się złych skłonności i tępić je w sobie – w socjalizmie było na odwrót. Nienawiść jest dobra, jeśli klasowo dobrze ukierunkowana. Zawiść wobec bogatszego, mądrzejszego, odnoszącego większe sukcesy w życiu – to wręcz podstawa socjalistycznej moralności. A czego nie pochwalono i nie rozgrzeszono wprost, to wynikało po prostu z absurdalnego układu i rozumiało się samo przez się – wiadomo było, że kto nie kradnie, ten frajer, że żeby żyć, trzeba kombinować, że „wspólne" znaczy niczyje i tak dalej.

I po dziesięcioleciach takiej tresury wykoślawione nią społeczeństwo obdarowano nagle demokracją i powiedziano mu: rządźcie się sami. Bez żadnej próby oddziałania na nie choćby zmianą ekonomicznych uwarunkowań. Bez potępienia zła socjalizmu i rozliczenia go. Bez jakiegokolwiek oczyszczenia. Bez próby nowego rozdania kart, pozostawiając w rękach szulerów wszystkie atuty, które sobie, korzystając z uprzywilejowanej sytuacji, przywłaszczyli. Nawet bez próby nagłośnienia, że oto dokonuje się jakiś przełom, że coś się skończyło, a coś nowego się zaczyna. Przeciwnie, cichcem, ukradkiem, wręcz tłumiąc w społeczeństwie emocje, aby przypadkiem nie popadł ktoś w nadmierny entuzjazm. Dogadaliśmy się, światła część opozycji ze światłą częścią władzy, jesteśmy znowu w swoim własnym domu, a wy sobie teraz możecie wybrać kogo chcecie – czyli, oczywiście, nas.

A potem wielkie zdziwienie, gdy rzesza sierot po peerelu „nie dorosła do demokracji".

*

Opowiadał mi Tata o pierwszych dniach „władzy ludowej" w Czerwińsku. Na poziomie wsi ta „władza ludowa" nie była pojęciem abstrakcyjnym, tylko konkretnymi osobami. Skupiła się w niej, mianowicie, cała miejscowa mętownia. Lokalny komitet PPR zaludnili pijaczkowie i menele, a sekretarzem został zdeklasowany gospodarz, który przed wojną swoją gospodarkę przepił i zmarnował. Posterunek MO stworzyli złodziejaszkowie pod przewodem analfabety, którego rysunkowe mandaty przez długi czas stanowiły we wsi pożądane obiekty kolekcjonerskie. Jeden w drugiego, najgorsze prymitywy i degeneraci, jakich dało się znaleźć w powiecie.

W jakimś stopniu, oczywiście, wynikało to z faktu, że lepsi się na służbę nowej władzy zgłaszać nie chcieli. Ale w dużym stopniu było częścią przyjętej przez komunistów strategii: żeby zbudować Nowy Wspaniały Świat, trzeba było obrócić w gruzy stary, a do tego najlepiej było użyć wyrzutków i wszelkiego rodzaju hołoty. To był właśnie ten „wyklęty lud ziemi", który powstawał i robił rozpierduchę, a który potem, kiedy się już zmęczył, brano na łańcuch i zapędzano kopniakami do roboty. Szerokie otwarcie drogi chamstwu, prostactwu, wszystkiemu, co w świecie wartości było odrzucone i pogardzane, stanowiło podstawę tej „nowej wiary", która zauroczyła tylu wybitnych intelektualistów.

Jeśli sięgniemy po dowolny pamiętnik Polaka, który przeżył wkraczanie wyzwolicielskiej Robotniczo-Chłopskiej Armii Czerwonej na ziemie polskie w 1939, w każdym znajdziemy to samo: niedowierzanie, przerażenie i szok, że może istnieć tak niewiarygodne chamstwo. Że ludzie mogą się do siebie odnosić w sposób tak grubiański i prymitywny, w równie brutalny sposób traktować kobiety i dzieci, używać tak plugawej i agresywnej mowy, że przełożony może z byle powodu prać podwładnego po mordzie i rugać po matce. Proszę sprawdzić, kto nie wierzy – szok wywołany zderzeniem z tą dziczą i chamstwem wydawał się w oczach ówczesnych Polaków przyćmiewać wszystko inne, włącznie z szokiem po tak łatwo i nieoczekiwanie przegranej wojnie i zawaleniu się całego ich świata.

Więc nie dziwmy się, ale też i nie unikajmy stwierdzenia faktu, że po półwieczu buntowania przez komunistów chama, judzenia tego chama, schlebiania mu, głaskania go i hodowania na wszelkie sposoby, Polska jest krajem zalanym chamstwem w stopniu w krajach cywilizowanych nieznanym, a myśmy wszyscy schamieli w sposób wręcz niewiarygodny.

Jeśli los cię rzuci do szczęśliwej Ameryki, zrób, drogi Czytelniku, prosty eksperyment. W metrze czy na ulicy – oczywiście, gdy jesteś w normalnej okolicy, a nie na którymś z bandyckich przedmieść największych metropolii – zacznij się przypatrywać przypadkowemu człowiekowi. Po prostu patrz na niego, tak długo, aż cię zauważy. Podniesie na ciebie wzrok – i co zrobi? Uśmiechnie się życzliwie. Dziesięć na dziesięć. A co się stanie, jeśli ten sam eksperyment powtórzysz w Polsce? Jeśli testowana osoba jest od ciebie wyraźnie mniejsza i niższa, będzie próbować uciec, a jeśli dorównuje ci gabarytami, wykrzywi ku tobie mordę w wojowniczy grymas: co się, ka twoja, gapisz? Chcesz w ryj?!

Ta sama wzajemna pogarda i agresja, która szokowała naszych przodków u krasnoarmiejców zalewa polskie życie publiczne. Polactwo, jeśli się w nie wsłuchać, aż dyszy dziś nienawiścią. Stale potrzebuje kogoś, komu może bluzgać. Jeden z największych sukcesów medialnych wolnej Polski to założony przez Urbana, człowieka nawet jak na komunistę wyjątkowo nikczemnego, tygodnik, który od pierwszego numeru bez cienia żenady epatował agresywnym językiem, prymitywnymi i plugawymi atakami na ludzi oraz mieszaniem z błotem wszelkich wartości. Ale dziś, po prawie piętnastu latach, ten plugawy szmatławiec wydaje się całkiem przyzwoity w porównaniu, na przykład, z pismem założonym przez jakiegoś pokręconego niedoszłego księdza, który swą misję życiową zobaczył w mieszaniu z błotem Kościoła i przy okazji każdego, kogo podejrzewa o sprzyjanie mu. Co tam się wypisuje, przekracza wszelkie granice wytrzymałości człowieka, który miał szczęście wychować się w normalnej rodzinie i większość życia spędzić pośród normalnych ludzi. Język pojęciowy Urbana dawno już rozlał się po kraju, i nikt już się nie krępuje, publikując bluzgi godne nachlanego autowidolem degenerata w prasie czy wygłaszając je z sejmowej mównicy. Bluzgi pod adresem każdego, kto wlezie w ślepia, czy to ksiądz, czy polityk, Żyd albo profesor ekonomii, czy ktokolwiek inny. Polactwo po prostu zionie nienawiścią, skręca się z nienawiści, ona je przeżera na wylot, pobrzmiewa w każdym autobusie i każdej kolejce, gdziekolwiek zechciałbyś nawiązać z „człowiekiem prostym" rozmowę o sprawach publicznych, a choćby zresztą i prywatnych.

Ciekawe – bo u zarania III RP perspektywa wybuchu nienawiści wywoływała wielką troskę naszych intelektualnych elit i autorytetów moralnych. Wiele się o tym, jak to trzeba unikać nienawiści, pisało. Tylko że w faryzejskim, michnikowym języku tego środowiska „nienawiść" oznaczała zupełnie co innego, niż znaczy naprawdę. Nienawiścią było wymierzanie sprawiedliwości oprawcom i zbrodniarzom. Nienawiścią było poszukiwanie prawdy. Nienawiścią, a nawet wręcz „piekłem", była próba stworzenia systemu wielopartyjnego i oparcie dyskursu politycznego na języku polityki zamiast języka moralizatorstwa, w którym na dodatek jedna strona z góry przyznała sobie monopol na uczciwe motywacje, a adwersarzom przypisała wszelkie możliwe nikczemności. To wszystko było nienawiścią!

Ale potępienie i wzgarda dla tak rozumianej nienawiści nie przeszkodziły uważającemu się za najwyższy moralny autorytet i etyczną wyrocznię Michnikowi w popijaniu wódeczki z Urbanem, tym właśnie Urbanem, który – o jego wcześniejszych dokonaniach już nie wspominając – był redaktorem naczelnym arcyzasłużonego w popularyzowaniu mowy nienawiści i wszelkiego umysłowego plugastwa tygodnika „Nie"! Tygodnika, który, dla przykładu, potrafił przed wyborami napisać, że Krzaklewski miał matkę czy babkę Żydówkę (nie mam pojęcia, czy to prawda i wisi mi to, cytuję, bo rzecz charakterystyczna) i pismo Michnika zareagowało na to karcącym tonem w jednym tylko felietonie. Czy Czytelnik potrafi sobie wyobrazić, co by michnikowszczyzna zrobiła z jakimkolwiek prawicowym pismem, które ośmieliłoby się dociekać żydowskich korzeni Kwaśniewskiego?!

Skoro przy Michniku, to rzecz troszkę z innej beczki, ale gdy mówimy o inwazji chamstwa, warto wspomnieć o niej akurat tu. W końcu od kogo wymagać kultury, jeśli nie od takiej intelektualnej i etycznej wyroczni, laureata wszystkich tych nagród i wyróżnień, o których pracowicie informuje jego gazeta. Komu się chce, niech z łaski swojej sięgnie po zapis sławnej rozmowy Rywina z Michnikiem i zwróci uwagę, jakim językiem obaj panowie rozmawiają. Zostawmy na boku treść, chodzi o sam sposób myślenia i formułowania tych myśli. Do złudzenia przypomina to dyskurs pomiędzy dwoma gangsterami, i to z tych stojących raczej dość nisko w mafijnej hierarchii. A to, tymczasem, rozmawiają o interesach czołowy intelektualista III RP, autorytet moralny i oberguru, ze sławnym w tejże III RP i stanowiącym ozdobę jej salonów producentem filmowym.

Ten dysonans, pomiędzy społeczną pozycją protagonistów a używanym przez nich językiem, ktoś się po publikacji rywinowej taśmy odważył na łamach prasy zauważyć. Wywołało to ze strony Michnika gniewne żachnięcie – przecież, oznajmił, on Rywina podpuszczał! Musiał z nim rozmawiać jego językiem, aby tamten się odsłonił! Kiedy Michnik się żachnie i powie coś w gniewnym tonie, to nie ma u nas (na razie – stan z kwietnia 2004) takiej odważnej gazety, poza kilkoma niszowymi pismami świrniętej prawicy, która pozwoliłaby sobie na druk jakiejkolwiek z nim polemiki, więc na tym żachnięciu stanęło.

A tymczasem – guzik prawda. Zapisana na taśmie rozmowa obu panów bynajmniej nie zaczyna się od słów „dzień dobry, jestem Rywin, czy to pan jest Michnik?". Obaj spotykali się i znali już wcześniej, nie ma co do tego wątpliwości. A skoro tak, to przecież Michnik nie mógł nagle zacząć rozmawiać z Rywinem jakimś innym językiem. Gdyby tak było, Rywin mógłby się domyślić, że rozmówca szykuje mu jakiś numer. A już co najmniej na taśmie niechybnie znalazłoby się jakieś zdanie w stylu: hm, Adaś, co ty dzisiaj tak dziwnie gadasz? Wydaje się oczywiste, że Michnik rozmawiał z Rywinem w ten sam sposób, w jaki rozmawiał z nim zawsze. A trudno przypuszczać, żeby już rozmawiając z nim wcześniej zadał sobie trud podpuszczania go i udawania knajaka, bo to by znaczyło, że z wielkim wyprzedzeniem domyślił się, iż ten facet przyjdzie kiedyś do niego z korupcyjną propozycją – względnie, że, jak sugerował sam Rywin, z góry wybrał go sobie na cel perfidnej prowokacji.

Logiczne? Wydaje mi się, że tak. Ale, jak napisałem, nie ma w Polsce gazety, poza kilkoma niskonakładowymi pismami, która by się odważyła na negliżowanie Michnika. Nikt nie będzie z takim mocarzem zadzierał.

W ogóle, myślę sobie, że afera Rywina była ze strony Michnika krzykiem rozpaczy. On chciał w ten sposób wstrząsnąć naszymi sumieniami, pokazując, w jakim kraju żyjemy kilkanaście lat po odzyskaniu wolności. Proszę spojrzeć – przychodzi do Michnika facet, który powołując się na „grupę trzymającą władzę", ba, konkretnie na premiera, żąda łapówki w zamian za korzystną dla „Agory" ustawę. Michnik go nagrywa i od tego momentu przez prawie pół roku opowiada na prawo i lewo, że ma w sejfie taśmę z takim nagraniem. Afera jak sto diabłów, sięgająca samych szczytów władzy, dziwne zachowanie premiera, niejasna postawa prezydenta – w każdym cywilizowanym kraju media rzuciłyby się na coś takiego natychmiast.

A u nas co? Michnik zdziera gardło, rozpowiada – i nic! W wolnym kraju, gdzie od kilkunastu już lat nie ma żadnego wydziału prasy KC ani cenzury – nic, końce do wody i głucha cisza. W końcu cała warszawka gadała o sprawie po kątach, ale gdyby ostatecznie „Wyborcza" jej nie nagłośniła, wszystko pozostałoby w sferze plotek po dziś dzień. Jeden z kolorowych tygodników odważył się na parę mętnych aluzji w swej rubryce humorystycznej i na tym koniec. A kiedy inny zagadnął o sprawę w oficjalnym wywiadzie premiera, to wystarczył jeden telefon, żeby w druku to pytanie i odpowiedź na nie wypadły. Wolny kraj! Wolne media! „Dysponentem tematu był Adam Michnik", wyjaśniła potem utytułowana dziennikarka, która ów pocięty wywiad przeprowadzała. Żarty! Kpiny! Jaki znowu „dysponent tematu", kiedy mamy do czynienia z aferą polegającą na handlowaniu zapisami przygotowywanej przez rząd ustawy, a więc sięgającą ustrojowych podstaw państwa?

No i w końcu Michnik, pokazawszy w ten sposób dobitnie, jak wiele nam brakuje do cywilizowanych standardów wolności słowa, musiał o wszystkim napisać sam. Z półrocznym opóźnieniem. Bynajmniej nie dlatego, że próbował przez te pół roku coś dla siebie ugrać. Gdzieżby! Takie podłe insynuacje męża równie nieposzlakowanego po prostu się nie imają. Chodziło wyłącznie o wstrząs.

Przepraszam, że znowu sobie robię jaja. Już Państwu wyjaśniałem, dlaczego.

*

„Smutna to rzecz, gdy sobie w oczy pomyśleć, że jesteśmy narodem, którym zawsze targały ostre kontrasty wysokiej cywilizacji i najgorszego chamstwa. Chamstwo było zawsze i jest najgorszym naszym wrogiem wewnętrznym", napisał swego czasu Marian Hemar. Przez pewien czas zastanawiałem się nawet, czy nie zrobić motta dla książki z tego z kolei cytatu. Zrezygnowałem, bo w końcu chamstwo nie jest jej tematem – jej tematem jest to, jak Polacy po raz kolejny doprowadzają swój kraj do zagłady, w czym chamstwo, oczywiście, ma swój wielki udział, ale mniejszy, niż pycha pseudoelity. Niemniej jednak, bez używania obelżywego określenia „chamstwo" dzisiejszej Polski opisać nie sposób. A skoro się go używa, to trzeba wyraźnie i jasno napisać, co to słowo oznacza.

W potocznym rozumieniu bowiem cham jest utożsamiany z prostakiem. To duży błąd. Chamstwo to coś innego, niż prostactwo. Prostak po prostu nie zna norm obowiązujących w wyższych sferach społecznych bądź nie potrafi ich spełnić – cham je natomiast zna. Zna i odrzuca całkowicie świadomie, ponieważ z jego punktu widzenia są tylko przejawem słabości. Chyba że akurat w danym momencie zachowywanie się w sposób zgodny z tymi normami, grzeczny, jest dla niego korzystne. Cham bowiem kieruje się w życiu tylko jednym: swoją własną korzyścią. W dążeniu do niej nie liczy się z nikim i niczym, na wszelki wypadek okazując zawczasu każdemu, kto stanie mu na drodze, że jest gotów i może go zmiażdżyć – a każdemu, kto może z kolei zmiażdżyć jego, że jest mu posłuszny, nie zagraża, a nawet może się przydać. Na tym właśnie polega chamstwo, a nie na siorbaniu zupy.

Jest też potoczne rozumienie słowa „cham", oznaczające po prostu człowieka ze wsi. To jeszcze większy błąd, choć intuicja, wiążąca chamstwo ze wsią nie jest nieprzytomna. Ale mieszkaniec najbardziej nawet zacofanej wsi, dopóki pozostaje w swoim środowisku, chamem nie jest. Łatwo się nim natomiast staje, gdy wskutek jakichś historycznych i socjalnych zawirowań przeniesiony zostanie nagle między ludzi cywilizowanych, ale nie przyjmuje obowiązującego wśród nich wzorca obyczajowego, zachowując mentalność ukształtowaną przez prymitywne środowisko i prawa bezwzględnej walki o przetrwanie.

Spójrzmy na reymontowskie Lipce, których naturalistyczny opis zachwycił przed wiekiem szwedzkich akademików. Czy to, co jest przedmiotem tego opisu, to chamstwo? Nie. To jego zarodek – brutalność i okrucieństwo w walce o życiowe powodzenie, a zwłaszcza o to, co stanowi materialne podstawy bytu. W walce o „grunta" brat zabijał brata, ojciec niszczył syna a syn ojca: był to świat bezwzględny. Ale bezwzględność walki o byt ujmował on w pewne reguły, w tworzone latami hierarchie, podobne do doskonale już dziś opisanego przez socjobiologów świata rywalizujących o przetrwanie zwierząt. Cham pojawił się dopiero wtedy, gdy te tradycyjne hierarchie i obyczaje prysnęły, a nie zostały zastąpione innymi. Człowiek „ze wsi już wyszedł, a do miasta jeszcze nie doszedł"; pośród ludzi cywilizowanych pojawił się dzikus. W normalnym społeczeństwie taki dzikus był szybko przywoływany do porządku lub izolowany – ale przez ostatnich kilkadziesiąt lat w Polsce normalnego społeczeństwa nie było. I nie jeden dzikus pojawił się pośród dobrego towarzystwa – w którym musiałby się swych złych nawyków wstydzić i jeśli nie wykorzeniać je z siebie, to przynajmniej starannie ukrywać – tylko niedobitki normalnego, przedwojennego społeczeństwa dosłownie zalane zostały morzem wypuszczonej z folwarcznych czworaków hołoty. Komuniści dobrze wiedzieli, że poza sowieckimi czołgami, podstawę ich władzy stanowią lumpy, i dlatego trzeba tych lumpów dopieszczać, podbechtywać, wpajać im, że są solą ziemi i wszystko im się należy. Oczywiście, trzeba też ich było od czasu do czasu przećwiczyć bykowcem, żeby się we łbach nie poprzewracało i nie zaczęli się dobierać władzy do jej willi czy sklepów za żółtymi firankami. Ale wobec najgorszej, ciemnej hołoty czerwony w znacznie większym stopniu stosował marchewkę niż bat. Wpuścił ją do śródmieść i poutykał, kwaterunkowym prikazem, w mieszkaniach porządnych rodzin. W Krakowie, który, oszczędzony przez wojnę, pozostał swoistą enklawą przedwojennej, mieszczańskiej Polski, zbudowano specjalnie hutę, aby zneutralizować burżuazyjną ludność zgonioną z zapadłych wioch ludożerą. Zaprzedani komunie intelektualiści zaczynali publicznie wygłaszać w imieniu swoich historycznie niesłusznych klas jakieś kretyńskie samokrytyki, okadzając ludowy, robotniczo-chłopski zdrowy rozsądek, siermiężność i prosty jak w mordę dał sposób myślenia. Zresztą robili to dość chętnie; perwersyjne lubowanie się w hołdach dla prymitywa, chłopomania, zachwalanie „ludu" i „człowieka prostego", całe to gombrowiczowskie wzdychanie do parobka tkwiło w polskich elitach już od dawna i czerwoni wyszli tu naprzeciw autentycznemu zapotrzebowaniu. Żeby naprawdę wspaniały poeta, cokolwiek tam sądzić o nim jako o człowieku, kazał się do trumny przebrać za górnika – trudno naprawdę o przykład gorszego popierdzielenia!

Chama, oczywiście, guzik to obchodziło, że jakiś tam Przyboś czy inny jajogłowy nadskakiwał mu, że będzie teraz pisał „prosto, po robociarsku", ale bezbłędnie odbierał z tego przekazu co miał odebrać: „że między Bugiem a Odromnysom to najważniejsze ze wszystkich – my som". I tak chamowi zostało. „Solidarność", w równym co najmniej stopniu jak buntem przeciwko „realnemu socjalizmowi" była powrotem do jego korzeni, czyli do usankcjonowania wszechwładzy chama oraz jego zachwianego jednym czy drugim pałowaniem przekonania, że jest najważniejszy. Zbrodnią komuny nie było, w do dziś powtarzanej przez byłych działaczy opozycji zbitce wyrazów, to, że strzelała do ludzi czy do Polaków; zbrodnią tą było, że strzelała do robotników.

Ja wiem i się zgadzam, że z punktu widzenia skuteczności walki z komuną zejście przez antypeerelowskich intelektualistów do roboli było najmądrzejszą strategią z możliwych. Listy protestacyjne, choćby je podpisało nie trzydziestu czy pięćdziesięciu czterech, ale bodaj i tysiąc intelektualistów, zaszkodzić reżimowi nie mogły, zaszkodzić mu mogły tylko wolne związki zawodowe i strajki. Trzeba było to zorganizować, zresztą, powtarzając dokładnie tę samą strategię, która przyniosła sukces bolszewii; w książce o pierwszej międzynarodówce wyczytałem kiedyś, że wśród ponad 300 założycieli tego „ruchu robotniczego" był tylko jeden (słownie: jeden) robotnik, ale i on właściwie tyle, że pochodził z robotniczej rodziny, bo udało mu się skończyć studia i pracował jako umysłowy. Pomysł, by stworzyć właśnie Komitet Obrony Robotników, a nie, na przykład, Komitet Walki O Niepodległość Polski, był pomysłem znakomitym także dlatego, że szedł ku zagojeniu tego wielkiego rozchlastania Polski, którego dokonał Stalin, zresztą tylko umiejętnie nacinając nigdy do końca nie zabliźnioną ranę z przeszłości. Ludzie, którzy się wtedy za to zabrali, robili rzecz mądrą i ich heroizm mógłby przynieść wspaniałe owoce, gdyby nie zmarnowano wszystkiego głupio w „wojnie na górze". Ale też, co tu gadać, ubocznym skutkiem tego zwrócenia się ku robolowi było dodatkowe przewracanie mu w głowie i utwierdzanie w przekonaniu, że jest najważniejszy na świecie, że swoim prostym, robolskim rozumem porządzi wszystkim lepiej niż jakiś tam profesorek czy inny inteligencik.

Nigdy zresztą nikt nie zgadnie, ile w tym było taktyki, a ile wspomnianej przed chwilą, bronowickiej miłości do ludu. Muszę przyznać, że ten absurdalny pociąg niedobitków starej inteligencji do robotnika, uosobionego w dziarskim młotkowym z prastarej pepeesowskiej bibuły, zawsze mnie tyleż śmieszył, co i zniesmaczał. Widywałem wspaniałych, mądrych ludzi, którzy, kiedy ich Wrzodak kompromitował plotąc obrzydliwe brednie, albo wręcz rozstawiał po kątach, nie byli w stanie zaprotestować ani słowem – bo to przecież autentyczny robotnik. Widziałem świetnych ekspertów w swoich dziedzinach, którzy z tą samą pokorą dawali się terroryzować rozwielmożnionemu chamstwu z komisji zakładowych za czasów AWS-u i jeszcze posłusznie podsuwali mu na uzasadnienie prymitywnych zagrywek wzniosłe frazesy ze społecznej nauki Kościoła. Nigdy tego nie pojmę. Zapewne z przyczyn genetycznych – mnie, kiedy chcę z bliska zobaczyć wsiową gębę, wystarczy spojrzeć w lustro. Prostacka tężyzna jest ostatnim, co by mogło zaimponować inteligentowi w drugim dopiero pokoleniu. Robić z robotnika ostoję rzeczy, wyrocznię, jakąś nową szlachtę, sól ziemi – pogięło was, czy co? A cóż to takiego, u cholery, robotnik? Chodziło się na wagary, trzeba dźwigać ciężary. Tyle.

I proszę na podstawie powyższych słów nie insynuować mi znowu pogardy dla człowieka prostego, którego nasz wielki poeta i noblista zakazuje krzywdzić (krzywda człowieka wykształconego, z jakiegoś powodu, mniej w Polsce oburza). W końcu tak zwana „wielkoprzemysłowa klasa robotnicza" dostała od historii niezłego kopa w tyłek – co cwańsi jej przedstawiciele załapali się na beneficja nowego systemu, przechodząc do związków, a stamtąd do administracji publicznej i rozmaitych spółek, parę silnych branż, jak górnicy, jeszcze zachowuje resztki dawnej potęgi, ale zdecydowana większość trzyma się teraz za siedzenia i nie może pojąć, jak to jest, że byli klasą panującą, a nagle sprowadzono ich do parteru. Nie szydzę z nich, bo to by było tak, jak śmiać się z garbatego albo kulawego. Po prostu trzeba wreszcie skończyć z tym komunistycznym postawieniem świata na głowie, że kto macha łopatą jest lepszy i ważniejszy od tego, kto handluje, robi biznes albo prowadzi badania naukowe. Z punktu widzenia pożytku, jaki ma ze swych członków naród – a to dla mnie najważniejsze kryterium – jest bowiem dokładnie odwrotnie.

*

Proszę zwrócić uwagę, że piszę o powojennej inwazji zbuntowanej przez komunizm dziczy nie na niedobitki inteligencji czy elit, ale wprost na niedobitki społeczeństwa. Komunizm, świadomie i z założenia stawiając świat na głowie, miał ambicję zniszczyć nie tylko wyższe, ale wszystkie w ogóle warstwy społeczne. Wbrew najwyżej wzniesionym hasłom, komuna nie tolerowała proletariatu. Niszczyła go z równą zajadłością, jak arystokrację czy starą inteligencję. Podobnie nienawidziła tradycyjnego układu społecznego na wsi. Działacz robotniczych związków czy starej daty majster albo brygadzista był dla niej takim samym wrogiem, jak zamożny i samowystarczalny gospodarz, „kułak". „By mogła zapanować równość, trzeba wpierw wszystkich wdeptać w gówno", jak arcytrafnie podsumował istotę socjalistycznej rewolucji mistrz Szpotański. Socjalizm wymagał, aby wszystkie stare, nie poddające się władzy czerwonych bandytów struktury zgnieść i zastąpić ugniecionym na jednolitą pulpę motłochem, utrzymywanym w karbach przemocą i propagandą. W państwie z nazwy robotniczo-chłopskim docelowo miało nie być ani robotników, ani chłopów. Tylko i wyłącznie lumperka.

*

Gdyby nie było to bezczelnym podszywaniem się pod cudzą wielkość, nie wspominając już o trudnościach wynikających z prawa autorskiego, to najchętniej załączyłbym do tej książki kasetę albo cedek z dwoma filmami Stanisława Barei – „Misiem" i zmasakrowanym przez komunistyczną cenzurę „Co mi zrobisz jak mnie złapiesz". Mam bowiem głębokie przekonanie, że choćbym zarył się w temacie po uszy, przegryzł parę ton badań socjologicznych i w wielkim trudzie wyszył grube tomiszcze upstrzone tabelami, i tak nie powiem o polactwie więcej, niż mówią te dwie komedie. Nikt w ogóle nie powiedział o peerelu tak wiele, jak Bareja właśnie w tych dwóch filmach. Może to i prawda, że roją się one od różnych podstawowych uchybień przeciwko zasadom filmowego rzemiosła, że, jak mówił mi przyjaciel po filmówce, nie zgadzają się tam jakieś „kąty kamer" czy co tam, że w ogóle widać, iż Bareja nie miał taśmy na duble, kręcił w najtańszym kosztem zaadaptowanych dekoracjach i jako statystów obsadzał rodzinę i ekipę filmową, a czasem nawet występował sam w kobiecej kiecy i peruce.

Nie to jest ważne. I wbrew temu, o czym najczęściej się pisze, gdy kto chce jego twórczość pochwalić, nie było w tych filmach najważniejsze demaskowanie „absurdów peerelu". To, że krany przy każdym poruszeniu kurków wydają z siebie charakterystyczne kichnięcie i popuszczają rdzawą breję, że w kiosku sprzedaje się mięso, baleron można pokazać dziecku tylko w teatrze, w telewizyjnym turnieju miast zespoły chirurgów z dwóch miejscowości kroją pacjentów przed kamerami w studiu który szybciej, na postoju taksówek zatrzymuje się polewaczka, szoferak wożący elementy budowlane zwala je na środku ulicy, bo ktoś dał mu w łapę, żeby mu zawiózł na prywatną budowę deski... To wszystko, oczywiście, było trafione bezbłędnie, do bólu charakterystyczne dla czasów, o których rzesze głupich staruchów opowiadają dziś wnukom bajki. Ale to był tylko sztafaż.

Co było najważniejsze, to że Bareja, jak nikt inny, stworzył studium obywatela peerelu, różnych jego typów i podwariantów. Począwszy od superchama, ucieleśnienia partyjnej mentalności, prezesa Ochódzkiego (który, wedle wiedzy pozascenariuszowej, pierwotnie zwał się „Nowohuckim", bo tak sobie zmienił nazwisko na cześć wielkiej budowy socjalizmu; „wyobrażasz sobie, co za chuj?", opowiadał o tej postaci sam Bareja jednemu z przyjaciół) – bezbłędnego prototypu członków dzisiejszej „grupy trzymającej władzę", z którą mogli się widzowie TVP pobieżnie zapoznać dzięki pracom komisji śledczej ds. afery Rywina. A kończąc na robolu Stuwale, w wyświnionym waciaku, który temuż Ochódzkiemu wygraża, rozmawiając ze sprzątaczkami w kiblu, że nie oddaje mu pieniędzy („pięćset złotych dla mnie nie ma, a sam forsą sra!"), by zaraz potem nagrywać cotygodniową porcję lizusowskich pochwał dla prezesa na specjalnie do tego przeznaczonym magnetofonie w jego gabinecie („ja to chciałem powiedzieć, że nasz prezes wszystkie rozliczenia finansowe bardzo porządnie prowadzi").

„Co mi zrobisz...", jak większość filmów Barei, opowiada o człowieku porządnym – granym przez Bronisława Pawlika fotografie Ryszardzie Ferde – otoczonym, szarpanym i wykorzystywanym przez chamów. Warto o tym wspomnieć, bo w psychologicznej sytuacji peerelu była to sytuacja nośna i charakterystyczna; jeszcze do niej wrócimy, i do sposobu, w jaki się do niej potem niegodziwi ludzie potrafili dla swoich celów odwołać. W dziele bez wątpienia z całego dorobku Barei najlepszym, „Misiu", ludzi przyzwoitych w ogóle już nie ma. To symfonia chamstwa. Tu każdy stara się każdego, mówiąc urbanem, „wydymać", każdy chce się nachapać, wyrwać dla siebie choćby coś najdrobniejszego – nie istnieje nic, żadne normy, żadna przyzwoitość. Prezes Ochódzki stara się ocalić szmal na londyńskim koncie przed byłą żoną, która zadała się z „towarzyszem ministrem", a więc kimś, z kim wejście w otwarty konflikt musiałoby się skończyć starciem Ochódzkiego na proszek, zesłaniem gdzieś na sekretarza gminnego – Ochódzki doskonale o tym wie, więc w oczy przymila się i łasi, motając po cichu skomplikowaną intrygę, mającą mu umożliwić, mimo zniszczenia przez byłą żonę jego paszportu, wyjazd i wybranie forsy z banku, zanim zrobi to ona.

W tej intrydze wykorzystuje naiwność marzącej o karierze aktoreczki, której z kolei wydaje się, że to ona wykorzystuje prezesa („Misiu, ja też cię kocham, bardzo!") i zrobi dzięki temu karierę w Ameryce; no, ostatecznie, może być i futro, byle prawdziwe. Angażuje także producenta filmowego Hochwandera z jego ekipą. Ten też myśli, że jest cwany. Kiedy przez omyłkę wyrzuca za drzwi niezbędnego do nakręcenia całej afery sobowtóra Ochódzkiego, „dublera najważniejszej ze sztuk" (nawiasem, pada tu dosłownie przytoczony cytat z Lenina „film jest najważniejszą ze sztuk", co zadziałało na cenzurę jak płachta na byka) po peerelowsku opierdziela za to swych podwładnych. A podwładni po peerelowsku wyrywają się ze służalczym: „znajdziemy go, panie kierowniku! Trzy noce będę jeździł, a go znajdę", po czym, mając głęboko w de pana kierownika i jego polecenie jadą na melinę, i tam, popijając i oczywiście podkręcając licznik służbowego samochodu, produkują stosowny protokół – mówiąc językiem tych czasów, „podkładkę".

Całej tej galerii typów przedstawionych w filmie, ich na przemian służalczych i butnych zachowań nie sposób tu opisać – zresztą po co, każdy szanujący się człowiek filmy Barei musi przecież znać. Ale zwrócę uwagę na jeszcze jedną epizodyczną postać, zapamiętaną przez widzów głównie dlatego, że dała reżyserowi okazję wplecenia w film kapitalnej wizji baru „Apis" z przyśrubowanymi do stołów miskami i sztućcami na łańcuchach. Chodzi mi o gońca – osobnika stojącego w hierarchii filmu na samym dole, którym wszyscy mogą do woli i bezkarnie pomiatać. Mimo swojej nikczemnej kondycji, a może właśnie dlatego, stara się podkreślić, że coś może. Że ma swoje znaczenie. Dlatego, gdy dostaje polecenie, by dogonić „tego pana, co tu przed chwilą był", z demonstracyjną powolnością dopina guzik po guziku. I dlatego wysłany z ogłoszeniem do redakcji usiłuje zaszpanować przed kierowcą (też podkreślającym swoje znaczenie demonstracyjną powolnością i paleniem papierosa), udając wielkiego pana, który je w „Wiktorii". W istocie przechodzi przez hotelowy hall i biegiem pędzi do wspomnianego, obskurnego baru, gdzie z powodu chwilowego braku smalcu serwuje się ziemniaczane puree z dżemem. Nie jest mu dane zjeść kaszy, bo jego porcję zabiera jak własną jakiś cham. Proszę, przypomnijcie sobie tę scenę, bo jest bardzo znacząca. Goniec usiłuje protestować, jego przeciwnik wstaje i okazuje się, że jest o dwie głowy wyższy. Wtedy upokorzony goniec kłania mu się i wychodzi.

W podobny sposób, jeśli się komuś chce, niech sprawdzi w uczonych księgach, dzikie zwierzęta ustalają hierarchię w stadzie. Wyszczerzają na siebie kły, warczą, jeśli to nie pomoże, rzucają się sobie do gardeł – aż jeden z osobników, słabszy czy bardziej tchórzliwy, pochyla głowę i podkula pod siebie ogon, przybierając tak zwaną „postawę uległości".

Oto i cham w całej swej okazałości. On stosuje te same zasady: środowisko, w którym się porusza, to stado, w którym on musi ustalić swoją pozycję, oczywiście jak najwyższą. Panoszy się, dopóki wyczuwa słabość. Jeśli ktoś okaże mu uprzejmość i wyrozumiałość, licząc, że w ten sposób go ułagodzi i ucywilizuje, wskakuje na niego z butami. A jeśli dostanie w pysk albo zostanie zrugany od najgorszych, natychmiast robi się grzeczny, mało tam grzeczny – przymilny i służalczy. „Pogłaszcz chama, to cię kopnie, kopnij chama, to cię pogłaszcze" – zrozumieli bezbłędnie istotę chamstwa nasi przodkowie.

Cywilizacja wykształciła inne kodeksy, normy i schematy zachowania, bo było to niezbędne, aby z poziomu pierwotnej walki o byt wznieść się na poziom wyższy. Ale cham o tym wszystkim nie wie. Niby skąd? Kieruje nim tylko instynkt przetrwania, w którym natura nie zainstalowała hamulców. Ponieważ dzikiemu zwierzęciu nie grozi najedzenie się do syta, a co dopiero przejedzenie, natura nie troszczyła się wbudowaniem w pierwotne instynkty jakichś bezpieczników, chroniących przed złymi skutkami nieumiarkowania w sukcesie. Szlachetna powściągliwość pojawia się w procesie rozwoju cywilizacji później; istota pierwotna żre, kiedy może, a jeśli może żreć bez końca, przeżera się coraz bardziej, choćby miała od tego zdechnąć.

W jednym ze swoich opowiadań wspominałem o pewnym prezesie banku, zarabiającym, jak na nasze warunki, krocie, który wychodząc z przyjęcia przekradał się przez krzaki, aby niepostrzeżenie po raz drugi wkręcić się w kolejkę po pożegnalny upominek – torbę z reklamowym breloczkiem, długopisem, tandetnym zegarkiem czy kalendarzem i innym tego typu reklamowym badziewiem. Jak wszystkie tego typu kawałki w mojej prozie, nie jest to zdarzenie wymyślone (ja w ogóle nie umiem nic wymyślić, niestety – tylko obserwuję i zapisuję, i wszyscy potem mówią, że to fantastyka). Obserwowałem więc kiedyś tego właśnie faceta, mniejsza o jego personalia – z peeselowskiej nomenklatury został prezesem jednego, potem drugiego państwowego banku, oczywiście znając się na bankowości jak ja na równaniach z dwiema niewiadomymi, i główną swą uwagę skupił na wykorzystaniu funduszu reprezentacyjnego. Dossał się do szmalu, który za czasów komuny nie mieściłby mu się w głowie, ale to mu oczywiście nie wystarczało – zadbał, żeby, poza wszystkim, bank płacił jeszcze za obiady pana prezesa, kupował mu garnitury, koszule, majtki i skarpety (zabawne; przypomniało mi się, że pierwszą decyzją podjętą przez Waldemara Pawlaka, gdy z łaski Wałęsy zrobiono go na 33 dni premierem, było posłanie służby do sklepu, żeby mu za państwowe pieniądze nakupiła garniturów, koszul i skarpet) – a jeszcze do tego wszystkiego pan prezes z niepojętą pazernością rzucał się przy każdej okazji na darmowe długopisy i zgarniał do kieszeni wszelkie możliwe gadżety, rozdawane przy okazji różnych sesji, promocji czy rautów.

Nie wierzycie? Cóż, ja sam własnym oczom nie wierzyłem.

Ale to nie był przypadek odosobniony. Widziałem w kolejnych sejmach III RP od diabła i trochę posłów, którzy przychodząc z jakiejś zapyziałej wiochy, nagle obsypani kasą, jakiej sobie wcześniej nie umieliby wyobrazić – samej diety z dziesięć tauzenów, a jeszcze ryczałt, a jeszcze forsa za podpisanie listy obecności na komisji, a jeszcze „lobbyści" kręcący się po sejmie z walizkami gotówki – głupieli w sposób po prostu niewiarygodny. Zaczynali tę kasę wyrzucać oburącz, dziwkom w klubach go-go wciskać za podwiązkę po tysiąc złotych, wypełniać sobie lodówki najdroższą whisky (trzymać *whisky single malt* w lodówce, jak Wachowski – wyobrażacie sobie, jakim trzeba być żałosnym prymitywem?!), głupieć po prostu, i w efekcie, gdy kadencja dobiegała końca, nagle lądowali w garniturze od Bossa, ze złotym roleksem (omalże, jak ten sławny sowiecki żołnierz ze starannie retuszowanego przez cenzurę zdjęcia zawieszania sowieckiej flagi na Bramie Brandenburskiej, mając ich na każdym ręku po kilka), limuzyną, willą z basenem, ale przede wszystkim – z długami kilkakrotnie przewyższającymi wartość całego tego ukręconego w czasie posłowania dobra!

Zdarzyło mi się widzieć – no, taka już robota dziennikarza, że się na takie rzeczy napatrzy – ekipę, która przepierniczyła w pewnym momencie ważną polityczną szansę tylko dlatego, że nie umiała powstrzymać się od pójścia na imieninowe przyjęcie pewnej Bardzo Ważnej Osoby, a nie umiała się powstrzymać dlatego, że można tam było za darmo napchać brzuchy. A, naprawdę, nie mówię o ludziach, którym by groził głód czy tylko monotonna dieta.

Zresztą, żeby nie szukać zbyt wielu przykładów: cała „afera Rywina" byłaby praktycznie nie do rozgryzienia, gdyby nie bilingi. A bilingi można było zdobyć tylko dlatego, że „grupa trzymająca władzę" bez ustanku wydzwaniała do siebie ze służbowych telefonów komórkowych. Robili skok na siedemnaście i pół miliona dolarów, rządzili Polską, i bez tego skoku, jak własnym folwarkiem, mając do dyspozycji wszystkie jej zasoby – i przy tym wszystkim jeszcze żal im było paru złotych, żeby kupić sobie komórki na karty! Woleli swoje śmierdzące interesy załatwiać ze służbowych, żeby się załapać na darmochę!

*

Olśniło mnie, jak to z olśnieniami bywa, zupełnie nieoczekiwanie – podczas lektury, świetnej skądinąd, reporterskiej książki Joanny Siedleckiej o „Jaśnie Paniczu" Gombrowiczu (wyszło stosunkowo niedawno wznowienie, poszerzone w stosunku do pochlastanego przez cenzurę pierwodruku). Większość czytelników zna doskonale książki Siedleckiej i jej metodę reportażu literackiego, ale dla porządku przypomnę: autorka notuje swe rozmowy z ludźmi, którzy stykali się z pisarzem, szkicuje obrazy, jakie pozostały w ich pamięci i z rozmaitych subiektywnych relacji kleci obraz świata, który kształtował bohaterów jej książek. Przy okazji można w tych książkach znaleźć sporo innych, nie mniej ciekawych spraw.

Nie piszę tu o literaturze, więc z całego „Jaśnie Panicza" chcę zwrócić uwagę Czytelnika tylko na pierwsze mniej więcej 40 stron – wspomnienia byłych fornali, w chwili zbierania materiałów do reportażu już staruszków, którzy byli zatrudnieni w majątku Gombrowiczów. Kucharka, ogrodnik, chłopina, który czyścił przyszłemu pisarzowi motor. Rysuje się w tych wspomnieniach, jakby w tle, na marginesie, niezwykle cenny obraz stosunków panujących na folwarku. Wzajemnych relacji między państwem a czeladzią, widzianych oczyma tej drugiej – i zresztą przywoływanych zupełnie bezrefleksyjnie, jako coś najzupełniej oczywistego.

Państwo w tych opowieściach jawią się przede wszystkim jako opiekunowie, odpowiedzialni z natury rzeczy za swych chłopów, tak jak pasterz odpowiada za powierzoną mu trzodę. Państwo chłopa utrzymują (i to na wcale niezłym poziomie, zaskakującym dla kogoś, kto brałby za dobrą monetę opowiastki peerelowskiej propagandy o tym, jak to za sanacji lud z biedy dzielił każdą zapałkę na czworo; wymienia się tu dokładnie, jakie zobowiązania miał pan wobec służby w gotówce i w rozmaitych, jak to potem nazywano, „deputatach"), posyłają dzieci do szkół a dorosłych do doktora, no, praktycznie rzecz biorąc, myślą za nich. Oczywiście, jedni panowie wywiązywali się z tych obowiązków lepiej, inni gorzej. Ojciec pisarza był akurat dobrym panem, bo założył dla dzieci ochronkę a dla dziadów „bandosiarnię”, inni dziedzice z okolicy dbali o poddanych mniej.

Z drugiej strony, państwo są dla chłopstwa tym, czym pies dla pchły. Na wspomnianych 40 stronach o kradzieżach wspomina się bodaj z osiem razy. I właściwie za każdym razem mowa o kradzieżach zupełnie bezsensownych, nie z potrzeby, ale niejako z nawyku. Służąca mająca na dworze dobrą pozycję została zesłana do opieki nad świniami, bo ukradła państwu i zaniosła do własnej zagrody indora. Faworyzowana kucharka, choć ta funkcja była dla niej złapaniem Pana Boga za nogi, wykopała z klombu przed dworem krzak róży, wart sto złotych, i posadziła przed swoją chałupą. Sprawa mogła się źle skończyć, ale udało się zwalić winę na nieletnią siostrę kucharki i dziedzic machnął na te sto złotych ręką. Podwójnie dobry pan: nie dość tej ochronki i bandosiarni, to jeszcze dawał się oszukać.

Ale jeszcze lepszym panem od niego był jeden ze stryjów pisarza. Ten, może lepiej od wszystkich swych sąsiadów zorientowany w biegu wydarzeń na szerokim świecie, może beztroski z natury, a może tknięty jakimś przeczuciem, machnął po prostu na całą gospodarkę ręką. Pił, bawił się, gdy mu zabrakło pieniędzy, zastawiał, pożyczał, i zaraz puszczał to wszystko na wódkę i karty. Ochronki i bandosiarni nie postawił, nie wypłacał też fornalom zwyczajowych świadczeń, bo zwyczajnie nie miał z czego – ale zamiast tego pozwalał im kraść. Leśniczemu powiedział wręcz: wytnij coś, sprzedaj, odbij sobie, bo ja ci nie zapłacę, nie mam z czego. Gdy mu nadgorliwi nadzorcy przyprowadzali tego a tego, że coś ukradł, śmiał się tylko: co ja będę człowieka karał za jakiś tam metr żyta czy parę jajek, kiedy to wszystko i tak niedługo diabli wezmą.

Ów stryj, Janusz Gombrowicz, wspominany jest w okolicy do dziś. Nawet, jak notuje Siedlecka, wszedł do przysłowia: „mieć nosa jak Gombrowicz”. Bo rzeczywiście, tak jak się spodziewał, wybuchła wojna, przyszli Niemcy, przyszli bolszewicy, dwór poszedł w ruinę, ziemię rozparcelowano, a że przy okazji hitlerowcy wymordowali miejscowych Żydów, u których napożyczał dziedzic coś z pół miliona, wyszedł z tej wojny goły i wesoły. A co wypił, zjadł i pohulał, to jego.

Czyż to radosne rozszabrowywanie rozpadającego się folwarku, zapisane we wspomnieniach wiejskiej ludności, nie ma w sobie nastroju tak dziś polactwu miłej dekady gierkowskiej?

Przedmiot wart jest osobnych studiów, przejrzenia zachowanych relacji, jak się w takim folwarku żyło, co sobie chłopstwo o panach myślało – trzeba by przekartkować pod tym względem trochę literatury, pamiętników, kto wie, czy nawet nie porobiono jeszcze przed wojną jakichś badań, może by się co znalazło. Ja tego nie zrobię, i zresztą nie potrzebuję, bo i bez tego nie mam wątpliwości. Wiejski folwark, regulujący przez wiele pokoleń zachowania i mentalność pańszczyźnianego chłopstwa, to właśnie model, według którego pojmuje polactwo swoje miejsce świecie. Polska to dla większości jej mieszkańców taki właśnie folwark, władza – każda władza – to dziedzice ze swoją świtą karbowych, ekonomów i innych nadzorców, a oni sami – fornale z czworaków.

Państwo, dziedzice, mają za nich myśleć. Ubrać, opłacić, dać żreć. Wyznaczyć robotę i pilnować, takie ich zbójeckie prawo, żeby została wykonana. Bywa, że czasem jaśnie pan się zezłości, huknie na Walusia albo i strzeli go w mordę – trudno, tak już jest. Za to Waluś ma święte prawo pana kiwać. Gdy się coś uda ukraść, to brać. Gdy ekonom nie patrzy, walnąć się w bruzdę i przekimać. To z kolei jego prawo, oczywiste i niepodważalne, i gdyby ktoś zaczął nagle parobkom klarować, że powinni wspólnie się zatroszczyć o los majątku, że od każdego z nich zależy, by nie popadł on w długi, nie zmarniał, nie przepadł – to by się wariatowi popukali w głowę. Co stelmacha albo stajennego obchodzi, czy gospodarka przynosi dziedzicowi dochody, i czy się unowocześnia, czy podupada? Pan jest dobry, gdy się zanadto nie sroży. Jeśli jest zły, nie daje żreć i zanadto pędzi, narasta przeciwko niemu złość.

Trudno powiedzieć, na ile świadomie, ale czerwony wpisał się w tę mentalność idealnie. Podstawową, by tak rzec, jednostką organizacyjną peerelu było socjalistyczne przedsiębiorstwo. Najlepiej, oczywiście, wielki kombinat przemysłowy albo rolny. Przedsiębiorstwo dbać miało o zakwaterowanie swoich parobków w socjalistycznych czworakach (z wielkiej płyty i ze ślepymi kuchniami), o nakarmienie ich w pracowniczej stołówce, o zakładową „ochronkę" dla dzieci, wczasy, świetlicę, potańcówkę, klub sportowy – o wszystko, poza wypłacaniem uczciwych pieniędzy za pracę. Zarazem „socjalistyczny zakład pracy" był składnicą różnorakich dóbr, z której pracownik czerpał, jak chciał. Kradzież była w nim rzeczą równie oczywistą jak na pańskim folwarku, a o wiele łatwiejszą. Bo raz, że na pańskim przynajmniej teoretycznie było „pańskie", a w socjalizmie teoretycznie wszystko należało do ludu pracującego, a dwa, że w przeciwieństwie do folwarku, w socjalistycznym zakładzie pracy mało kto czegokolwiek pilnował.

Jak by tam zresztą czegokolwiek upilnować? Opowiadał mi o swoich obserwacjach kolega, z wykształcenia inżynier, którego po stanie wojennym los na kilkanaście złych miesięcy zmusił do pracy w wyuczonym zawodzie, w jakiejś wielkiej elektrowni – bodajże w Rybniku. Słuchaj, powiedział, tam faktycznie panuje komunizm. Nie ma pojęcia „cudze". Robotnik potrzebuje żarówki, to wykręca żarówkę. Potrzebuje przełącznika – bierze łom i wyrywa se ze ściany. Waciaki, gumiaki, rękawice, śruby, gwoździe, wszystko co tylko można wynieść. Ktoś coś na chwilę zostawi, odwróci się – zanim się obejrzy, już nie ma, zabrali.

Socjalistyczny zakład pracy był podstawą do zorganizowania sobie prywatnego życia. Komuś się zepsuł samochód, wiadomo było, że państwowo nie naprawi, a mechanik z kombinatu wziął część i za stówę czy ile tam – zrobił. Potrzebowałeś coś zabetonować, dogadywałeś się z facetem, który jeździł z gruchą, w końcu na budowie robota mogła poczekać. I tak dalej. Kradł każdy, co miał w zasięgu ręki, nawet panie z biura wynosiły do domu deficytowy papier maszynowy i kalkę. I nie było to żadnym wypaczeniem tego ustroju, tylko jego istotą. Socjalizm nie tylko zastraszał ludzi – on ich także korumpował, o czym się dziś mniej pamięta. I korumpował nie tylko tych choć odrobinę ważnych, którzy mogli liczyć na samochody, wille czy meblościanki ze swarzędzkich odrzutów z eksportu, z dzisiejszego punktu widzenia wszystko to oczywiście dziadostwo, ale w peerelowskim syfie, relatywnie do poziomu życia, stanowiło luksusy. Korumpował także, o czym, mam wrażenie, zupełnie zapomniano, także ludzi prostych i malutkich. Między innymi tym, że dawał dorobić. Wytnij parę drzew, zakombinuj, sprzedaj – jak doradzał dobry dziedzic Gombrowicz swojemu leśniczemu, zamiast mu zapłacić. Bez tej możliwości, bez owych „boków", dających każdemu poczucie, że jakoś tam sobie wydłubał własną znośną do życia niszę, socjalizm nie przetrwałby śmierci Stalina. Zresztą, jak ostatnio przeczytałem u historyka, nawet za Stalina tak było, i on sam zdawał sobie sprawę, że „czarnej gospodarki" zwalczać nie ma sensu, bo smarując jakoś ustrojowe absurdy dopomaga ona wzmożonej produkcji czołgów, dział i pocisków, będącej absolutnym priorytetem komunizmu.

Przyzwolenie na życie z „boków" pozwalało jako tako funkcjonować księżycowej, zaprojektowanej przy biurku urzędasa, maszynie socjalistycznej gospodarki. Maszynerię społeczną utrzymywało w ruchu co innego. Otóż socjalistyczne państwo nie miało pieniędzy, ale miało władzę. Monopol władzy nad wszystkim, nad każdą dziedziną życia. I tą właśnie władzą korumpowało, cedując ją po odrobinie na swoich obywateli. Każdy mógł zostać przeczołgany przez władzę – ale i prawie każdy, poza tymi stojącymi najniżej, mógł w pewnych określonych okolicznościach przeczołgać kogoś innego.

Nic nie oddaje sprawy lepiej, niż anegdota o Polakach, którzy się za czasów Breżniewa jakimś sposobem znaleźli w Moskwie i usiłowali zjeść obiad w restauracji. Restauracja – puściutka, ale „szatnia obowiązkowa", a szatniarz, zezłoszczony, że nie okazano mu należytej pokory, oznajmia, że nie ma numerków – i bujaj się. Nie spodobałeś się szatniarzowi, to do knajpy nie wejdziesz, bo ten szatniarz poza tym jest może ostatnim zerem, nikim, każdy sobie może nim wycierać nogi, ale ma od socjalistycznego państwa dane jedno prawo: prawo decydowania, kogo do tej zakichanej restauracji wpuści, a kogo nie!

Słyszałem podobne opowieści w różnych wariantach od niezależnych od siebie osób – a to o etażnoj w hotelu, a to o babie sprawdzającej higienę osobnika usiłującego wejść na basen, i wierzę, że tak się w sowieckim sojuzie żyło, bo przecież te same mechanizmy funkcjonowały i u nas. Kimże była sklepowa w mięsnym? Boginią, do której się łaszono, przynoszono jej bombonierki, a jeśli nie pisano na jej cześć wierszy, to tylko dlatego, że akurat to jej do szczęścia nie było potrzebne. A kimże był hydraulik, skarykaturowany w bodaj najpopularniejszym skeczu peerelu?

Mój stryj pękał kiedyś ze śmiechu (jeszcze jedna scenka zapamiętana z dzieciństwa), opowiadając Ojcu, co był wyczytał w gazetowym artykule jakiegoś pezetpeerowskiego ideologa: że socjalizm powstał nie po to, aby zaspokoić materialne, ale przede wszystkim – duchowe potrzeby klas pracujących! I właśnie z zaspokajania tych potrzeb, a nie zaopatrzenia sklepów, trzeba przodujący ustrój rozliczać!

Było to już w czasie kartek na cukier i sklepów „komercyjnych", więc trudno się dziwić, że z tej gotowości czerwonego do zaspokajania duchowych potrzeb ludu pracującego miast i wsi mój stryj i Tata zaśmiewali się do rozpuku. Ale jednak, kiedy dziś się nad tym zastanawiam, będący bezpośrednią przyczyną tego śmiechu komuch, którego nazwiska nijak sobie dziś nie umiem przypomnieć, miał rację. Wbrew potocznemu mniemaniu, zaspokojenie potrzeb materialnych nie jest najważniejsze dla oceny systemu przez jego poddanych. Wielu obywateli Zachodu, którzy w ogóle nie potrafią sobie wyobrazić, co to takiego niezaspokojenie potrzeb materialnych, wydaje się pełnych autentycznej nienawiści do swoich państw. Student z Berkeley czy francuski mędrek będą ci z ogniem w oczach wywodzić, że zachodnia demokracja jest gorsza od faszyzmu, kapitalizm gnije i wtrąca w nędzę, a George W. Bush ma na sumieniu straszniejsze zbrodnie niż Hitler. A Białorusin, nawet gdy nie ma w pobliżu rodaka, będzie się upierał, że pod Łukaszenką żyje się jak u Pana Boga za piecem – nie ma wojny, nie ma głodu, jest co wypić, a od święta i kawałek słoniny się na zagrychę znajdzie, czegóż więcej chcieć?

W istocie, siła, z jaką się „realny socjalizm" zakorzenił w umysłach polactwa wzięła się właśnie z zaspokojenia duchowych potrzeb chama. A jakie cham może mieć duchowe potrzeby, spytacie? Ależ ma, cały czas próbuję to wyjaśnić. Ma taką mianowicie potrzebę, żeby czuć nad kimś wyższość. Żeby to, iż się przed kimś musi płaszczyć, móc odreagować na kim innym. I pod tym względem socjalizm stworzył niemal doskonałą konstrukcję społeczną – poza tymi z samej góry i z samego dołu, każdy w mordę brał, ale i każdy w mordę bił. Pomiędzy królem a pariasem rozciągała się ogromna drabina wzajemnych podległości i zobowiązań. Komu się chce, może zaryć w źródłach, przytaszczyć badawczą aparaturę i zabrać się za opisywanie tego systemu, ale prawdę mówiąc – nie warto. Nie warto, bo wszystko na ten temat dawno już powiedzieli historycy badający system feudalny. Bo przecież nie będzie żadnym odkryciem, gdy powiem, że ten idealny ustrój, który z chrzęstem strudzonych zwojów mózgowych zdołali wymyślić Marks, Engels i wszyscy inni święci „materializmu historycznego" nie był niczym innym, niż cofnięciem ludzkości do średniowiecznego feudalizmu.

*

Czemu mnie to tak bardzo irytuje? Z prostej przyczyny: bo społeczeństwo pańszczyźniane jest po prostu organicznie niezdolne do życia w normalnym, uczciwym ustroju gospodarczym. Kiedyś przysiadłem poważniej nad uszczegółowieniem tej tezy i wyłuszczeniem konkretnych przyczyn tej niemożności. Całkiem przypadkiem okazało się, że tych przyczyn jest siedem. Jako forma opisu narzuciło się więc siedem grzechów głównych. I tak to napisałem – siedem grzechów głównych polactwa. Niech mi Czytelnik wybaczy, że się teraz nie oprę pokusie rozbicia zwartej narracji i wepchnę w nią tekst napisany niegdyś osobno, jak samodzielna całość. Potraktujmy go jako po części apendyks, a po części streszczenie tego rozdziału.

Siedem grzechów głównych polactwa

Grzech I: nieuczciwość

Jak się wspomniało, ktokolwiek w Polsce protestuje – a odkąd okazało się, że to zupełnie niczym nie grozi, protestuje się u nas często i z zapałem – skanduje „zło-dzie-je-zło-dzie-je". Skanduje to, oczywiście, pod adresem „onych": elit politycznych, władzy czy jakkolwiek ich tam zwać. Powszechność tego oskarżenia, łatwość, z jaką jest ono rzucane, musi budzić podejrzenie, że kryje się za nim jakiś kompleks. I faktycznie się kryje, nie trzeba się chyba długo nad tym głowić.

W tym kraju, gdzie lud tak zawzięcie wyrzuca swoim elitom złodziejstwo, możesz zostać okradziony na każdym kroku. Pomińmy już plagę czujących się całkowicie bezkarnie dresiarzy czy kieszonkowców na ulicach – ponoć rozkwit bandytyzmu miał być nieuniknionym ubocznym skutkiem ustrojowej transformacji (choć osobiście sądzę, że gdyby bandziorowi groziło ze strony policji i sądu cokolwiek więcej niż spisanie danych, aż tak znowu nieuchronne by to nie było). Ale nigdzie w cywilizowanym świecie nie ryzykujesz na stacji benzynowej, że naleją ci do baku benzyny zmieszanej z wodą, lakierem, rozpuszczalnikiem czy jakimiś innymi świństwami. Jeśli przez zapomnienie zostawisz coś na chwilę bez opieki, nie masz po co zawracać. W sklepie czy knajpie bez żenady doliczą ci parę złotych do rachunku i na siedemdziesiąt, osiemdziesiąt procent – są na to dowody w wynikach kolejnych kontroli rozmaitych inspekcji – nie doważą albo wepchną przeterminowany towar, z nabitą fałszywą datą ważności. Na każdym kroku natkniesz się na wyciągniętą po łapówkę rękę, przy czym, podobnie jak na najwyższych szczeblach władzy, dawno już nie ma to nic wspólnego z poczciwym, starym łapownictwem: rzecz jest po prostu wymuszaniem haraczu. Jeśli, dla przykładu, chcesz dostać prawo jazdy, to nie w tym sprawa, że możesz albo uczciwie nauczyć się i zdać egzamin, albo załatwić go sobie za łapówkę. Jeśli łapówki nie dasz, to nie zdasz – będziesz dwanaście, trzynaście razy oblewał manewry, aż w końcu zrozumiesz, jakie w tym kraju rządzą zasady.

Przeczytałem niedawno, że w Jarocinie zamknięto nauczyciela – dostał półtora roku w zawiasach – za wymuszanie łapówek od uczniów. Za zdanie kartkówki pięć dych, za dobry stopień z odpytywania dwie, za trójkę, czwórkę, piątkę czy szóstkę na koniec roku tyle a tyle. Wcale nie wiem, dlaczego go skazano. Przecież on właśnie, a nie kto inny, uczył dzieci prawdziwego życia w Polsce i rządzących nim zasad.

Rzecz nie w tym, że w Polsce są złodzieje. Złodzieje są wszędzie i może są kraje, gdzie jest ich więcej. Ale mało gdzie złodziejstwo cieszy się taką akceptacją i do tego stopnia, jak u nas, uważane jest omalże za przysługujące ubogiemu (a któż się u nas nie uważa za ubogiego?) prawo do poprawienia swego losu. Jeśli milion czy dwa zdrowych byków wyłudza renty, to jasne, że nie może tych rent starczyć dla prawdziwie potrzebujących, jeśli pracujący na czarno wyłudzają świadczenia dla bezrobotnych i zasiłki socjalne, to na pewno nie wystarczy ich dla naprawdę potrzebujących. Ale gniew polactwa nigdy się nie obróci przeciwko tym drobnym złodziejaszkom – zwróci się przeciwko państwu, a zwłaszcza Balcerowiczowi i innym liberałom, przez których nie ma dość pieniędzy na renty i zasiłki dla wszystkich.

To „na dole". A „na górze"? W peerelu Polakom wmawiano, że kapitalizm to ustrój z zasady nieuczciwy, a robienie interesów to coś w rodzaju zalegalizowanego rozboju. Szczególnie mocno uwierzyli w to ci, którzy owe mądrości na temat „zgniłego kapitalizmu" przez pół wieku głosili. Teraz, przyjmując do wiadomości, że nową „historyczną koniecznością" stał się właśnie wolny rynek, zabrali się za jego budowanie w oparciu o wzorce z poradników partyjnego lektora. Czy ja muszę Czytelnikowi, który po tę książkę sięgnął, tłumaczyć, że w istocie jest dokładnie odwrotnie? Wolny rynek bez sztywno przestrzeganych norm uczciwości funkcjonować nie może. Kapitalizm zachodni budowany był z Biblią w ręku. Jeśli pozbawi się go wartości, które z niej zaczerpnięto, zamieni się w ustrój mafijno-feudalny, w którym mogą powstawać indywidualne fortuny, ale o rozwoju nie ma mowy. Los niektórych państw latynoskich i afrykańskich, ale także z naszego regionu, nie pozostawia tu wątpliwości.

Ale u nas cudze znaczy „do wzięcia". Polak nie ma skrupułów, by wykopać z osiedlowej rabaty i przewieźć na swoją działkę nowo posadzone krzaczki, chętnie kupuje „okazyjnie" u złodziei, a okradanie pracodawcy wydaje mu się równie oczywiste, jak ongiś wynoszenie różnych drobiazgów z państwowego biura czy fabryki. Jako przedsiębiorca Polak notorycznie nie płaci kontrahentom, obracając ich pieniędzmi, a pracowników traktuje jak złodziei, których na razie nie przyłapał. On sam z kolei tak właśnie traktowany jest przez każdy z państwowych urzędów. Kiedy pewien kolega dziennikarz kazał się taksówkarzowi zawieźć pod Sejm, taryfiarz uraczył go długą tyradą o tym, jacy to, panie, skreślone-skreślone złodzieje ci tam wszyscy w tym skreślone-skreślone Sejmie i w ogóle ci politycy. No, wie pan, może nie wszyscy, nieśmiało zaprotestował dziennikarz. A gdzie, panie, co pan, naiwny, wszyscy, skreślone-skreślone, wszyscy, taka ich mać. Zatrzymali się przed Sejmem, taksówkarz szybkim ruchem skasował licznik, na którym wybiło szesnaście czterdzieści i pewien, że dziennikarz nie widział właściwej kwoty oznajmił „dwie dychy". To autentyk, jak wszystkie podobne historie w tej książce.

Nie ma kapitalizmu bez przedsiębiorczości. Ale tam, gdzie nieuczciwość nie razi, przedsiębiorczość jest zastępowana cwaniactwem. Szuka się okazji nie żeby zrobić biznes, tylko żeby zrobić „numer". Numer legendarny, na przykład, to to, co wykonał owiany legendą prywaciarz, który od jakiejś socjalistycznej spółdzielni rolniczej kupił ileś tam tysięcy butelek przecenionego szczawiu po pięćdziesiąt groszy, wylał ten szczaw do rzeki i sprzedał butelki w skupie po dwa złote. Numery robiło się w spółdzielniach studenckich. Na przykład, numer zrobił facet z SGPiS-u, który wziął zlecenie na czterdzieści osób na zniwelowanie łopatami kawałka terenu na Okęciu, pożyczył za drobną opłatą czterdzieści książeczek, i postawił robolowi z pobliskiej budowy dwie skrzynki wódki, za które tamten wykonał całą robotę spychaczem w dwie godziny. Za parę godzin pracy miał facet równowartość kilkudziesięciu ówczesnych średnich pensji. Oczywiście, żeby taki numer zrobić, musiał mieć niezłe plecy w ZSyPie.

Czy taki numer można zrobić w kapitalizmie? Wolne żarty.

Grzech II: nieufność

Zdaniem teoretyków ważnym, niekiedy mówi się, że jednym z najważniejszych czynników rozwoju jest wzajemne zaufanie. A jakie tu zaufanie, kiedy elity nie ufają za grosz narodowi, a naród elitom? Kiedy ci z góry to „oni", banda złodziei i kłamców, a ci z z dołu to niebezpieczny motłoch? I człowiek z dołu, który robi karierę, przestaje być swój, zdradza, a człowiek z góry, który przypadkiem znajduje posłuch i wspólny język z pospólstwem, staje się co najmniej podejrzany?

Pańszczyźniany nieufność ma w genach. Zawsze spodziewa się, że wszyscy chcą go jakoś okantować, i co gorsza – wszyscy są od niego cwańsi, więc on, na wszelki wypadek, woli w nic nie wchodzić. Nieufność skłania do przypisywania wszystkim, na wszelki wypadek, najgorszych możliwych intencji. Szczególnie podejrzani są obcy. Jeśli obcy chcą tu robić jakieś interesy, to na pewno po to, aby nas orżnąć. Jeśli ktoś nam coś proponuje i twierdzi, że zarobimy wszyscy, to na pewno ma na myśli coś zupełnie innego. Jeśli chcą nas przyjąć do jakiejś Unii, to przecież nie po nic innego, tylko żeby nas ocyganić i zabrać nasze grunta. Polactwo najchętniej robiłoby wyłącznie interesy metodą Wokulskiego na wojnie krymskiej: gotówkę do ręki i chodu w krzaki. Wszystko, co wymaga długotrwałej inwestycji, najlepiej omijać z daleka. A już najbardziej ze wszystkich Polak nie ufa własnemu rządowi. Nic dziwnego, skoro ten rząd, gdy mu zabraknie pieniędzy, w każdej chwili gotów zmienić wszelkie przepisy i wyegzekwować je wstecz – tylko że bez tego zaufania każdy woli wydać pieniądze na wódkę, niż je w cokolwiek inwestować.

GRZECH III: ZAWIŚĆ

Do potocznej polszczyzny przeszedł imć Zabłocki, co to źle wyszedł na mydle. Jakiś tam sobie mało znany szlachciura „zhańbił" swój szlachecki klejnot, bo usiłował zarobić, kupując mydła w jednym mieście, gdzie były one tańsze, po to, aby z kolei sprzedać je w innym, gdzie były droższe. „Ale że przez spekulacyą statek wziął lada jaki" – relacjonuje współczesny pamiętnikarz – „mydło częścią zamokło, częścią do cna się wymydliło i w wodę poszło". Jaką niesamowitą *schadenfreude* musieli mieć z tego faktu panowie bracia, że jej ślad tkwi w naszej mowie do dziś. Ot, kara na spekulanta! Dobrze mu tak – zamiast jak Pan Bóg przykazał trwonić majątek i go z fantazją przepijać, zamiast puścić wszystko w karty, i jeszcze się zadłużyć, czapkę sprzedać, pas zastawić, zachciało mu się handlowania. Po szlachciurach, którzy nieszczęście Zabłockiego opijali z kuśtyków nie pozostały już nawet trumienne portrety, a przecież ich pogarda dla groszoroba nie wydaje się nam dziś niczym egzotycznym. Znamy ją doskonale, widzimy na co dzień – jeszcze jeden z licznych dowodów tezy, iż fornale przejęli od swych byłych panów, co tylko można od nich było przejąć najgorszego.

Z zawiścią jest tak samo jak z cholesterolem: jest zawiść zdrowa, pożyteczna, i jest zła, trująca. Zawiść dobra to ta, która każe się sprężyć, wysilić i pokombinować, aby dorównać cudzemu sukcesowi. Zawiść zła, będąca, niestety, naszą specjalnością, każe się sprężać, wysilać i kombinować, aby drugiej osobie zaszkodzić, a jej sukcesy zdezawuować. Dodatkowo polska zawiść bywa aż do granic absurdu bezinteresowna. Tę wadę narodową wytykano Polakom już dawno i na przeróżne sposoby. Wańkowicz zwracał uwagę, że w Polsce szewc zazdrości awansu biskupowi, zaś w starym, popularnym kawale o złotej rybce przedstawiciele innych nacji proszą ją o taki sam piękny dom, jaki ma sąsiad – a Polak o to, by sąsiadowi ten dom się spalił.

Oczywiście, zła zawiść należy do tych spośród wymienianych tutaj grzechów, które Polacy dzielą z innymi społeczeństwami postniewolniczymi. Jest też skutkiem wpajanej przez wiele lat, wymuszanej rozmaitymi karami bierności. „Ty nie myśl, nie myśl, jeden taki myślał i myślał, to mu pokazali, i teraz już nie myśli ani dzieciom nie pozwala" – ulubione powiedzonko jednego z bohaterów braci Strugackich dobrze pokazuje jej mechanizm. Osoba wyłamująca się z bierności, z bylejakości i nawyku bezproduktywnego zrzędzenia psuje samopoczucie tym, którzy owe niewolnicze przyzwyczajenia kultywują. Budzi więc irytację, niechęć, a w przypadkach nazbyt kłującego w oczy sukcesu wręcz nienawiść. Jeśli na polską wieś przyjeżdża Holender i tam, gdzie wszyscy tylko jojczą i złorzeczą, zaczyna się dorabiać, to polactwo go podpala.

Grzech IV: lenistwo

Coś musi w tym być, że najstarszym zabytkiem świeckiej literatury polskiej, obok wiersza pouczającego, że przy stole należy się umieć zachować, jest satyra na lenistwo polskiego pracownika. „Stoi w polu, w lemiesz klekce" i tak dalej. Przez wieki wiele się nie zmieniło: obrazek, na którym jednemu pracującemu towarzyszy co najmniej siedmiu opartych o łopaty medytujących można śmiało uznać za jedną z ikon PRL, a określenie „polska robota" zyskało obywatelstwo i w polszczyźnie, i w językach kilku innych, blisko się z nami stykających narodów. Podobnie, jak niezliczone przysłowia (zdaniem niektórych, „mądrości narodu"), perswadujące, że robota nie zając i nie ucieknie, lub, w wersji bardziej dosadnej, że nie istotna część męskiego ciała i może postać choćby miesiąc.

W chwili, gdy pierwsze oznaki wyhamowania wzrostu gospodarczego skłaniałyby inny naród raczej do wzmożenia wysiłków, nasz sejm brał się za „ostatni niezrealizowany postulat Sierpnia", ogłaszając wszystkie soboty dniami wolnymi od pracy. Choć i bez tego mieliśmy jedną z największych w cywilizowanym świecie liczbę dni świątecznych i wolnych, którą spontanicznie zwykliśmy sobie powiększać, uznając prawem kaduka, że dzień pomiędzy dniami świątecznymi też jest świętem. Powstają w ten sposób „długie weekendy", święta narodowego lenistwa – niekiedy i do ośmiu dni. Wbrew oczekiwaniom, brak ekonoma, przed wzrokiem którego trzeba się kryć, by przekimać godzinkę w kanciapie, czy nawet zagrożenie bezrobociem, nie są wystarczającym powodem do zmiany wieloletnich nawyków. Dopiero wyjazd do Ameryki staje się przyczyną szoku, gdy zdumiony Polak dowiaduje się nagle, że w pracy nie pije się herbatek, nie obchodzi imienin i nie plotkuje z przyjaciółmi przez telefon, a zaziębienie nie jest powodem, by zrobić sobie wolne. Oczywiście, potwierdza to jego złe zdanie o „dzikim kapitalizmie" i panującym w nim nieludzkim wyzysku człowieka przez człowieka.

Grzech V: kult nieudacznictwa

Tam, gdzie sukces budzi podejrzliwość lub niechęć, przegrana w dziwny, masochistyczny sposób otaczana jest szacunkiem. Polacy chętnie zachowują się jak poobijani i okulawieni żołnierze z satyrycznego rysunku, którzy z radosnymi twarzami powtarzają sobie: „tak nas sprali, że wieki będą o tym pamiętać!". Tak długo czciliśmy bohaterów beznadziejnych powstań i niemożliwych do wygrania bitew, tak długo pocieszaliśmy się idiotyczną frazą o „moralnym zwycięstwie", że w końcu przegrana zaczęła być dla nas sama w sobie chwałą, czyniącą z pogardzanego w innych krajach „loosera" kogoś w rodzaju żołnierzy z Westerplatte. Były premier budujący swą kampanię prezydencką na fakcie, że został odwołany po kilku zaledwie miesiącach i z dumą deklarujący, że – będąc jednym z najsławniejszych w Polsce adwokatów – ma miesięczne dochody poniżej średniej krajowej, w krajach zachodnich wywołałby pusty śmiech. U nas tymczasem jego postępowanie okazało się całkiem skutecznym sposobem na zdobycie wyborców.

Polacy uwielbiają ludzi przegranych od dawna. Nawet znienawidzony wcześniej przywódca w chwili upadku nagle zaczyna być lubiany – jak Wielopolski, przed którym warszawiacy zdejmowali czapki dopiero wtedy, gdy po ostatecznej klęsce opuszczał Polskę na zawsze. Wspomniany wyżej były premier, w czasie urzędowania traktowany przez dziennikarzy z agresją i jadem, na pierwszej konferencji po „nocnej zmianie" przywitany został przez tych samych dziennikarzy gromkimi oklaskami. Po części wynika to z potocznego wyobrażenia o sprawiedliwości, która wymaga, by każdy swoje dostał po uszach. Po części także z głębokiego przekonania, że sukcesu nie sposób w Polsce odnieść uczciwie. Nieudacznik cieszy się naszym szacunkiem, bo ponad wszelką wątpliwość nie jest kombinatorem, złodziejem ani oszustem. Biedny, przegrany, a więc uczciwy.

Grzech VI: niezdolność współdziałania

Gdy spotyka się trzech Amerykanów, zaraz wybierają spomiędzy siebie prezesa, wiceprezesa oraz skarbnika i zakładają komitet – ironizował Juliusz Verne. Istotnie, przeciętny Amerykanin poświęca kilka godzin w tygodniu na pracę w różnych sąsiedzkich bądź hobbystycznych organizacjach. Jeśli widzi problem, po pierwsze zbiera się z innymi, których on dotyczy i wspólnie zastanawiają się nad znalezieniem rady. Polak pierwszą lekcję pobiera w szkole, gdzie chętnych do samorządu nigdy nie ma i trzeba ich wyznaczać. W życiu dorosłym gotów się gdziekolwiek zapisać tylko wtedy, jeśli coś będzie z tego miał. Na żadne rady osiedlowe czy wspólnoty mieszkańców nie ma czasu. Unika jak ognia partii i stowarzyszeń, które wymagałyby od niego poświęcenia chwili uwagi i drobnej składki dobru wspólnemu. Spółdzielczość napawa go głęboką odrazą – także z przyczyn opisanych przy grzechach II i III. Polski chłop może do woli narzekać na pośredników, przechwytujących większość zysków z jego pracy, ale myśl, by wzorem chłopa niemieckiego zorganizować z sąsiadami wspólny hurt i owych pośredników ominąć, jest mu najgłębiej obca.

Działalność społeczna jest u nas domeną wąskiej grupy nawiedzonych, którzy są nawet lubiani, ale nie budzą chęci naśladownictwa.

Instynkty społeczne Polaka, jak wiadomo nie od dziś, zaspokajają w zupełności wybuchy spontanicznej ofiarności od wielkiego dzwonu – rzucenie datku na powódź albo świąteczną pomoc. Poza tym „ważne to je, co je moje", a tym każdy woli się zajmować sam. Polaka trudno zapisać nawet do związku zawodowego. Owszem, postrajkuje albo pójdzie na blokadę, jeśli coś to może dać i niczym nie grozi, ale nie jest taki głupi, żeby co miesiąc płacić pięć złotych.

Grzech VII: zmuzułmanienie

„Muzułmanami" nazywano w hitlerowskich obozach zagłady tych więźniów, którzy zatracili wolę walki o przetrwanie. Polskie zmuzułmanienie dotyka licznej grupy tych, którzy uważają się za przegranych wskutek zmiany ustroju i nie przychodzi im do głowy, że wcale przegranymi być nie muszą. Wszystkie wyliczone powyżej grzechy zbierają się tu w jedno, doprowadzając do całkowitej apatii, przerywanej napadami ślepej agresji. Człowiek zmuzułmaniony w przedziwny sposób zaczyna być ze swej sytuacji zadowolony, uważa ją za normalną, za część większego, społecznego nieszczęścia.

Wbrew pozorom sprawa nie dotyczy tylko popegeerowskich zagłębi beznadziei zapijanej bełtem. W mniejszym stopniu zmuzułmanienie powszechne jest wśród Polaków mających się nie najgorzej i zupełnie wolnych od aspiracji, by mieć się znacznie lepiej. By wymyślić sobie nowy zawód, poszukać sukcesu w innym miejscu kraju, podjąć jakieś ryzyko, udowodnić samemu sobie, że się jest najlepszym. Przekłada się to, niestety, na ogólny brak aspiracji Polaków jako zbiorowości. Nauczyliśmy się czerpać przewrotną przyjemność z przekonania, że w Polsce zawsze wszystko musi stać na głowie, że „nierządem" ona stoi, na nasz bałagan i głupotę nie ma rady i w ogóle jesteśmy jako naród beznadziejni. Ani chcemy, ani potrafimy myśleć o tym, by pokazać innym krajom, że coś potrafimy. Nawet jeśli odniesiemy sukces, który budzi autentyczny szacunek świata – tak, jak to było z polską transformacją gospodarczą – stajemy na głowie, by go zdezawuować.

W świecie, w którym bez aspiracji nie osiąga się niczego, popełniamy w ten sposób grzech najcięższy z możliwych.

Rozdział IV

Politycy kłamią – tego można się dowiedzieć w pierwszym z brzegu sklepie, barze, pociągu, wszędzie tam, gdzie rodacy mają chwilę czasu, żeby powymieniać uwagi o otaczającej ich rzeczywistości. I kradną, doda każdy zagadnięty w taki sposób rozmówca. Nie ma dwóch zdań: politycy to banda oszustów i złodziei.

Ale skąd ta banda oszustów i złodziei się wzięła? Kto ich wybrał do Sejmu, Senatu, kto dał im prawo zasiadania na najwyższych w państwie stołkach? Czy to możliwe, że w kraju zamieszkanym przez ludzi przyzwoitych, brzydzących się kłamstwem i dorabianiem na lewo, ludzi, którzy bez trudu potrafiliby się publicznie rozliczyć z każdego posiadanego grosza – nagle, jakimś podstępem, prześlizgnęła się do władzy tak liczna banda obwiesiów?

No, załóżmy, że tak. Teoretycznie mogło się tak zdarzyć, że grupa cwanych drani, umiejętnie ukrywając swe grzeszki i udając ludzi uczciwych, omamiła wyborców i zdołała wydrwić od nich wystarczająco wiele głosów, żeby przyssać się do władzy. Ale tak mogło się zdarzyć raz. Góra – dwa razy. Powiedzmy, w społeczeństwie wyjątkowo naiwnym – trzy. I tyle, do trzech razy sztuka. Jeżeli jednak w wolnym i demokratycznym kraju każda kolejna zmiana u władzy okazuje się bardziej skorumpowana, każdy kolejny rząd gorszy, a sondaże z roku na rok przyznają pierwszeństwo coraz to bardziej podejrzanym typkom, to tezę o wiecznie oszukiwanym społeczeństwie trzeba chyba wreszcie poważnie przemyśleć.

*

Tu koniecznie muszę wtrącić dwa słowa o tym, co stanowi warunek skutecznego szwindlu. Najprościej swego czasu sformułował to pewien zawodowy oszust, który, zanim go złapano, naciągnął na grube pieniądze kilkuset ludzi. Z tych kilkuset, co samo w sobie jest znaczące, na procesie zeznawało bodaj kilkudziesięciu, pozostali w ogóle wstydzili się do poniesionej szkody przyznać, nawet gdy już milicja zgłosiła się po zeznania sama, ze złapanym oszustem.

Otóż człowiek ten, na oko zresztą bardzo prosty (ale może powierzchowność naiwnego prostaczka była tu zawodowym przebraniem), powiedział w wywiadzie tak: „uczciwego człowieka, wie pan, to bardzo trudno podejść. Uczciwego to mi się nigdy oszukać nie udało". I dalej wyjaśnił, że chcąc kogoś oskubać, musisz go podpuścić, że to on oszukuje. Że to on robi przewalankę, numer, skok, przekręt, i że jest sprytny jak wszyscy diabli. Jeśli jest o tym przekonany, masz go w garści. Uczciwy, kiedy mu zaproponować lewy interes, po prostu odmówi i z wielkiego oszustwa nici.

Przypomniał mi się ten wywiad z zawodowym oszustem ładnych parę lat temu, kiedy to wiadomością dnia był we wszystkich mediach bunt łódzkich bezrobotnych, którzy domagali się zmiany godzin wypłacania im zasiłków. Sprawa była tak oczywista, że protestujący właściwie nawet nie starali się jej ukrywać – urząd otwarty jest tylko rano i wczesnym popołudniem, czyli wtedy, kiedy to oni, bezrobotni, są w pracy. Bo przecież zasiłek zasiłkiem, a pracuje się na czarno, każdy to wie.

Telewizja poprosiła o komentarz ówczesnego ministra pracy i spraw socjalnych, Leszka Millera, który bynajmniej protestujących nie potępił, choć też nie próbował udawać, że nie wie, o jakich to „bezrobotnych", co nie mają kiedy odbierać zasiłków, mowa. Jak zwykle błąkał mu się przy tym po ustach charakterystyczny, cyniczny uśmieszek. Może to autosugestia, ale ja wyczytałem w tym uśmieszku: „Myślicie, że ja nie wiem? Myślicie, że jesteście cwani, że robicie nas, władzę, w bambuko? No i myślcie tak dalej. O to chodzi".

*

Skorumpowane, nieuczciwe, samolubne i pod każdym innym względem paskudne elity polityczne nie spadły polactwu z nieba. Po prostu, mamy takich polityków, jacy sami jesteśmy. Właśnie dlatego patrzymy na nich z taką niechęcią i obrzydzeniem. Dlatego, że widzimy w nich, jak w lustrze, siebie samych.

Problem nie polega na tym, że politycy kradną i kłamią – kraść i kłamać zdarza się przedstawicielom każdego zawodu i każdego środowiska. Problem nie polega nawet na tym, że ci, którzy kradną i kłamią, są wybierani. Istota sprawy tkwi w tym, że polityk, który nie kradnie i nie kłamie, po prostu nie ma szans na sukces! Umiejętność organizowania lewej kasy – a w każdym razie posiadanie takiej kasy – oraz umiejętność łgania w żywe oczy to w tym fachu kwalifikacje niezbędne do sukcesu. Co może powiedzieć swoim wyborcom kandydat na posła, który, powiedzmy, złożył jakieś śluby uczciwości i chce pozostać im wierny? Ktoś taki musiałby powiedzieć: dwa plus dwa równa się i zawsze będzie się równać cztery, z pustego i Salomon nie naleje, a życie na cudzy koszt jest nieuczciwe. Nie obiecam wam, że będziecie mogli leżeć do góry brzuchem i dostawać pieniądze za nic, bo to po pierwsze niemożliwe, a po drugie – podłe. Dalej taki polityk może mówić co chce, albo nie mówić nic, jego szanse wyborcze i tak już spadły poniżej pięcioprocentowego progu, wymaganego do znalezienia się w parlamencie.

Jeśli polityk w ogóle chce być brany pod uwagę, musi mówić: należy wam się więcej pieniędzy, większe pensje, emerytury, renty i zasiłki. Jesteście skrzywdzeni, oj, jak wy bardzo jesteście pokrzywdzeni, oj, jak wam się należy! Ja wam oddam to, co wam się należy. Zabiorę waszym krzywdzicielom, złodziejom i aferzystom, zabiorę zagranicznym kapitalistom, zabiorę wielkim biznesmenom, a wam dam, bo jestem jednym z was. Jeśli polityk na poważnie myśli w Polsce o władzy, to musi udawać, że wie o jakichś wielkich pieniądzach, po które aby tylko wyciągnąć rękę, a wystarczy ich na dostatnie i spokojne życie dla wszystkich. Nasza polityka, jak już pisałem, aż kipi od cudownych pomysłów na zasilenie dziurawej państwowej kasy kwotami tak potężnymi, że nie trzeba będzie niczego zmieniać. Zazwyczaj mechanizm tworzenia tych fantasmagorii jest następujący: polityk słyszy jakiś postulat, czasem nawet sensowny i słuszny, i z punktu doprowadza go do absurdu, przedstawiając wiecowej publice jako lekarstwo na wszelkie jej bolączki – a polactwo tego słucha niczym muzyki.

Cytowałem już to przypisywane jednemu z amerykańskich magnatów telewizyjnych powiedzenie, że pogarda dla widza zawsze owocuje wzrostem oglądalności. Polską polityką rządzi analogiczna zasada: pogarda dla wyborcy zawsze owocuje wzrostem poparcia. Kolejne wybory i coroczne sondaże pokazują, że polityk, który chciałby zwracać się do wyborców w miarę uczciwie, zawsze przegra z tym, który uważa ich za bezmyślny motłoch, łaknący tylko paru prostych obietnic i seansu nienawiści. Sztandarowy przykład takiego sukcesu, Andrzej Lepper, zdobył się nawet w wywiadzie dla jednej z gazet na wyjaśnienie mechanizmu swego sukcesu z rozbrajającą szczerością: trzeba mówić to, czego motłoch chce słuchać, i trzeba mówić to głośniej od innych. I z dumą powołał się przy tym na „Psychologię tłumu" Le Bona, którą przyswoił sobie bardzo starannie. Mógł sobie na taką chwilę szczerości pozwolić, bo polactwo gazet nie czyta, a jeśli nawet coś przeczyta, nie zrozumie.

*

Mogłoby się zdawać: obiecywać co ślina na język przyniesie, a wybory mamy w kieszeni. Ale nie ma tak łatwo, rzecz jest bardziej skomplikowana. Wszystkie populistyczne obietnice, jakie przed wyborami składała AWS, wszystkie te same obietnice, jakie w wersji znacznie rozszerzonej powtarzał potem Miller, a obecnie Lepper, to przecież nic w porównaniu z tym, co oferowała taka na przykład KPN. Partia Moczulskiego i Słomki doszła już niemalże do zobowiązania, że da każdemu jego własną maszynkę do robienia pieniędzy. Na nic. To, co obiecywał Ikonowicz przebijało obietnice Millera kilkakrotnie, a mimo to jego próby urwania lewicy głosów skończyły się sromotną kompromitacją. Nie szczędzą wszelkich możliwych obietnic małe partyjki narodowe, gryzące się o łaski Ojca Rydzyka czy coraz to zawiązywane na nowo kolejne zalążki „prawdziwej", ideowej lewicy.

Składanie obietnic bez pokrycia to u nas dla politycznego sukcesu warunek konieczny, ale bynajmniej nie wystarczający. Trzeba jeszcze dwóch rzeczy. Po pierwsze – kasy. To nie jest polska specyfika, to jest ogólne prawo rządzące demokracją w epoce mass mediów. Miało być tak, że lepszy program będzie wygrywać z gorszym, a mąż godny zaufania z mniej godnym, ale w praktyce wyszło tak, że dwa miliony dolarów wygrywają z milionem, a dziesięć z pięcioma. Żeby wygrać wybory, trzeba mieć struktury organizacyjne, pracowników, specjalistów od pijaru i od wizerunku, doradców, ulotki, billboardy, fachowców od kręcenia telewizyjnych klipów i tak dalej. W Stanach Zjednoczonych, zanim jeszcze zacznie się dziurkowanie wyborczych kart, media liczą uważnie stan wyborczych kont kandydatów i przeważnie już z samej liczby tych, którzy chcieli je zasilić, przewidują trafnie wynik. Ale USA to stara demokracja, której obywatele od pokoleń przyuczeni są wybierać swoich przedstawicieli i finansować ich. W krajach takich jak Polska, na które demokracja spadła z dnia na dzień, jako fanaberia współspiskujących przy jakimś tam stole elit, politycy na grosik od prostego człowieka nie mają co liczyć. Zresztą, nie żeby ich to martwiło – bez trudu załatwiają sobie fundusze z innych źródeł.

Ale kasa plus obietnice to wciąż jeszcze za mało. Potrzebna jest swoista „wiarygodność". Tak swoista, i tak specyficzna, że nie mogę nie wziąć tego słowa w cudzysłów.

A tej specyfiki nie sposób zrozumieć, jeśli się nie pamięta, że Polska to wielki, pańszczyźniany folwark, z którego wicher dziejów wymiótł przed laty panów, i na którym nagle powiedziano fornalom, że teraz będą mieli wybory, i będą sobie mogli panów i ekonomów wybrać sami.

Wybory na folwarku dzielą się, jeśli chodzi o ich mechanizm psychologiczny, na dwa rodzaje. W wyborach prezydenckich, mówiąc brutalnie, cham wybiera Pana. Nie potrafią tego zrozumieć partie chłopskie, uparcie wystawiające wciąż własnych kandydatów do Belwederu i dziwujące się, kiedy dostają oni mniej głosów, niż sama partia. Pan to musi być Pan, a nie drugi fornal, przy czym powinien to być Pan dobry, oczywiście wedle pojęć folwarku – a więc taki, co się nie będzie za bardzo w codzienne sprawy wtrącał. Wałęsa nie był dobrym Panem, bo choć przyjmowała go angielska królowa i prezydent USA, nie potrafił ukryć swych gminnych korzeni. I ciągle mącił, ciągle z kimś się użerał – nie dawał się szanować. Kwaśniewski, to jest dobry Pan. Że gdzieś tam trochę popił, czy nakłamał w jakichś papierach... Nie byłby ludzkim Panem, gdyby nie miał jakichś grzeszków. A Kwaśniewska – o, to by dopiero była dobra Pani.

Co proszę? Dlaczego? A dajcie mi spokój, całe legiony publicystów i analityków wyrabiały przez wiele miesięcy wierszówki, usiłując znaleźć racjonalne przyczyny, dla których polactwo gremialnie zakochało się w swej matce boskiej eseldowskiej, i sam fakt, że tego próbowali, był najlepszym dowodem, że nic nie rozumieją. Rzeczy irracjonalnych nie można tłumaczyć racjonalnie, a polactwo w ocenie dziedzica jest całkowicie irracjonalne (co wcale nie stoi w sprzeczności z faktem, że dysponując potęgą mediów i wiedzą specjalistów od reklamy, nie można tymi irracjonalnymi odruchami sterować). Skąd zresztą miałoby umieć dokonywać choćby na najprostszym poziomie jakiejś analizy „za" i „przeciw"? Nawet obsługi sieczkarni trzeba się nauczyć – a co dopiero obsługi państwa demokratycznego. A przecież polactwa nikt tego nie uczył, niby kto, kiedy, w jaki sposób. Po prostu nagle zwalił się na nie dar wolnych wyborów i zaraz potem obskoczone zostało przez rozwrzeszczany tłum szarpiących się pomiędzy sobą polityków, na przemian to usiłujących polactwo nastraszyć, podjudzić i wprawić je w histerię, to znowu mamlających do niego przymilnie.

Pańszczyźniany, oprócz łatwych do wyartykułowania potrzeb – mniej robić, a więcej zarobić – ma także duszę. A ta pańszczyźniana dusza szarpana jest w tej sytuacji, wciąż dla niej nowej i niezrozumiałej, sprzecznymi uczuciami. Z jednej strony, dochodzi w niej do głosu typowa dla ludzi ze społecznych nizin zawiść i niechęć do ludzi, zwłaszcza tych, którym się lepiej powodzi albo którzy z jakiegoś powodu, dajmy na to, wykształcenia czy pozycji społecznej, uchodzą za lepszych od niego. Znajomy, który z racji jakichś badań naukowych trafił na tereny popegeerowskie, powtarzał mi słowa tamtejszego nauczyciela. Otóż wedle tej relacji, podawana na lekcji wiadomość, że taką czy inną postać historyczną ścięto albo spalono na stosie, u popegeerowskich dzieci wywołuje nieodmiennie odruch złośliwej radości. A dobrze mu tak – i rechot. Nie ma w tym żadnego uprzedzenia ideologicznego, bo wszystko jedno, czy mowa o ofiarach holokaustu, czy Świętej Inkwizycji. Po prostu ten gatunek ludzkiego mutanta, jaki się tam hoduje, od maleńkości karmiony opowieściami o tym, jakich to strasznych doznaje od świata krzywd, zionie nienawiścią wobec każdego, kto do niego nie należy – a i do tych, którzy należą, i do siebie samych, też.

Popegeerowska wieś to, oczywiście, przykład skrajny, ale w mniejszym nasyceniu widać w Polscę tę chamską nienawiść na każdym niemal kroku. Proszę zwrócić uwagę na tę skwapliwość, z jaką przeciętny tubylec podchwytuje każdą złą rzecz, jaką tylko usłyszy o jakiejkolwiek osobie publicznej. Proszę nastawić ucha w poczekalni, w autobusie czy pod sklepem – czy nie można odnieść wrażenia, że pomstowanie, sypanie jobami, a nade wszystko powtarzanie stawiających kogoś w złym świetle plotek, sprawia naszemu ludowi fizyczną rozkosz? Ten z telewizji to, pani kochana, chla na umór. Tamta piosenkarka daje de premierowi. A ten to znowu, taka jego mać, to się dopiero nakradł! Jedna ze znanych dziennikarek, która często jeździ do Krakowa, opowiadała – zresztą publicznie – że od czasu, gdy Jan Rokita wyrósł na jednego z czołowych polityków, każdy krakowski taksówkarz opowiada jej o willi, którą sobie właśnie Rokita postawił w luksusowej dzielnicy, nie szczędząc plastycznych opisów bogactwa i nawet podając w miarę dokładny adres. Fakt, że Rokita ani pod tym adresem, ani nigdzie indziej sobie willi nie postawił, nie ma, oczywiście, żadnego znaczenia. Wojciech Fortuna (młodszym Czytelnikom wyjaśnię – taki Adam Małysz z czasów głębokiego socu) wspominał kiedyś, że przez wiele miesięcy po zdobyciu złotego medalu na olimpiadzie dowiadywał się o sobie rzeczy stawiających włosy na głowie, i zdarzyło się nawet, że kiedy akurat był u swego trenera, do tegoż trenera zadzwoniło jakieś towarzystwo z knajpy, informując go z wyraźną satysfakcją, że w tejże knajpie pijany w sztok Fortuna tarza się właśnie pod stołem.

Pewien aktor wyjaśniał, dlaczego nie korzysta z zaproszeń na rozmaite imprezy towarzyskie. Pójdę z żoną – zaraz będą mówić, że baba go trzyma krótko, oho, panie, ani wyjrzy spod pantofla. Pójdzie sam, nazajutrz ruszy w Polsce plotka, że się rozwodzą i na dodatek żrą o majątek.

Pójdzie, nie daj Boże, z inną kobietą, albo z kolegą... No, ale powiedzmy, że pójdzie. Jak już tam będzie, to oczywiście wszyscy się będą chcieli z nim napić. Odmówi – a to mu się w de przewróciło, z prostym człowiekiem to się już nie napije. Wypije bodaj kieliszek – chla, panie, na własne oczy widziałem, jak pod stół wpadał, oni tam wszyscy przecież chlają, że... Słowem, jak już mają człowiekowi obrabiać tyłek, oznajmił ów aktor, to niech mówią, że się zrobił wyniosły. I konsekwentnie przestał z jakichkolwiek zaproszeń korzystać.

Tę cechę polactwa doskonale wykorzystał Urban, tworząc szmatławiec, który w każdym numerze kogoś opluwał, mieszał z błotem, oskarżał i przede wszystkim – obsypywał bluzgami. Szmatławiec ten w szczytowym momencie miał 700 tysięcy egzemplarzy nakładu. Zważywszy, że każdy egzemplarz gazety obchodzi u nas, wedle badań, wiele osób – bo kwitnie drobne złodziejstwo, na przykład w postaci „wypożyczania" pisma przez kioskarza, który puściwszy je w obieg, po tygodniu oddaje zaczytany egzemplarz jako zwrot, nie wspominając już o sprzedawaniu potem tych zwrotów, wykradzionych z makulatury, za grosze na straganach – można policzyć, że jakieś trzy, pięć milionów tubylców co tydzień wślepiało się przekrwionymi ze złości gałami w kolumny plugawego piśmidła, chłonąc z zachwytem, komu w tym tygodniu Urban przysra, kogo nazwie obelżywym słowem i zainsynuuje przekręt, aferę czy jakąkolwiek inną podłość. Co prawda, pismo przegrywało potem procesy, ale oznaczało to tylko, zgodnie z odziedziczonym po peerelu prawem, czysto moralną satysfakcję dla oplutego (zazwyczaj w cztery, pięć lat po sprawie, kiedy już nikt w ogóle nie pamiętał, o co chodziło) i skromną nawiązkę na PCK. W najmniejszym stopniu nie przeszkodziło to Urbanowi zarobić na swoim szmatławcu, lekko licząc, czterdziestu milionów dolarów. A jednocześnie zyskał on niezwykle skuteczne narzędzie regulowania przepływu pomyj. Zniesławiając jednych, a innych otaczając ochronnym milczeniem, bądź opluwając tych, którzy próbowali ich świństwa wydobyć, przez wiele lat skutecznie mógł decydować o tym, na kim polactwo będzie swą nienawiść skupiać. Nie muszę chyba dodawać, że tę władzę wykorzystał do tego, aby wściekłość polactwa skupiła się na ludziach przyzwoitych, a odwróciła się od prawdziwych aferzystów.

Ale nie można życia duchowego na folwarku sprowadzać wyłącznie do nienawiści, złorzeczeń i bluzgów. Pańszczyźniana dusza ma także swój drugi biegun – pragnie dobra, oczywiście, rozumianego na sposób dla niej dostępny. W pewnym uproszczeniu rzec można, iż jest to głód sielskości, sentymentalizmu i swego rodzaju anielskości. Ktoś mógłby się spodziewać, widząc panoszące się w kioskach „Nie", „Fakty i Mity" oraz z pół tuzina antysemickich obrzydlistw Bubla, że w kolorowych pismach z plotkami, które na Zachodzie pełne są plugastw o sławnych ludziach, znajdzie coś jeszcze straszniejszego. A tymczasem, polska specyfika, jest akurat dokładnie odwrotnie. Nasze brukowce są po prostu oazą łagodności – wielkie gwiazdy opowiadają tam w kółko o swoich udanych związkach, o miłości do najbliższych, o udanym życiu, a jeśli nawet któraś ma akurat złamane serce, to powzrusza się i zaraz znajdzie pocieszyciela. W Wielkiej Brytanii okładkowy materiał na temat pierwszej pary wyglądałby w tego typu medium tak, że prywatnie on jest pijak, ona jędza i oboje zdradzają się na prawo i lewo. U nas natomiast – sielanka, ona mu pomaga się relaksować po ciężkim dniu, a on odwdzięcza jej się drobnymi prezencikami i śniadaniami do łóżka (czy może odwrotnie, już nie pamiętam). Sztandarowym produktem kolorowych pism jest przecież matka boska eseldowska, która kocha dzieci, pomaga, stanowi wzór elegancji i w życiu absolutnie nie miała nic wspólnego ze spółką „Polisa", a gdyby ktoś jakimś cudem przemycił na kolorowe łamy przypomnienie, że owszem, miała, to rozwścieczone dysonansem poznawczym czytelniczki wydrapałyby mu ślepia (nie wspominając, że wydawca wylałby go, nawet na to nie czekając).

Byłoby jednak dużym błędem uleganie stereotypowi, że sielskie tęsknoty, napędzające prasę adresowaną głównie do kobiet, ograniczają się do piękniejszej części polactwa. Przeciętny tubylec wydaje się rozdarty – z jednej strony, uwielbia złorzeczyć i pluć, a z drugiej nieobcą mu przecież tęsknotę za lepszym światem realizuje w marzeniach o powszechnej, sielankowej zgodzie i jednomyślności. Ulukrowanie w pamięci lat socjalizmu bierze się nie tylko z tęsknoty za materialnym bezpieczeństwem, za „czy się stoi, czy się leży" i światem bez kłującego w oczy bogactwa sąsiada. Gierkowski peerel jest też wspominany jako kraina bez żadnych konfliktów. Nie toczyły się wtedy przecież żadne poważne polemiki, we wszystkich gazetach pisano niemal słowo w słowo to samo, a w kampaniach wyborczych wszystkie media zgodnie namawiały do głosowania bez skreśleń. Od skreślania była cenzura, która uniemożliwiała rozpowszechnianie nie tylko jakichkolwiek krytyk przodującego ustroju peerelu i jego sojuszy, ale w ogóle jakichkolwiek krytyk i złych informacji. Kto zada sobie trud dotarcia do wewnętrznych biuletynów cenzury, gdzie odnotowywano każdą ingerencję, zobaczy, że większość cenzorskiej pracy polegała na zamazywaniu nieopatrznie przepuszczonych przez redakcje utyskiwań na jakość życia bądź wyrobów (z pewnego kryminału wycięto na przykład traktujące o samochodzie bohatera sformułowanie „bo by się ten grat rozsypał", albowiem chodziło o polskiego Fiata). Wycinano nazbyt, zdaniem cenzury, ostre recenzje programu telewizyjnego. Nie pozwalano negatywnie wypowiadać się o festiwalach piosenki, i nie tylko tych w Kołobrzegu i Zielonej Górze, nie pozwalano skrytykować książki proreżimowego literata czy kiepskiej gry takiegoż aktora, dbano, by nikt nie zmartwił obywateli wspominaniem o wypadkach, o zniszczeniu środowiska czy innych tego typu sprawach. O klęskach żywiołowych dowiadywał się poddany PZPR tylko wtedy, gdy przytrafiły się one imperialistom, z agresywnym językiem miewał w mediach styczność tylko wtedy, gdy uznano za stosowne nadmienić coś o istnieniu KOR-u (ale przyjętą metodą walki z opozycją było raczej jej zamilczanie, niż opluwanie), a że w Polsce zdarzają się kradzieże, pobicia i morderstwa, w oficjalnych mediach przyznano dopiero po powstaniu „Solidarności", kiedy to telewizja dostała polecenie wybijania w każdym dzienniku informacji o przestępstwach, aby pokazać polactwu, jak straszny zapanował w kraju chaos i tym sposobem z góry nastawić je pozytywnie do szykowanej operacji przywracania porządku. Wcześniej panowała po prostu sielanka, i wielu wspomina ją z tęsknotą do dziś.

I agresja, i skłonność do głupkowatego idealizowania spraw, zaznaczają się w dzisiejszym polskim społeczeństwie z równą siłą. Daje to dojmujące wrażenie miotania się przez nie od ściany do ściany. Z jednej strony uwielbia polactwo Leppera za to, że bluzga i wszystkich dookoła nazywa złodziejami – i nic polactwa nie obchodzi, że on sam otoczył się taką mętownią, przy której wszystko co dotąd było blednie, a filipiki przeciwko złodziejom pisze mu autentyczny skądinąd złodziej, skazany już jednym prawomocnym wyrokiem i oczekujący na drugi. Z drugiej strony, uwielbia polactwo Kwaśniewskiego nie za nic innego, tylko za to, że nie uczestniczy w żadnych konfliktach, sypie zdaniami gładkimi i grzecznymi oraz zapewnia, że kocha ludzi – i nic polactwa nie obchodzą wszystkie zdemaskowane kłamstwa i kłamstewka prezydenta ani jego pijackie ekscesy.

Polactwo potrafi zmienić zdanie błyskawicznie i o sto osiemdziesiąt stopni. Kiedy w 1990 Wałęsa parł do prezydentury, wywijanie siekierą i publiczne opierdzielanie jajogłowych było bodaj głównym jego atutem w oczach wyborców. Pięć lat później ci sami wyborcy skreślili go definitywnie za to, że publicznie chciał ugrzecznionemu Kwaśniewskiemu podać nogę. Kiedy zaczynał swe rządy Jerzy Buzek, jego profesorska dystynkcja przydawała mu popularności – parę lat później tę samą dystynkcję uznawało polactwo za przejaw nieudacznictwa. Bezustannych napaści na tegoż Buzka, którymi sypał wtedy Miller, do czasu Leppera niewątpliwy lider w dziedzinie słownej agresji, polactwo słuchało wtedy jak muzyki. Kiedy Miller próbuje tej samej broni dzisiaj, efekt jest dokładnie odwrotny.

Gdy jakiś człowiek miota się w takim maniakalno-depresyjnym rytmie, to popadając w idiotyczną błogość, to trzęsąc się z wściekłości, uważamy za rzecz oczywistą, że jest chory psychicznie i musi się leczyć. Gdy dokładnie to samo robi społeczeństwo jako całość, wyciągnięcie tego samego, ze wszech miar oczywistego, wniosku odbierane jest jako coś krańcowo niestosownego.

W wielu krajach Afryki, omalże wymierających na AIDS, nie można nikomu pomóc, bo czarnoskórzy przywódcy uznali za obraźliwe stwierdzenie Światowej Organizacji Zdrowia, że ta straszna choroba narodziła się na tym właśnie kontynencie i na nim pleni się szczególnie, ponieważ afrykańskie obyczaje nader temu sprzyjają – więc, unosząc się godnością, odesłali zachodnich lekarzy do wszystkich diabłów. Polacy bardzo cierpią od choroby, która ich toczy jako społeczeństwo, ale jeśli ktoś usiłuje im to uświadomić, obrażają się zupełnie identycznie jak Murzyni z drugiego końca świata, choć zapewne uważają się za coś nieskończenie lepszego.

*

Dusza pańszczyźnianego, skoro o tym mówimy, w ogóle pełna jest strasznych sprzeczności i napięć. Zapewne każda w ogóle ludzka dusza rozpięta jest na sprzecznych namiętnościach. Ale ponieważ fornal jest z natury prymitywny, jego psychiczna konstrukcja ogranicza się do kilku najprostszych struktur, nie ma nic, co by te sprzeczności mogło złagodzić – może stąd tyle w polactwie zapiekłości i niepohamowania w popadaniu w skrajności. Na przykład, z jednej strony uważa pańszczyźniany, że wszyscy mieć powinni po równo. Różnych mędrków, którzy mu do tej genetycznej zawiści dorabiają ideologię, słucha z ukontentowaniem, a takich, co go swoją materialną przewagą kłują w oczy, autentycznie nienawidzi. Ale, z drugiej strony, on sam marzy o tym właśnie, żeby móc kłuć w oczy innych swą materialną nad nimi przewagą. Żeby się pokazać, choćby na kredyt – cecha niewątpliwie podpatrzona w poprzednich pokoleniach u wymarłej dziś szlachty.

Sondaże nie pozostawiają wątpliwości: przytłaczająca większość obywateli III RP życzyłaby sobie takiego spłaszczenia pensji, żeby najlepiej zarabiający mieli góra pięć – sześć razy większe pensje od najniższej. A jednocześnie szczególnym popytem cieszą się wszelkie dobra luksusowe, służące temu tylko, aby pokazać się przed sąsiadami, podkreślić materialną wyższość. Jeszcze w latach osiemdziesiątych znaleźliśmy się w ścisłej europejskiej czołówce pod względem liczby magnetowidów na mieszkańca – „widziaj" i kolorowy telewizor uchodziły wtedy za niezbędne w każdym domu. Potem, gdy zaczęła się moda na telewizje satelitarne, dystrybutorzy zestawów z niejakim zdumieniem stwierdzali, że podczas gdy na świecie starania producentów zmierzają ku budowaniu odbiorników jak najwydajniejszych, z jak najmniejszą anteną, bo taka jest praktyczniejsza – to w Polsce zestawy satelitarne sprzedają się tym lepiej, im antena większa. W blokowiskach z lubością wystawiali ludzie za okno talerze na pół balkonu. Na prowincji weszły w modę gigantyczne czasze, z daleka bijące w oczy jaskrawym, kolorowym logo, zastępując modne w poprzedniej epoce elewacje z lusterek względnie tłuczonych talerzy. Samochody, które przez wiele lat sprzedawały się u nas znacznie lepiej, niż można by się spodziewać po stopniu zamożności społeczeństwa, też muszą być na bajerze, drogie i duże. W modzie jest wszystko, co świeci, wali po gałach, co można wysypać ludziskom przed ślipie.

Toteż kiedy pańszczyźniany przypadkiem wydźwignie się ze swego pańszczyźnianego statusu, rzuca się robić to wszystko, za co tak głośno krytykował wcześniej rządzących, że aż udało mu się na fali społecznego oburzenia dołączyć do ich grona. Nikt nie wykazał się w ostatnim piętnastoleciu taką pazernością, jak działacze chłopscy i związkowcy z prowincji. Teraz, kurwa, my! – ten okrzyk, upubliczniony ongi przez Kaczyńskiego oddaje idealnie mentalność nowych kadr obrońców ludu, zasilających regularnie polską politykę. Jakież to pałace natychmiast budowali, ileż zużywali do przyobleczenia swych pękatych kształtów kosztownych tkanin z firmowymi metkami, takich, które cenę byle jedwabnej szmatki podnoszą do sumy, za jaką normalny człowiek może się utrzymać przez miesiąc! A jakie sumy wtykali za podwiązkę dziwkom tańcującym na rurze w najtklubach – bywało, że potem, wyczerpawszy zapasy gotówki, wymachując portierowi przed nosem poselską legitymacją...

To bardzo charakterystyczne: pańszczyźniany wprawdzie wyrzeka głośno na limuzynę księdza proboszcza, ale gdyby proboszcz jeździł byle czym, to by go nie szanował. W pamięci utkwiła mi opowieść jednego z ministrów rządu Mazowieckiego, że chłopi z okolicy, w której ma letniskowy domek, uważają go za idiotę i nieudacznika – był przecież ministrem, pokazywali go w telewizji, a jeździ takim gruchotem i mieszka w takiej byle chałupce. Głupek jakiś – być w rządzie i nie postawić sobie pańskiego dworu jak się patrzy?! Wierzę w tę opowieść, bo sam takich ludzi i ich sposób myślenia znam.

Pańszczyźniany żyje w poczuciu niesprawiedliwości: czuje przecież, choć nie umiałby złożyć tego w takie słowa, że jest niewolnikiem, zepchniętym na dno życia. Ale jeśli jego poczucie krzywdy zbadać bliżej, okaże się, że dla pańszczyźnianego niesprawiedliwość nie polega wcale na tym, że jedni są do bankietów, a drudzy do gnoju – tylko na tym, że on właśnie znalazł się w tej drugiej grupie. To, że jest pan i jest fornal, to normalne. Zawsze tak było, zawsze będzie. Pańszczyźniany sobie nie wyobraża, że może być inaczej. To nie znaczy, że obca mu jest naturalna, przyrodzona każdej ludzkiej istocie chęć poprawy swego losu – choć, oczywiście, w znacznej części wypadków skutecznie zabija ją gorzałą lub innym odurzającym świństwem. Ale prawdziwe nieszczęście niewolniczego, czy też, niech tam będzie, postniewolniczego, społeczeństwa polega na tym, że to dążenie do poprawy wyraża się nie w marzeniu o tym, aby folwark Rzeczypospolitej stał się wspólnym domem wszystkich, którzy w nim żyją – ale o tym, aby samemu przekroczyć barierę oddzielającą bankiet od gnojowicy, samemu dołączyć do panów, i mieć swoją trzodę fornali, których będzie się mogło traktować kopniakami. I jeśli pańszczyźnianemu przypadkiem się to uda – tak bywa w chwilach historycznych przełomów, i tak było także u nas – to, oczywiście, odruchowo stara się być dziedzicem takim, jakim sam wcześniej dziedziców postrzegał. Kopiuje dokładnie, nawet z przesadą, te właśnie zachowania, za które wcześniej pana nienawidził. Ten sam, który wcześniej krzyczał pod adresem władzy „zło-dzie-je-zło-dzie-je" ledwie sam poczuje w ręku odrobinkę władzy, choćby w gminie, natychmiast zaczyna kraść. Wcześniej oburzał się na arogancję władzy, teraz nabiera buty i demonstracyjnie pomiata ludźmi. To nie jest hipokryzja, bo hipokryzja jest tam, gdzie istnieje świadomość, że popełnia się coś złego. To po prostu trzymanie się jedynych znanych sobie zasad rządzących światem. Dziedzic ma prawo pomiatać pańszczyźnianym tak samo, jak pańszczyźniany ma prawo go oszukiwać i okradać. Tak było, tak jest, jakże by mogło być inaczej?

To właśnie, całkowita wiara w niezmienność niewolnictwa jako zasady rządzącej światem, stanowi istotę duszy niewolniczej, we wszystkich czasach, począwszy od starożytności, we wszystkich jej historycznych i współczesnych manifestacjach. Bo przecież nasze pańszczyźniane polactwo jest tylko jedną z wielu, specyficznie polską odmianą niewolnika. Niewolnika, z jakim próżno borykają się od dziesięcioleci potężne Stany Zjednoczone, bezskutecznie starając się rzesze murzyńskiej biedoty z socjalnych gett wydobyć z bagna beznadziei, narkotyków, przestępczości i zapiekłej nienawiści do normalnej części społeczeństwa, napędzanej niekończącymi roszczeniami wobec niej – roszczeniami, które uzasadnia ciągłe rozpamiętywanie z jakąś masochistyczną wręcz ekstazą swoich historycznych krzywd. Amerykańscy socjologowie opisali ten problem dość dokładnie, narażając się heroldom politycznej poprawności, i kto się tym pracom choćby pobieżnie przyjrzy, zobaczy, że murzynowo spod Los Angeles od postpegeerowskich wiosek w Słupskiem różnią tylko nieważne szczegóły. Murzyni są tu biali i zamiast narkotyków używają siarkowanej „taniochy". Ale ten splot obezwładniającego poczucia pretensji z całkowitą bezwolą, niemożności wyrwania się z biedy i nałogu z nienawiścią do tych, którzy w biedzie i nałogu nie tkwią, jest niemalże identyczny.

Niemalże identyczne są nasze problemy z demokracją z tymi, które przeżywały jeszcze kilkanaście lat temu Indie. I z tymi, które przez kilka pokoleń kładły się cieniem, w wielu krajach kładą się nadal, nad Ameryką Łacińską. I bardzo podobne do tych, które w połączeniu z napięciami etnicznymi, których Polsce na szczęście Pan raczył oszczędzić, zamieniły postkolonialną Afrykę w krwawe bagno. Kto by chciał zrozumieć polskie problemy, niech studiuje historię krajów postkolonialnych, krajów, które otrzymały niepodległość i demokrację, nie mając wykształconych i skutecznych elit ani klasy średniej, a za to dźwigając bagaż niewolniczych nawyków.

*

Tylko – kto by chciał zrozumieć? Stykając się z ludźmi z Zachodu, często szczerze przejętymi misją pomocy młodym demokracjom, mam czasem wrażenie, jakbym natrafiał na jakąś niewidzialną barierę w ich umysłach – barierę wyznaczaną przez uczynienie z pewnych procedur demokratycznych, w tym zwłaszcza procedury głosowania, fetyszu. Dzisiejszy Zachód, miewam takie wrażenie, na śmierć zapomniał, co stanowi istotę demokracji. Może dlatego, że ma ją u siebie od wieków i jej podstawy uważa za tak oczywiste, że w ogóle ich nie zauważa.

Ja miałem możliwość, przyjechawszy z kraju niewolniczego, obserwować demokrację w kraju, który uważam za najlepszy we współczesnym świecie wzorzec do naśladowania. Co więcej, miałem okazję obserwować ją u samych podstaw. W małych amerykańskich miasteczkach, gdzie poczucie wspólnoty, wspólnej odpowiedzialności za życie gminy, osiedla, parafii, jest czymś równie naturalnym jak oddychanie. Gdzie jest oczywiste, że człowiek poświęca kilka godzin w tygodniu działalności społecznej – w radzie szkolnej, gminnej, przy udzielaniu pomocy najbiedniejszym, w miejskiej komisji. Że radny, burmistrz nie jest żadnym paniskiem, tylko po prostu społecznikiem nie pobierającym od gminy żadnych diet, choć dostaje od niej pieniądze na prowadzenie biura i opłacanie ekspertów. Że gdy ktoś mówi coś słusznego, mądrego, należy dołożyć się do jego kampanii wyborczej, pomóc mu znaleźć się w radzie, stanowej legislatywie, Kongresie, Białym Domu, bo to przecież nasz wspólny kraj i nasza wspólna przyszłość.

Zapadła mi boleśnie w pamięć scena z zachodniej telewizji, która relacjonowała przygotowania do przeprowadzenia w którymś ze spustoszonych afrykańskich krajów wolnych, demokratycznych wyborów. Owe wolne, demokratyczne wybory były oczywiście skutkiem jakichś międzynarodowych nacisków, miały położyć kres kolejnej międzyplemiennej rzezi i, sądząc po sączonych z offu bredniach, międzynarodowa opinia publiczna była z nich bardzo dumna. W obrazie zaś można było widzieć białych wolontariuszy, szczerze przejętych swą misją, jak pokazują mieszkańcom zapadłej wioski, gdzieś w głuchym buszu wprost z konradowskiego Jądra Ciemności karty do głosowania, i instruują, co należy z nimi zrobić. Ponieważ całą miejscową ludność stanowili analfabeci, więc karty miały charakter rysunkowy. Zamiast literek, wydrukowano na nich fotografie kandydatów i symbole ich klanów, które to klany na użytek wyborów Zachód nazwał sobie partiami politycznymi. Była więc partia oznaczona włócznią, była taka, którą symbolizował bęben, były inne jeszcze – miejscowa ludność miała zaznaczyć przy jednym z obrazków krzyżyk, potem wrzucić kartę do urny, i już. Taka prosta, magiczna czynność, i będziemy w tym kraju mieli demokrację. A jak demokrację, to i pokój, i dobrobyt. Wszystko dzięki temu, że analfabeci pozaznaczają krzyżyki na kartkach, a potem wrzucą te kartki do dużej kolorowej skrzyni, którą potem biali ludzie zawiozą gdzieś do stolicy, by nią nakarmić dobre mzimu demokracji. I ci ludzie, myślałem sobie, patrząc z opadniętą szczęką w ekran, na którym mądrzył się jakiś zachodni dyplomata czy wysoki komisarz ONZ, ci ludzie uważają się za bardziej cywilizowanych i mądrzejszych niż wierzący w skuteczność szamańskich pląsów i magicznych rytuałów buszmeni?

Zdarzyło się zachodniemu światu – zupełnym przypadkiem, jak dziś sądzę – zamienić obszar straszliwej postkolonialnej nędzy w jeden z najlepiej rozwiniętych regionów świata. Oczywiście, główna zasługa tego niebywałego cywilizacyjnego awansu i rozkwitu należy się miejscowym społecznościom, ich pracowitości i przedsiębiorczości. Ale rozkwit był możliwy dzięki temu, że stworzono dla niego odpowiednie polityczne warunki. O sto, pięćdziesiąt kilometrów od miast, które należą dziś do najbogatszych na świecie, gdzie zawsze mieszkała dokładnie taka sama ludność, o takim samym składzie etnicznym, dziedzictwie kulturowym i nawykach, a gdzie tych politycznych warunków zabrakło, panoszy się potworna, komunistyczna nędza, ludzie pożerają korę drzew i szyszki, a czasem nawet, jak ze zgrozą opowiadają uciekinierzy i pracownicy organizacji humanitarnych, zwłoki swoich własnych, pomarłych od głodu dzieci.

Myślę oczywiście o południowo-wschodniej Azji, a szczególnie o Korei. Jak doszło do tego, że ten jednolity pół wieku temu kraj podzielony został tak straszną granicą między wielkim bogactwem a przeraźliwą nędzą? Południowa Korea to dziś kraj wolnorynkowy i demokratyczny, ale zaczadzony ideologią Zachód nie chce dziś pamiętać, że krajem wolnorynkowym, kapitalistycznym została ona znacznie wcześniej, niż demokratycznym. Na początku władzę sprawowali tam po prostu dowódcy wojsk okupacyjnych, potem miejscowy, autokratyczny reżim. Ale amerykańscy wojskowi zadbali tam, i to samo wymogli na autokratach, którym stopniowo przekazywali władzę, przestrzeganie zasad praworządności, wolności osobistej i, przede wszystkim, wolności gospodarczej. Co tu gadać, po prostu narzucili tym krajom siłą system premiujący aktywność i pracowitość, zachęcający do kumulowania bogactwa, do tworzenia. Nic więcej nie było trzeba. Nabierając rozpędu, kapitalistyczna gospodarka po kilkunastu latach wytworzyła tam silną klasę średnią, zmieniając społeczeństwa nie mające żadnych demokratycznych ani wolnorynkowych tradycji na wzór społeczeństw Zachodu.

Ktoś może powie tu, że przecież Ameryka dała też kredyty. Fakt, dała. Ale to żadna zakichana łaska, banki, które tych kredytów udzielały, świetnie na nich zarobiły. Kredyt dany przedsiębiorcy, który wie, co z nim zrobić, to dla kredytodawcy czysty zysk. Zresztą my tutaj, w tej części świata, wiemy jak mało kto, że w chory system wrzucić można miliardy dolarów jak w studnię, i nie tylko niczego one nie poprawią, ale wręcz przeciwnie, jeszcze pogorszą!

Kilkanaście lat później John F. Kennedy, bodaj najgorszy dureń, jaki kiedykolwiek zasiadał w Białym Domu, uznał, że to nie wypada, aby demokratyczna Ameryka w imię demokratycznych ideałów popierała przeciwko komunistom kraj rządzony przez dyktatora – i nakazał swoim służbom specjalnym przyzwolić, czy może wręcz przyłożyć rękę, sprawa do dziś nie jest jasna, do obalenia wietnamskiego autokraty Diema. Po to, oczywiście, aby Południowy Wietnam zdemokratyzować. Gdyby nie ten fakt, Diem, nawet przy mniejszym zaangażowaniu US Army, spokojnie uporałby się z inwazją z komunistycznej Północy, mimo wsparcia udzielanego jej przez Chiny i ZSSR – i dziś Południowy Wietnam zapewne nie odstawałby standardem życia od Południowej Korei, Tajwanu czy Singapuru. Ale „demokratyzowanie" pogrążyło go w postępującym rozkładzie, korupcji i nieustannych politycznych swarach, w których, jak zanotował amerykański generał, rządy upadały wskutek kłótni dwóch pań pułkownikowych. W końcu Amerykanie uciekli z tego bałaganu tchórzliwie, a wolny Wietnam został zamieniony w „bambusowy gułag". Dziś wygląda co prawda lepiej niż komunistyczna Korea, lepiej o te dwadzieścia parę lat opóźnienia w aplikowaniu idealnego ustroju – ale to jednak niewiele lepiej.

Amerykańscy ekonomiści udowodnili to swego czasu z tą dobitnością, jaką daje matematyczne wyliczenie: nie ma żadnej korelacji pomiędzy rozwojem a demokracją. Bywają demokracje bogate i biedne, bywają bogate i biedne dyktatury. Żadnej prawidłowości. Istnieje natomiast łatwa do udowodnienia, ścisła zależność pomiędzy rozwojem a praworządnością. Tym szybszy rozwój, im skuteczniej prawo chroni prywatną własność, swobodę działalności gospodarczej, egzekwowanie wzajemnych zobowiązań, bezpieczeństwo inwestycji i kredytów, słowem – to wszystko, co potocznie nazywamy kapitalizmem albo wolnym rynkiem. Oto sprawa, na której trzeba się skupić. Oto najlepsza droga do demokracji, najlepsza droga do dobrobytu i do przemienienia niewolniczej trzody w społeczeństwo obywatelskie. Najlepsza? Wydaje się wręcz, że jedyna.

Zachód dzisiejszy, porażony bzdurami wyprodukowanymi przez pokolenia lewicowych intelektualistów, buja wśród ideologicznych abstraktów, zamiast spojrzeć na oczywiste fakty i przyjąć je do wiadomości. Zapomniał nawet, że przecież w Ameryce, i w zachodniej Europie, nie zaczęło się od powszechnego prawa wyborczego, tylko od przemian społecznych powodowanych przez wolnorynkową gospodarkę, i one to dopiero pociągnęły za sobą żądania poszerzenia zakresu współdecydowania o państwie przez obywateli. Zachód zapomniał, na czym polega istota demokracji, czyniąc politycznym fetyszem jej procedury i zewnętrzne oznaki. Pies go trącał. Gorzej, że tu, u nas, ludzie odpowiedzialni za przebieg i kształt ustrojowej transformacji zachowali się dokładnie tak samo, jak ci przejęci swoją cywilizacyjną misją organizatorzy wyborów w afrykańskim interiorze. Powychodzili ze swoich zadymionych kawiarni, w których toczyli latami teoretyczne spory, świata bożego nie widząc, tak jakby spadli tu z księżyca. Jakby w ogóle nic nie wiedzieli o Polsce, o jej historii, stratach ludzkich, jakie poniósł naród, o komunistycznej tresurze, jakiej był poddawany przez pół wieku. Po prostu, hurra, będą wybory. I same z siebie wszystko zmienią. Rozdamy pańszczyźnianym wyborcze kartki, a ci zbiorową, ludową mądrością bezbłędnie wybiorą właściwy tor i pchną nań państwo, zakreślając krzyżyk przy siekierce albo grubej kresce.

*

Polactwo, mówiąc krótko, w swych wyborach politycznych kieruje się skrajnymi emocjami. Szarpie się pomiędzy nienawiścią a miłością. Przy czym, jeśli kogoś nienawidzi, to w zupełności wystarcza mu, że nie może patrzeć na tę wstrętną gębę, i nic nie jest w stanie znienawidzonej gębie pomóc. Natomiast jeśli kocha, to kocha na zabój. Jak w tym sondażu z wyborów prezydenckich, o którym pisałem na początku: niedoszły magister Kwaśniewski, wzrostu siedzącego psa, przez więcej niż połowę uważany był za lepiej wykształconego niż doktor Krzaklewski i wyższego, niż Olechowski. W cywilizowanym kraju wyborca zwraca uwagę na cechy kandydata, jego wypowiedzi, ocenia je jako dobre albo złe i wyciąga z tego wniosek co do kandydata. U nas myślenie, jeśli w ogóle można to myśleniem nazwać, większości elektoratu jest dokładnie odwrotne: nie łamiąc sobie głowy, wyborca z punktu nabiera silnego stosunku emocjonalnego do osoby, i później już wszystko, co się z tą osobą wiąże, odbiera stosownie do tego założenia, albo entuzjastycznie, albo nienawistnie. Oczywiście, sam nie wie, dlaczego mu się ten ktoś podoba albo nie. To wiedzą tylko macherzy od reklamy i masowej manipulacji, i jest to wiedza warta grube miliony. Obywatelskie debaty, dyskurs publiczny, programy, werdykt wyborczy... Ludzie, jak rany, o czym wy mówicie?!

Tak się sprawy mają, wróćmy do zarzuconego jakiś czas temu wątku, w wyborach prezydenckich. Natomiast wybory parlamentarne – o, to już całkiem inna sprawa. Gdzieś tam w Warszawie jest wielki wór z kasą. Z tego wora chcą brać wszyscy, i każdy głupi wie, że dla wszystkich nie starczy. I trzeba tam posłać swojaków, zaufanych, zobowiązanych. Takich, co dopilnują, abyśmy to my właśnie, a nie kto inny, dostali z wora jak najwięcej.

Jeśli spojrzeć na sprawę powierzchownie, to może się wydać, że polactwo jest po prostu bezbrzeżnie głupie i naiwne: obieca im niestworzone rzeczy jeden, wybiorą go, potem się czują oszukani, przychodzi drugi, obiecuje to samo, i wybierają z kolei jego, i znowu się historia powtarza, i tak w nieskończoność. Jak znienawidzili Millera, to wybiorą Leppera, a jak i Lepper okaże się kolejnym „zdrajcą", który się sam nakradł, a ludowi nie dał, to jego miejsce w sondażach zajmie jakiś typek spod jeszcze ciemniejszej gwiazdy. Ostatni dureń doszedłby do wniosku, że wciąż mu się składa obietnice bez pokrycia – a polactwo nic, choć bij łbem o kamień!

Otóż nie. Nie takie to wcale proste.

Oczywiście, słowo głupota jest tutaj na miejscu. Ale to nieco inny rodzaj głupoty, niż się wydaje – ta, do której odwoływał się cytowany wcześniej oszust. Polactwo nie wierzy w gruszki na wierzbie, aż tak durne nie jest. Niby też nikt nie jest tak durny, by wierzyć w superokazje w rodzaju autentycznych złotych obrączek za półdarmo czy miliony, które spadną mu z nieba, jeśli na razie wyłoży sto tysięcy bez pokwitowania. A jednak zawsze znajdują się oszuści na tyle sprytni, żeby człowiekowi uważającemu się za rozsądnego tak namącić w głowie, że potem nie posiada się ze wstydu, jak mógł pozwolić się równie głupio okpić.

Tak samo jest z polactwem – choć programowo nieufne i w kółko powtarza sobie, że więcej już się nabrać nie da, za każdym razem znajdzie się polityk, który bez trudu raz jeszcze namąci mu w głowie i powiedzie za nos na wybory. A to dzięki temu, że zna tyleż prosty, co niezawodny sekret każdego dobrego oszusta. Wie, że najbardziej nawet nabzdyczony i podejrzliwy wyborca nie oprze się pokusie, jeśli polityk mniej lub bardziej wyraźnie obieca mu współudział w szwindlu. Kiedy zasugeruje: wszystkim lepiej nie będzie, ale o ciebie zadbam. Obrobię z kasy tamtych, a dam swoim. Pewnie, że przede wszystkim chcę ustawić siebie i znajomych, ale jak to zrobię, to i wam coś niecoś skapnie.

Polactwo na taką pokusę jest i zawsze pozostanie nieodporne, bo dzisiejszy statystyczny Polak nie chce patrzeć dalej własnego nosa. Nie obchodzi go los folwarku jako takiego, nigdy nie było to jego troską i nie ma najmniejszego powodu, by nagle się nią stało. O tym niech myślą panowie. On troszczy się przede wszystkim, żeby z jednej strony jak najwięcej od pana dostać, a z drugiej, żeby jak tylko można wykręcić się od swoich wobec niego powinności, przekimać w bruździe w czasie odrabiania pańszczyzny, ściągnąć coś cichcem z komory. Ot, „chytry niewolnik", jak genialnie trafnym skrótem podsumowała mentalność mieszkańców krajów postkomunistycznych rosyjska socjolog, Tatiana Zasławska. Tak to przynajmniej zostało przełożone przez piszącego o niej dziennikarza. Nie znam rosyjskiego, i nie wiem, jak by się miało do oryginału użycie zamiast „chytry" słowa „cwany". Do opisu polactwa, w każdym razie, pasuje to lepiej.

Jeśli polityk przyjdzie do takiego cwanego niewolnika z tekstami o wspólnym dobru, o ojczyźnie, czy nawet o Maryi Królowej Polski, to zobaczy zgiętą w łokciu rękę. On, owszem, czuje się Polakiem, ale tylko wtedy, gdy akurat przyjeżdża Papież albo wygrywa Małysz. A tak na co dzień czuje się przedstawicielem swojej branży, swojej grupy czy wreszcie regionu, myśli o swoim zasiłku, dotacji, miejscu pracy, tak dalej, tak dalej. I to go czyni bezbronnym wobec pokusy kombinowania: ten a ten jaki jest, taki jest, ale to nasz facet. On nam co trzeba załatwi, a więcej nie trzeba.

Potem jest, oczywiście, wielkie rozczarowanie, bo okazuje się, że usiłując być cwanym, wyborca znowu dał się zrobić w trąbę – jego wybraniec sam, owszem, wziął co miał wziąć, ale tego co miał załatwić „ludziom", nie załatwił. Marna to pociecha, że by szczerze chciał, i że dałby, gdyby mógł, bo przecież chce zostać wybrany na następną kadencję. Tylko naprawdę nie ma już z czego dawać – chętnych liczba nieskończona, a Folwark Rzeczypospolitej splądrowany już do cna, co tylko się dało wyprzedać, dawno wyprzedano, gdzie dało się pożyczyć, już więcej pożyczać nie chcą, albo dają na taki procent, że trzeba całą pożyczkę przeznaczać na odsetki od pożyczek poprzednich... Tak, że koniec końców nawet ci, którzy, obiektywnie, wciąż jeszcze dostają pieniądze za nic, czują się rozczarowani, że dostają za mało. I reagują, po chłopsku, pełnym rozgoryczenia odwróceniem się, zamknięciem w sobie i utwierdzaniem się przy wódce w nieufności do wszystkiego i wszystkich. Aż znowu dadzą się skusić jakiemuś cwaniakowi, który podpuści ich do strajku czy blokady, obiecując podzielić się kasą, którą mu w ten sposób pomogą wycyckać od jakichś „onych".

Kiedy słyszę, z jaką pogardą i nienawiścią mówi polactwo o swoich przywódcach, to czerpię z tej nienawiści pewną nadzieję. Bo oznacza ona, że gdzieś w duszy wciąż kołacze się w tym gnojonym przez pokolenia polactwie sumienie. Że przeglądając się w swoich wybrańcach jak w lustrze, nie jest zadowolone z tego, co widzi. A to dobrze. To znaczy, że, gdyby tylko ktoś chciał tego spróbować, jest w nim iskra, którą można rozdmuchać.

*

Nie potrzebuję być wielkim prorokiem, by przewidzieć, że kiedy ta książka ukaże się w księgarniach, tematem numer jeden prasowych komentarzy i polemik będzie rosnąca popularność Leppera. Będzie się wskazywać na jej rozmaite przyczyny i spierać się, czy Leppera należy ostro atakować, co tylko przysparza mu wyborców, czy też starać się o jego ekscesach milczeć, co też mu w zwiększaniu popularności nie przeszkadza. I będzie nad tym wszystkim wisiało zadawane ze zgrozą pytanie: jak to możliwe? Zresztą, tak jest już teraz, choć na razie gotowość głosowania na tego osobnika deklaruje tylko jedna czwarta wyborców.

Cóż, Lepper nie jest tematem tej książki, ale stanowi wdzięczny przykład szeregu spraw, o których tu piszę. Osobiście patrzę na jego karierę dość spokojnie. Może dlatego, że wchodzę powoli w wiek, kiedy człowiekowi nie chce się już zbyt denerwować byle kim. Może wyszarpałem już sobie wystarczająco bebechów, obserwując, jak niepowstrzymanie, ku zgrozie ludzi przyzwoitych, rosły sondażowe słupki Kwaśniewskiemu, potem Millerowi. A może z tej przyczyny, że Lepper wydaje mi się niezłym pomysłem na śmieszną w gruncie rzeczy powieść. Wiem nawet, jak by się ona zaczynała. Rok 1992, czasy Olszewskiego, prezydent Wałęsa, aby zrobić premierowi na złość postanawia łaskawie zaszczycić swą uwagą grupkę zadłużonych chłopów, okupującą gmach ministerstwa rolnictwa. Lepper, wówczas jeszcze nikomu nieznany, zostaje wpuszczony na audiencję. Rozgląda się po Belwederze – fajne miejsce, myśli sobie, pożyłoby się chętnie tak, jak ci tutaj żyją.

A potem przyjmuje go Wałęsa. Lepper patrzy, słucha, i zaczyna kombinować. Więc to ten sławny Wałęsa. A czy on jest ode mnie bardziej przystojny? Czy on jest ode mnie mądrzejszy? Czy on jest ode mnie lepiej wykształcony, lepiej wychowany, czy w ogóle jest ode mnie w czymkolwiek lepszy? Na wszystkie pytania odpowiada sobie przecząco. Nie, obaj są takimi samymi chłopami z małych wiosek. Więc dlaczego, pyta w końcu Lepper sam siebie, on jest prezydentem, a ja nie? I z tej audiencji wychodzi człowiek zupełnie odmieniony, ogarnięty ambicją objęcia w Polsce władzy, którą przez następnych paręnaście lat będzie w pocie czoła realizował.

Dałbym sobie rękę obciąć, że tak to musiało wyglądać.

A może względny spokój, jaki zachowuję w obliczu perspektywy dojścia lepperowej mętowni do władzy wynika u mnie z przekonania, że nie ma tego złego, co by na dobre nie wyszło? Każdy menedżer wie, że kiedy firma wklei się w sytuację beznadziejną, najlepszym rozwiązaniem jest upadłość. W kraju, w którym więcej ludzi żyje z zasiłków niż z pracy trudno sobie wyobrazić zdobycie demokratycznej legitymacji dla reformy zasiłki te odbierającej. Znacznie łatwiej – bankructwo państwa w stylu argentyńskim. Po takim bankructwie motłoch może sobie wyjść na ulice, może demolować miasta, jak w Albanii, wybijać szyby i rozkradać towar z supermarketów, ale nie zmieni to faktu, że laba się skończyła, kasy nie ma i nie będzie. Potem można się będzie zabrać do sprzątania i budowy państwa na nowo, miejmy nadzieję, że lepiej, niż to zrobiono po upadku komuny. Powtarzam znajomym, że główną naszą korzyścią z zaangażowania się w wojnę w Iraku jest fakt, że nasi generałowie nabierają tam wprawy w zarządzaniu społeczeństwem pogrążonym w bezhołowiu i rozpadzie. Po upadku Leppera – a powinno na to wystarczyć kilka miesięcy, góra pół roku – będzie junta jak znalazł. (Tylko nie zapomnijcie w porę wycofać oszczędności z banków.)

No dobrze, teraz poważnie. Lepper to niewątpliwie samorodny polityczny talent: ambitny, pracowity, pojętny, dobrze odczytujący społeczne nastroje, a przy tym całkowicie amoralny. Wszystko, co w dobrym polityku najlepsze i zarazem najgorsze. Takie talenty rodzą się, zgodnie z rządzącym przyrodą prawem rozkładu losowego, zawsze i wszędzie – ale co z nimi dzieje się dalej, zależy już od konkretnego miejsca i czasu. Gdyby Lepper przyszedł na świat w Ameryce, ambicje popchnęłyby go na studia i zmusiły do intensywnej pracy, dzięki której zapewne dobiłby się w końcu fotela w Kongresie, nie wyrządzając krajowi specjalnych szkód ani nie przysparzając mu pożytku. Ale urodził się w Polsce, a czas jego aktywności przypadł na lata dziewięćdziesiąte ubiegłego stulecia, więc do realizacji swych marzeń o władzy nie potrzebował wiedzy, jaką można zdobyć na uniwersytetach, tylko zupełnie innych talentów.

Trafił akurat na konkretne polityczne zapotrzebowanie: potężny układ, którego istnienia możemy się z dużą dozą pewności domyślać z licznych oznak jego działania rozsianych po całych dziejach III RP, ma na swoje usługi ludzi wystarczająco mądrych, aby zdali sobie oni sprawę, że Miller zetrze się w rządzeniu jak intensywnie używana miotła, i część wyborców zechce oddać głosy na kogoś „spoza układu", kogoś, kto wyda im się pogromcą nielubianych elit. Wniosek prosty i logiczny: trzeba mieć kogoś takiego w zanadrzu. Zresztą, tutejszy układ nawet nie musiał sam na to wpadać. Całą operację przećwiczono wcześniej w Rosji, tworząc niejakiego Żyrinowskiego – kto nie zauważa lustrzanego podobieństwa dyżurnego rosyjskiego nacjonalisty do szefa „Samoobrony", ten chyba jest ślepy. W obu wypadkach mamy do czynienia z człowiekiem, który pozycję zdobył bluzgając soczyście wszystkim, których motłoch nie lubi, niejako w imieniu tegoż motłochu mówiąc w telewizji to, co wcześniej usłyszeć można było tylko pod sklepem z wódką. I który w parlamencie głosował dokładnie odwrotnie, niżby to wynikało z całego jego gadania – zawsze tak, jak było to na rękę władzy.

Nie spotkałem zwolennika „Samoobrony", który by powiedział, że wiąże z Lepperem jakiekolwiek nadzieje na poprawę sytuacji. Pytani, co w tym człowieku widzą, ludzie ci odpowiadają zawsze jednakowo: on im pokaże! Cała popularność Leppera opiera się na przekonaniu polactwa, że jest to człowiek nielubiany przez tych, których ono nie lubi. To właśnie sprawia, że perswadowanie, iż Lepper nie ma programu, otacza się aferzystami i oszustami, że sam oszukuje, a nawet eksponowanie tego, że jest bardzo bogaty i że bogactwo to pochodzi z niejasnych, delikatnie mówiąc, źródeł, nie odnosi żadnego zauważalnego skutku. Wręcz przeciwnie – nie lubią go, upewnia się elektorat, i właśnie za to lubi swojego wodza jeszcze bardziej. Kiedy fornal czuje się na dziedzica bardzo rozgoryczony i chce się na nim zemścić, to zrobi mu kupę do studni – i nic go przy tym nie obchodzi, że wodę z tej studni piją nie tylko państwo, ale także i on ze swoją rodziną. Lepper jest w chwili obecnej taką właśnie lecącą do wspólnej studni kupą, zemstą polactwa na tym, co prasa nazywa „elitami".

Zgodnie z opisanym już mechanizmem, gdy w grę wchodzą silne emocje, mózgi pozostają wyłączone. Trudno mi zrozumieć, że wśród tej rzeszy zwolenników Leppera żaden nie zadaje sobie pytania, jak to możliwe, że ich ulubieńcowi wszystko to, co robił, zawsze uchodziło bezkarnie? Swego czasu pewien rolniczy działacz, Marian Zagórny, wysypał na stacji, w ramach protestu, importowane zboże. Zaraz został zamknięty, osądzony, skazany i wsadzony do pudła. Po jakimś czasie, ułaskawiony z woli prezydenta, wyszedł na wolność. Spróbował urządzić blokadę przejścia granicznego. Policja, która wobec Leppera zawsze okazywała się kompletnie bezradna, tym razem sprawnie wyłapała wszystkie autokary ze zdążającymi ku granicy uczestnikami protestu, zanim zbliżyły się do granicy na kilkanaście kilometrów. Inny facet gdzieś na Śląsku nazwał publicznie przedstawicieli władzy „palantami", i poszedł za to na parę miesięcy do pudła, choć ujął się za nim z całą swą propagandową potęgą Urban. A Lepper blokuje, wysypuje, rozrabia przez całe lata, bluzga ile wlezie – i nic.

Nie tylko, że jest zawsze bezkarny, że sądy jakoś się nie potrafią zebrać, a jeśli zbiorą, skazać, a jeśli już skażą, to na zapłacenie sześciu złotych czterdziestu groszy – ale jeszcze wytwarza wokół siebie jakieś przedziwne pole, tak, że nikt, kto się w tym polu znajdzie, nie może być za nic ukarany. Kiedy ktoś wstępuje do Leppera na służbę, zaraz sąd przestaje wyznaczać mu terminy rozpraw, czekając, aż sprawa się przedawni, prokuratorzy, którzy dotąd prowadzili jego sprawę, zostają skierowani do pilniejszych zajęć i chwilowo nie ma ich kto zastąpić i tak dalej. Brak zainteresowania ze strony sądów rekompensuje za to wielkie skupienie uwagi na „marszałku" (jak nazywają Leppera jego ludzie) przez media. Szczególne zasługi przez długie lata miała tu czarzasto-kwiatkowska telewizja państwowa (chyba dla kpiny zwana u nas „publiczną"). Ludowy przywódca wciąż pojawiał się na jej ekranie, gromiąc złodziei, utyskując nad krzywdą prostego człowieka, względnie doznając operetkowych prześladowań, w postaci, na przykład, demonstracyjnego założenia mu na przejściu granicznym kajdanek, które zdjął natychmiast po wyłączeniu kamery.

Nie chce mi się o tym rozpisywać, tym bardziej, że tę pracę wykonali moi koledzy z gazety, poświęcając całą książkę wyłuszczaniu, w jaki sposób tego osobnika wykreowano, skąd miał pieniądze na zbudowanie partii i tak dalej; można łatwo się domyślić, kto zapewnił mu ten glejt na bezkarne obrażanie ludzi, i co otrzymał od Leppera w zamian.

Moją uwagę zwraca co innego. Otóż politykom, biadolącym nad tym, że taki Lepper wdarł się przebojem do ich grona, że zaniżył standardy, przyczynił się do zdziczenia politycznych obyczajów i tak dalej, chciałbym zadać jedno pytanie. Brzmi ono: a co takiego zrobił Lepper, czego by przed nim nie zrobił w Polsce jakiś inny polityk, uważany za „cywilizowanego"?

Że plecie populistyczne androny? Ależ plotło je tutaj i plecie 90 procent polityków! W końcu to nie komuniści upowszechnili wśród polactwa przekonanie, dziś podzielane powszechnie, że peerel był krajem dostatnim i przyjaznym obywatelom, który dopiero „Solidarność" doprowadziła do ruiny. Na początku lat dziewięćdziesiątych czerwoni nie śmieliby z czymś takim publicznie wyskoczyć. Wyręczyła ich tak zwana „centroprawica", która – podzielona, śmiertelnie skłócona i licytująca się, kto skuteczniej trafi w nastroje niezadowolonego elektoratu – od stonowanej i często uzasadnionej krytyki tego czy innego posunięcia Mazowieckiego czy Bieleckiego błyskawicznie przeszła do chóralnego wrzasku, że przez kapitalizm Polskę zniszczono, wyprzedano, rozkradziono i wpędzono w nędzę. Starzy pezetpeerowcy i zeteselowcy uderzyli w ten ton znacznie później, w wypadku SLD stało się to właściwie dopiero po przekształceniu sojuszu w jedną partię, w budowie której z premedytacją oparł się Miller na starych aparatczykach, odsuwając pozujących na nowoczesnych Europejczyków działaczy byłej SdRP. I, oczywiście, to ci starzy aparatczycy zgarnęli owoce ciężkiej propagandowej orki narodowych katolików i solidarnościowych radykałów. Ci ostatni, wykazując się właściwym swej formacji oderwaniem od rzeczywistości, nie raczyli zauważyć, że elektorat radykalny, owszem, w Polsce jest – ale że jest to elektorat programowo antysolidarnościowy i propeerelowski. Co zresztą logiczne. Jeśli taki, powiedzmy, Macierewicz, klarował polactwu, że po roku 1989 Polskę doprowadzono do ruiny, to polactwo bardzo logicznie dochodziło do wniosku, że trzeba głosować na komucha, a nie na Macierewicza, który swą wieloletnią działalnością w KOR-ze (strach przypomnieć: żydowsko-masońskim) przyczynił się do upadku socjalnego bezpieczeństwa peerelu. A że PSL i SLD z czasem się skompromitowały, nic dziwnego, że obiektem westchnień czcicieli peerelu stał się Lepper, zawsze znajdujący dobre słowo dla Gierka i jego polityki.

Że blokował drogi? Ależ blokowanie dróg za bilet do polityki posłużyło już w 1990 ówczesnym działaczom rolniczych związków. Jeden z nich zaledwie dwa lata później został ministrem rolnictwa. Co więcej, za ich czasów blokowanie dróg było całkowicie nielegalne. Za Leppera – rzecz dyskusyjna, bo wprawdzie zakazuje tego, teoretycznie, prawo o ruchu drogowym, ale z drugiej strony, pod naciskiem wspomnianych już działaczy rolniczych wprowadzono do ustawy taki oto kwiatek, że związki rolników mają prawo do prowadzenia protestów w formie ustalanej przez związki rolników. Jasno więc z tego wynika, że jeśli formą swego protestu wymyślą sobie związki rolników, dajmy na to, bicie ministra pięściami po głowie, też będzie to jak najbardziej zgodne z ustawą.

Że przewodził zbiorowym napaściom na gmachy publiczne, połączone z ich okupowaniem, obrzucaniem śrubami i workami z farbą oraz paleniem opon? A czy to kiedykolwiek dyskredytowało przywódców „Solidarności" z Marianem Krzaklewskim na czele? Więc co, jego zwyczaj bluzgania grubym słowem? Bez żartów! Modę na używanie w polityce ostrych epitetów wprowadzono już podczas „wojny na górze". Miller, jak się już wspomniało, używał sobie na Buzku jak na przysłowiowej łysej kobyle; szmatławca Urbana, pełnego najgorszych plugastw, nie wstydzili się kłaść na swych biurkach czy przeglądać podczas nudnych sejmowych posiedzeń członkowie rządu, posłowie, senatorowie. Jakoś też styl tegoż szmatławca nie przeszkadzał w zapraszaniu jego redaktora naczelnego i wydawcy do telewizyjnych dyskusji na prawach autorytetu moralnego, a ludzie, uważający się za elitę, nie mieli żadnych oporów, żeby się pluskać w jego basenie i wspólnie chlać gorzałę.

Zresztą Lepperem, nawet gdy był jeszcze tylko małym opluskwiaczem, też się nie brzydzono. Z jednej strony, owszem, wytaczano mu jeden po drugim farsowe procesy o „lżenie i poniżanie" władz państwowych, ale z drugiej przedstawiciele tychże lżonych władz, na czele ze „szmaciarzem" Kwaśniewskim, nie widzieli powodu, by nie posyłać kurtuazyjnych delegacji bądź nawet przychodzić osobiście na zjazdy „Samoobrony". Nic zresztą, nawiasem mówiąc, nie pokazuje dobitniej, czym różni się okrągłostołowa Polska od normalnego państwa. W Stanach Zjednoczonych nikomu do głowy by nie przyszło, że prawo może przewidywać karę więzienia za lżenie władzy. To jest wolność słowa: nie podoba ci się prezydent, możesz go krytykować. Chcesz go nazwać grubym albo plugawym słowem, trudno, wolność słowa jest dla każdego, a nie tylko dla tych, którzy potrafią z niej dobrze korzystać. Ale jeśli się tak zachowujesz, nie licz, że ktokolwiek szanujący się poda ci rękę, przyjmie w swoim gabinecie albo wpuści do liczącego się programu w telewizji. Prawo nie zabrania głupich, antysemickich filipik, na jakie kilkakrotnie pozwolił sobie prezes Kongresu Polonii Amerykańskiej Edward Moskal, ale zabrania ich przyzwoitość – w związku z czym pan Moskal nie jest i nigdy już nie będzie przyjmowany nawet przez gminnego radnego. Nie istnieje. Po prostu. Oczywiście, jak wszystko, także i ten mechanizm jest podatny na degenerację – dzięki przyzwyczajeniu do takiego traktowania ludzi łamiących zasady przyzwoitości (i oczywiście, dzięki budowanym latami wpływom lewicy w mediach) możliwa stała się w Ameryce „polityczna poprawność", nieformalna cenzura życia publicznego, bardzo podobna do tego, co u nas z dużym powodzeniem usiłowała stworzyć michnikowszczyzna. Nie masz rzeczy pod każdym względem błogosławionej, jak mawiali starożytni.

Ale wracajmy do Leppera: jak na razie nie udało nam się znaleźć w jego zachowaniu niczego, co byłoby nową jakością. Bo o rzucaniu pomówień z sejmowej mównicy nie warto nawet wspominać. Przecież już w 1992 roku sam profesor Geremek, jeden z arbitrów elegancji, oskarżył z tego samego miejsca obalonego dopiero co premiera Olszewskiego, że przygotowywał zamach stanu. Kilka lat później innego premiera jego własny (nominalnie, oczywiście, bo faktycznie prezydencki) minister oskarżył o szpiegostwo na rzecz obcego mocarstwa. To naprawdę były zarzuty znacznie poważniejsze, niż sugerowanie Andrzejowi Olechowskiemu, że umożliwiał Talibom zaopatrywanie się w hodowanego w PGR Klewki wąglika czy też że w warszawskiej kawiarni ktoś dyskretnie wręczył mu dwa miliony dolarów w gotówce (nikt, heca kompletna, nie zwrócił uwagi, że najwyższy pozostający w obiegu dolarowy nominał to setka, więc łapówka ta musiała mieć postać dwóch ogromnych toreb typu

„przemytniczka"). Ani ich nie udowodniono, ani nie odwołano, starym polskim zwyczajem zostawiając niezałatwioną sprawę „do przyschnięcia".

Więc czego teraz chcecie od Leppera? Facet, wbrew potocznemu mniemaniu, nie obalił żadnego tabu, żadnej bariery – wszystkie były obalone już wcześniej. Okazał się tylko bardziej konsekwentny, bardziej skuteczny i bardziej pozbawiony skrupułów w korzystaniu z metod, które dały władzę kolejnym zmianom rządzących III RP. Był i jest taki sam jak one, tylko bardziej. I mam wrażenie, że jeśli społeczeństwo spogląda na swoich wybrańców z obrzydzeniem, bo widzi w nich swój własny portret – to dokładnie z tego samego powodu politycy spoglądają z obrzydzeniem na Leppera.

Może z tą poprawką, że stanowi on nie tyle portret, co karykaturę. Jego „Samoobrona" jest niczym więcej, jak tylko groteskową karykaturą „Solidarności", podobnie jak on sam – Wałęsy. Próbuje odwołać się do tych samych patriotycznych i wolnościowych emocji, powtórzyć tkwiące gdzieś w zbiorowej pamięci doświadczenie Sierpnia'80. Pewnie, że rocznicowe obchody bijatyki w Bartoszycach i nadymanie byle rozróby do rangi narodowej martyrologii wychodzą żałośnie, bo od czasów Sierpnia sytuacja Polski zmieniła się diametralnie – ale jednak wychodzą, bo wielu Polaków zmiany tej nie może zrozumieć albo przyjąć do wiadomości.

Oczywiście, o świadomym odwoływaniu się do wzorca „Solidarności" nie ma mowy. W tych kręgach społecznych, do których się „Samoobrona" zwraca, sama nazwa „Solidarność" jest dziś wręcz znienawidzona, do tego stopnia, że kiedy znalazła się ona w nazwie funduszu emerytalnego założonego wspólnie przez związek zawodowy i szwajcarskie banki, trzeba było szybko to zmienić, bo klienci pluli na akwizytorów. Ale symbole sobie, a mit pozostaje żywy, choć nie uświadamiany. Mit wielkiego, narodowego ruchu, kierowanego przez charyzmatycznego przywódcę, który odsuwa od władzy okradającą naród szajkę. Wszelka polityka w Polsce, od 1989, stale się musi z tym mitem borykać, albo się w niego wpasowywać – częściej to drugie. Wiadomo, co się raz zdarzyło na poważnie, będzie się potem powtarzać jako farsa. Łatwiej, niż namawiać polactwo do kombinowania nad podatkami, programami i innymi szczegółami, odwołać się do „pamięci materiału", do wizji tkwiącej głęboko w zbiorowej pańszczyźnianej podświadomości. Państwo, ten nasz folwark, który powinien nam dawać chleb, ochronkę i bandosiarnię, dostał się w jakieś złe, obce ręce. Stał się wrogą, nieprzejrzystą strukturą, która zamiast nam, służy jakiejś mafii, skrywającej na dodatek prawdę o sobie, a nawet sam fakt swego istnienia. Stąd w myśleniu polactwa poprawa sytuacji nie leży w reformach, w dorabianiu się, w budowaniu, w sprawnym zarządzaniu, czyli w tym, o czym myślą obywatele państw o długiej demokratycznej tradycji – ale w zdemaskowaniu tej mafii, obcej narodowi, wypędzeniu jej z folwarku, i zastąpieniu „swoimi". Przez piętnaście ostatnich lat nic nie zapewniało politycznego sukcesu lepiej, niż „zdemaskowanie" rządzących – jako sługusów pazernego kleru, ukrytych Żydów, czy, po swojsku, „złodziei". Wczoraj Moskwa, dziś Watykan/Bruksela/Izrael, niepotrzebne skreślić, oto najkrótsze streszczenie polskiej debaty publicznej po 1989. Nie Lepper to wymyślił. On tylko zrobił lepiej to samo, co inni robili gorzej. Załapał się na casting na „polskiego Żyrinowskiego", ale wyrósł znacznie wyżej, niż to zapewne dopuszczali jego protektorzy. W ich planach miał pozostać tak, jak za czasów Millera, czy jak jego rosyjski pierwowzór, dziesięcioprocentowym marginesem, politykiem wiecznego protestu, oczywiście, protestu pozorowanego, który będzie głośno darł mordę i wznosił buńczuczne hasła, a po cichu wspierał władzę i żył w zamian za to w bogactwie. Ale te plany, oczywiście, nie przewidywały, że w ciągu niecałych trzech lat SLD tak obrzydnie się społeczeństwu, że nawet jego żelazny elektorat zacznie szukać innego wyraziciela swych interesów. Czy to znaczy, że Lepper urwał się swoim mocodawcom ze smyczy, czy też – co nakazywałaby elementarna ubecka rutyna – zachowali oni sobie dość „haków", żeby mieć faceta pod kontrolą? Osobiście zakładam to drugie, ale czas pokaże.

*

O Lepperze wypisuje się teraz całe tomy politycznych i socjologicznych analiz, a tak naprawdę wystarczyłoby zacytować jedną anegdotę. Przewodniczący „Samoobrony" wystąpił kiedyś – wielu ludzi musiało to przecież widzieć – w popularnym talk-show Ewy Drzyzgi, gdzie, zapewne chcąc zmienić swój prostaczy wizerunek, poddał się egzaminowi specjalisty od savoir-vivre'u. Ma pan ważnego i godnego szacunku gościa, mówi egzaminator, i podjeżdża limuzyna, do której obaj wsiadacie. Gdzie pan sadza gościa, a gdzie siada sam? Lepper: gość siada za kierowcą, a ja obok. Nie, poprawia specjalista od dobrych manier, za kierowcą siada pan sam, a gościa sadza obok siebie. Na co Lepper protestuje stanowczo: ależ ja jestem politykiem, a polityk jest najważniejszy!

*

W gruncie rzeczy zgadzam się z tymi, którzy protestują przeciwko krytykowaniu „klasy politycznej", „polityków" czy „elit politycznych" jako całości. Fakt oczywisty – czyniąc tak, wsadzamy do jednego worka tego, kto posyłał Rywina do Michnika i tego, kto usiłował tego pierwszego wytropić, tych, którzy psuli gospodarkę z tymi, którzy ją naprawiali, i tak dalej. I, rzeczywiście, umacniamy w ten sposób stereotyp, że wszyscy politycy są siebie warci, a skoro tak, to trzeba popierać tych, którzy twierdzą, że politykami nie są. Stąd potem takie idiotyzmy, jak pozytywny odbiór przez polactwo lepperowych zapewnień „my jeszcze nie rządziliśmy". Trudno by znaleźć takiego durnia, żeby, mając do wykonania nawet prostą operację, nie zaraz tam trepanację czaszki – choćby tylko wycięcie migdałków, zdecydował się pójść pod nóż facetowi chwalącemu się, że nigdy jeszcze nikogo nie operował, choć, na logikę, tylko takiemu można na sto procent zaufać, iż nigdy ani jednej operacji nie sknocił. Ba, nie sądzę, żeby ktoś mechanikowi, który nigdy jeszcze tego nie próbował, powierzył naprawę swojego samochodu. A jednak ludzie, którzy podobnych głupstw nie zrobiliby nigdy, gotowi są beztrosko powierzyć naprawę Rzeczypospolitej ludziom, o których tak naprawdę nie wiedzą (i nie chcą wiedzieć, w tym problem) niczego, tylko dlatego, że oni jeszcze nie rządzili?

Odpowiedź, dlaczego tak się dzieje, jest prosta: bo „jeszcze nie rządziliśmy" znaczy tu tyle, co „nie jesteśmy złodziejami". Utwierdzać ten stereotyp znaczy tyle, co robić u Leppera za „pożytecznego idiotę".

W porządku, jest to pułapka, i ja też w nią wpadam – ale z drugiej strony, ile razy mogę zastrzegać, że „niektórzy”, że „większość” i że głównie zachowują się tak politycy lewicowi, skoro lewicowi są u nas prawie wszyscy politycy, także większość tych, którzy nazywają siebie prawicą? (Nie, mili Państwo, to nie żadna moja obsesja, tylko po prostu stwierdzenie faktu. W takiej Ameryce, na przykład, odwrotnie, politycy tam nazywani lewicowymi u nas uchodziliby za skrajnych zwolenników „wilczego kapitalizmu”.) W końcu zrobi się to równie żałosne, jak uparte nazywanie przez media robiących zadymy kiboli „pseudokibicami”. Mam się naprawdę bawić w podobne zaklinanie rzeczywistości i pisać o „pseudopolitykach”, sugerując, że prawdziwi politycy powinni być inni, tylko że tych prawdziwych nie masz w naszej chacie?

Pewnie, pisząc o braniu przez lekarzy kopertówek krzywdzi się jakąś grupę tych, którzy przypadkiem nie biorą – i tak dalej, nie dłużmy listy przykładów. Ale na ogólną ocenę polityków pracują ci, którzy są najskuteczniejsi i odnoszą największe sukcesy, a dążenie do sukcesu wymaga podporządkowania się właśnie takim a nie innym regułom. A to z kolei wynika z takich a nie innych oczekiwań, jakie ma wobec swoich polityków społeczeństwo. Lepper jest jaki jest, bo trafnie zanalizował mechanizmy sukcesu swoich poprzedników i skopiował je w udoskonalonej formie – i baw się teraz w kombinowanie, czy pierwsze było jajo, czy kura, to znaczy, czy tacy ludzie nami rządzą, bo lepszych od nich polactwo zmiotło ze sceny politycznej, czy też polactwo tak zdurniało, bo od piętnastu lat jest przez kolejne ekipy władzy i opozycji karmione kłamstwami, populistycznymi bredniami i zwykłą głupotą?

Nie będę się w to wdawał. Robię unik, do którego mam prawo jako felietonista, i zwracam uwagę Drogiego Czytelnika, jakiego znaczenia nabrało w polszczyźnie przez ostatnich piętnaście lat samo słowo „polityczny”. „To są polityczne zarzuty”, broni się każdy prominent oskarżony o przekręty, i ma to znaczyć tyle, co zarzuty fałszywe, sfabrykowane, oszczercze, stanowiące element jakiejś brudnej, personalnej rozgrywki. „To była polityczna nominacja”, pisze gazeta i wszyscy wiedzą, że znowu nominowano na ważne stanowisko ignoranta, tylko dlatego, że jest czyimś kolesiem. „Decyzja polityczna” nie oznacza u nas wcale, jak w cywilizowanym świecie, decyzji zasadniczej, określającej, jaką wizją świata będzie się kierować władza w konkretnych przypadkach – tylko decyzję nie mającą merytorycznego uzasadnienia, podjętą w interesie koterii, a nie ogółu.

Mówimy partia, a w domyśle – sitwa. Tak polactwo widzi politykę, i, co ciekawsze, taką ją w gruncie rzeczy akceptuje. Nie gębą, ale konkretnymi decyzjami, zgodnie z wieloletnim przyzwyczajeniem, że w tym kraju rozsądny człowiek co innego mówi, a co innego robi. Ciekawą zmianą, jaką przyniosły ostatnie lata, jest znacznie większe niż kiedykolwiek zainteresowanie mieszkańców naszego kraju osobistym wstępowaniem do partii politycznych. W początkach bowiem ustrojowych przemian liderzy byłej opozycji, mając wciąż w umysłach te legendarne dziesięć milionów obywateli, które pono należały do NSZZ po sierpniu 1980, byli przekonani, że jeśli tylko utworzą partię, to z punktu stanie się ona partią masową – i strasznie się nacięli. Nic podobnego nie nastąpiło. Do neo-Solidarności, która na mocy układu Okrągłego Stołu była zupełnie nowym, od zera rejestrowanym związkiem, a nie tą „Solidarnością" sprzed lat dziewięciu, nie chciała wstąpić nawet jedna piąta tego, co dawniej (jeśli tych dziesięć milionów było prawdą – ale niech to sprawdzają historycy), choć członkostwo w związku zawodowym dawało profity. Postsolidarnościowe partie właściwie zawsze pozostawały kadłubkami, przyciągającymi jedynie garść pasjonatów pracy społecznej i urzędników administracji publicznej, bo tak się niefortunnie złożyło, że powstawały one „od góry", zakładane przez polityków rządzących. PSL twierdziło wtedy, że ma kilkadziesiąt tysięcy ludzi, rachując po starych kwitach wszystkich, którzy się nie wypisali, ale gdyby uwzględnić tak minimalny przejaw partyjnej aktywności, jak płacenie składek, liczbę tę na pewno trzeba by poważnie zredukować.

Łezka mi się zakręciła w oku, gdy z jakiejś zawodowej przyczyny – nie pamiętam już, do czego konkretnie było mi to potrzebne – musiałem liznąć odrobinę wiedzy o organizacjach społecznych w przedwojennej Polsce. Boże mój, wynika z tego, że co drugi Polak wówczas gdzieś należał, a wśród tych z górnej półki – każdy do kilku stowarzyszeń i organizacji jednocześnie. Jak w Ameryce! Różne towarzystwa gimnastyczne, ziemiańskie, przemysłowe, rolnicze, edukacyjne, kółka i komitety, stowarzyszenia krzewienia tego albo tamtego, robotnicze uniwersytety, spółdzielnie, związki, akcja katolicka, ligi na rzecz i przeciwko... Partie polityczne były w tym wszystkim tylko emanacją potężnych, spontanicznych ruchów społecznych, zakorzeniały się w dziesiątkach i setkach mniejszych i większych organizacji, prowadzących w duchu endeckim, ludowym czy socjalistycznym codzienną, przyziemną, potrzebną prostym ludziom działalność.

Po pół wieku socu czyta się o tym jak o Żelaznym Wilku – wszystko zostało zniszczone, zdeptane, rozpędzone, a ludziska pozaganiani każdy do swojej zagrody, w której siedzi, szczerząc nieufnie kły na wszystkich dookoła i usiłuje się nie wychylić, bo jak się kończy wychylanie, wiadomo. Problem nie na tym nawet polega, że całą tę infrastrukturę, która zamieszkujących pewien obszar i używających tej samej mowy tubylców przemienia w społeczeństwo, tak brutalnie komuniści zniszczyli, ale na tym, iż wcale ona nie odrasta. Bo wydaje się nikomu niepotrzebna. Kto, poza garstką nawiedzonych, działa u nas społecznie? Kto by chciał wiązać się z sąsiadami w jakąś kooperatywę czy spółdzielnię, na jakich opiera się całe rolnictwo Niemiec i Francji? Dzięki takim kooperatywom tamtejsze chłopstwo nie klnie na zawyżających ceny pośredników, bo samo trzyma w garści hurt swoich wyrobów. Ale dzisiejszy polski chłop woli raczej kląć, niż pogodzić się z myślą, że zarobi na nim sąsiad, a peeselowska nomenklatura z SKR-ów wręcz się przed powrotem autentycznej spółdzielczości broni rękami i nogami, bo uczyniłoby to ją całkowicie zbędną.

Zresztą, znam historię pewnego młodego, energicznego sadownika, który usiłował rozkręcić kooperatywę i sprzedawać jabłka do Anglii – zainteresowanie owszem, ceny całkiem niezłe, tylko jeden warunek, że pakowane do skrzynek jabłka mają być przebrane pod względem jakości i rozmiarów. Ale gdzie tam chytremu chamusiowi przetłumaczysz: miałby wyrzucać, rezygnować z paru groszy więcej, tylko dlatego, że zgnite? A upchnie jakoś, przecież nie sprawdzą, który konkretnie z uczestników interesu podrzucił zgniłka. Anglicy rzeczywiście nie sprawdzali, po prostu, kiedy raz i drugi dostali skargi od swoich klientów, kazali się całować w zaplecze i tak się cała historia skończyła. Ten facet już na pewno drugi raz nie będzie kombinować, żeby cokolwiek wspólnie z innymi rozkręcać – i na pewno nie znajdzie zbyt wielu naśladowców.

Polactwo przez pół wieku było brutalnie karane za każdy przejaw społecznego instynktu, za solidarność, współpracę, inicjatywę – a nagradzane za barani posłuch i bierność. Przez cały ten czas sączono mu w uszy, że wolno ewentualnie upominać się o „bolączki", ale o sprawy poważne, prawdziwe, dotyczące wszystkich, to ani się waż! Nawet w sferach, od których z samej ich natury należałoby wymagać większej publicznej aktywności, pokutowała moda na szpan „nie zawracajcie mi głowy polityką" (za peerelu „polityką" było, hasłowo, wszystko, co się nie podobało partii) czy „phi, dla mnie Tygodnik Mazowsze to taka sama prymitywna indoktrynacja jak Trybuna Ludu". Czegóż chcieć od pańszczyźnianych, u których socjalistyczna tresura dokładała tylko swoje do bierności i nieufności zapisanej w genach?

Zgodnie z „prawem Ziemkiewicza" finansowanie partii politycznych w końcu wzięło na siebie państwo (żadna zakichana łaska, zważywszy, że robi to za nasze pieniądze), bo sami obywatele nie potrzebują ich ani za grosz. Tych, którzy gotowi byli się zapisać, liczyło się kiedyś na palcach jednej ręki, ale gotowych zapłacić naprawdę groszowe składki była wśród nich średnio połowa. Podobna niechęć płatnicza charakteryzowała członków związków zawodowych – dać się ewentualnie skrzyknąć na jakiś strajk, to owszem, ale tylko w sprawie „bolączek" naszej firmy. To nie jest Ameryka, gdzie wsparcie datkiem kampanii wyborczej bliskiego sercu kandydata czy to do Rady Szkolnej, czy do Białego Domu, jest gestem oczywistym. Tu demokracja jest czymś obcym, zadekretowanym. Ma być, to niech sobie będzie, ale mnie nic do tego. Partie polityczne z niczego tu nie wyrastają, przypominają grupki spadochroniarzy zrzuconych w jakiś zupełnie sobie obcy kraj – i same zwykle traktują ten kraj jak podbity, łupiąc go po zwycięskiej kampanii bez cienia skrupułów, a tubylcy w najlepszym wypadku okazują im obojętność, uważając za zło konieczne.

*

Nawiasem mówiąc, jak niesamowicie powoli zmienia się ludzka mentalność – a żeby być ścisłym, nie zmienia się w ogóle, tylko biologia sprawia, że po jakimś czasie ludzie ukształtowani na nowszy sposób zaczynają mieć statystyczną przewagę – miałem okazję dobitnie przekonać się podczas zbierania podpisów pod „społecznym projektem konstytucji”, firmowanym przez „Solidarność”. Z tym projektem to był zresztą osobny kryminał; napisali go naprawdę dobrzy konstytucjonaliści, po czym jakieś młotki z komisji krajowej „poprawiły” projekt, wpisując do niego przywileje dla siebie jako zawodowych związkowców. W efekcie wyszedł żałosny knot, nie nadający się na konstytucję państwa w najmniejszym stopniu, przeciwko czemu eksperci nie odważyli się zresztą publicznie zaprotestować. W końcu związkowcy po pierwsze uosabiali Lud, więc musieli mieć rację, a po drugie stanowili „realną siłę polityczną”, czyli mieli rację w dwójnasób – podczas gdy eksperci byli tylko jakimiś tam inteligencikami, za którymi nikt poważny nie stał.

Tak czy owak, sprawa wzięła w łeb bynajmniej nie z tego powodu. Pod owym projektem zamierzano zebrać jakieś dziesięć – piętnaście milionów podpisów i przytłoczyć nimi zdominowany przez SLD-PSL parlament. Rzecz wydawała się zupełnie realna. Centroprawica wypadła wtedy z parlamentu nie tyle z niechęci wyborców, co poprzez rozbicie ich głosów, gdy się te głosy zsumowało, wychodziło całkiem sporo; związek miał rozbudowane struktury i etatowych pracowników, a na dodatek można było liczyć na poparcie proboszczów. Wydawało się, że zakładany wynik jest w zasięgu ręki. Tymczasem skończyło się na jakimś, jeśli mnie pamięć nie myli, milionie i paru tysiącach podpisów – mniej w każdym razie, niż „Solidarność” oficjalnie liczyła sobie członków.

Oczywiście, jako zagorzały wróg zawodowych związkowców, nie brałem w całej sprawie udziału, ale nagadałem się z kolegami, którzy usiłowali te podpisy zbierać. Byli zszokowani i przerażeni. Od zmiany ustroju minęło wtedy dobre pięć lat, a tymczasem ludzie proszeni o podpis po prostu chowali się we własne buty. Przepraszali, błagali, żeby ich zrozumieć, tłumaczyli: syn jest na studiach, nie mogę go narażać. Rodzinę mam za granicą, jak mi zabiorą paszport, to koniec, nigdy się z nimi nie zobaczę. Choruję, nie mogę ryzykować, że mi odbiorą świadczenia. Myślicie państwo, że żartuję? Szczerze mówiąc, ja też nie mogłem uwierzyć, ale mam do tych, którzy mi to opowiadali, zaufanie. Ludziska bali się złożenia podpisu pod czymś, co wydawało się niemiłe dla władzy, niczym diabeł święconej wody. Niby tam ustrój się zmienił, ale polactwo w to tak naprawdę nie wierzyło.

*

Skoro wspomniałem o tej szczególnej formie organizacji społecznej, jaką są związki zawodowe, to parę słów na ten temat. Związek zawodowy to po prostu gang – taki sam, jak łysole w dresach, którzy wymuszają haracze od restauratorów i sklepikarzy. Kieruje się jedną zasadą: swoim ludziom załatwić jak najwięcej. Wywalczyć, żeby pracowali jak najmniej za jak największe pieniądze, i żeby mieli, ile się tylko da, dotacji, subwencji i przywilejów branżowych. Interes ogółu obchodzi związkowca tyle co zeszłoroczny śnieg, bo to nie jego interes – co niektórzy potrafią nawet z całym cynizmem otwarcie i publicznie powiedzieć, jak ongiś szef górniczej „Solidarności" (zapadło mi w pamięć, bo cynizm tej wypowiedzi w szczególny sposób zderzył się z historyczną nazwą związku). Od prostych gangsterów różnią się tylko tym, że nie trudzą się wymuszaniem haraczu od każdego z nas z osobna – robi to za nich rząd, a oni tylko biorą swoją dolę z budżetu państwa, dzięki czemu nieoświecone w takich kwestiach masy w większości w ogóle nie zdają sobie sprawy, że to one im płacą.

Ale, generalnie, w państwach cywilizowanych związki zawodowe spełniły jedną pożyteczną cechę: dały możliwość awansu ambitnym energicznym ludziom ze społecznych nizin. Stanowią jakby drabinę awaryjną, po której może się wspiąć do warstw wyższych ktoś, kogo nie predestynuje do tego ani urodzenie, ani majątek, ani talent, ale kto mimo wszystko jest na tyle energiczny, że zepchnięty na dół społecznej drabiny byłby niebezpieczny. A może, zamiast o drabinie, powiedzmy raczej o wentylu. W każdym ustroju społecznym, jakkolwiek jest on ustawiony, jakaś liczba ludzi o przywódczych zdolnościach i ambicjach nie może spełnić swych aspiracji w panującym systemie. Zablokowani na nizinach, swą szansę widzą w buntowaniu tych, którzy znaleźli się tam razem z nimi. I jeśli takich ludzi zbierze się za dużo, to po prostu rozsadzają system.

Dlatego dla społeczeństwa jest bardzo korzystne, aby przywódcy potencjalnego buntu mieli szansę się zawczasu skorumpować i przejść do klas wyższych. Jak w dawnej Rzeczypospolitej Obojga Narodów, gdzie tak łatwo było sprytnemu mieszczaninowi lub chłopu wkręcić się w szeregi szlachty (patrz: „Liber chamorum"), że nigdy tu żadne wojny chłopskie ani ruchawki nie wybuchły, bo każdy polski potencjalny Pugaczow od razu przechodził na drugą stronę.

Tylko że w III RP i ten mechanizm schrzaniono. „Solidarność" była związkiem zawodowym. Uzyskawszy wpływ na władzę, kierowała się interesem swoim, jako związku, a nie kraju, co może oburzać, ale w końcu jest zrozumiałe. Przyznała sobie rozmaite przywileje – patrz wyżej. Ale dlaczego żaden osioł nie pomyślał, żeby przynajmniej zastrzec te przywileje tylko dla tych związków, które w chwili ich uchwalania już istniały?

W Niemczech czy Francji jest kilka dużych central związkowych, i oczywiście też szkodzą one państwu, ale to nic w porównaniu z tym, co dzieje się u nas. U nas wystarczy skrzyknąć dziewięciu kumpli, zarejestrować się jako grupa inicjatywna – i już korzystasz z tych samych przywilejów. Rozmawiałem kiedyś z osobą, której zaproponowano uzdrowienie miejskiego ośrodka kultury – instytucja pogrążona była od lat w degrengoladzie totalnej, kosztowała miasto straszne pieniądze i nikt nie potrafił jej uporządkować; powiem od razu, że wspomniana osoba też nie dała rady. Z prostej przyczyny. Ośrodek ów zatrudniał 117 pracowników, i, co gorsza, działało w nim 11 związków zawodowych. Nie można było zwolnić nikogo (z arytmetyki może się Czytelnikowi wydawać, że siedmiu jednak wywalić się dało. Wyjaśniam: tych siedmiu nie było wcale takimi frajerami, po prostu ich chroniły zaświadczenia lekarskie o przewlekłych chorobach i udzielone na ich podstawie długoterminowe urlopy zdrowotne).

Już w roku 1993 działało w Polsce 1500 związków zawodowych, w tym 200 ogólnopolskich. O kilkunastu związkach pasożytujących na górnictwie już pisałem. W PKP, na przykład, pensje działaczy 16 związków zawodowych wynosiły wtedy kwartalnie 8,5 miliarda ówczesnych złotych, a ich rachunki telefoniczne – ponad miliard. W „Polskiej Miedzi" co miesiąc wypłacano działaczom 11 związków ponad miliard. To stare dane, potem związkowcy sprytniej już się ze swymi zarobkami ukrywali – ale jeśli ktoś założy, że z roku na rok było coraz lepiej, to uznam go za nastawionego do życia z przesadnym optymizmem. Ustawa określa, że związkowców ma obowiązek utrzymywać firma – musi płacić im pensje, zwracać za telefony i faksy, udostępniać służbowe pomieszczenia. Jeśli to firma prywatna, płacimy za to wszystko jako konsumenci, bo przecież te koszty znajdują się w cenach. Jeśli państwowa – płacimy jako podatnicy. Nic dziwnego, że zaroiło jak nigdzie na świecie odpasionymi zawodowymi obrońcami ludu, którzy nie dość, że na nas pasożytują, to jeszcze w imię egoistycznych interesów swoich gangów rozwalają nam krok po kroku państwo, jak kiedyś szlacheckie sejmiki i konfederacje.

Na tę kanadę obrońców robotników z zazdrością patrzyli działacze związków rolniczych – oni nie mieli kogo zobowiązać do płacenia im związkowych pensji, chyba siebie samych. Ale szybko wpadli na inny pomysł: żeby tzw. ubezpieczenia społeczne rolników wydzielić z ogólnej puli i założyć taki mały wsiowy zusik. A na tym już można pasożytować. Mniejsza o posadki – chociaż jeśli ktoś z Państwa pokaże mi jeden sensowny argument, po co Kasie Rolniczych Ubezpieczeń Społecznych pięćdziesięcioosobowa rada nadzorcza, to dostanie symboliczny talon na balon. Zresztą, co tam gadać o radzie nadzorczej: nie ma w ogóle żadnego powodu dla istnienia osobnej kasy rolniczej. Przecież gdyby chodziło tylko o to, żeby rolnicy płacili mniejsze składki, bo na normalne ich ponoć nie stać (nawet tych, co mają trzysta hektarów?!), to spokojnie można by załatwić sprawę wewnętrznym rozporządzeniem w ramach ZUS-u.

KRUS był potrzebny, oczywiście, do czego innego – do tego, by wydzielić z niego tak zwany „fundusz składkowy", zasilający rolnicze organizacje. Ot, jeszcze jeden pomysł, by, mówiąc Szpotem, w ten socjalistyczny system rurek, którymi państwo przelewa od-do konfiskowane obywatelom pieniądze, swój prywatny wkręcić kurek. Tylko, jak zwykle, zgubiła chłopstwo pazerność – ustaliło sobie składki na tak absurdalnie niskim poziomie, że sprawa w końcu nabrała rozgłosu, narastającego z każdym rokiem. A rozgłos jest dla tego typu interesów bardzo niewskazany.

Gwoli uczciwości trzeba przyznać polactwu, że, jak jasno wynika z sondaży, od dawna nie ma już co do zawodowych związkowców złudzeń – zaufanie, którym ich obdarza, i respekt, jakim ich darzy, nie różni się od tego, co czuje do polityków.

*

Ale zacząłem przecież ten wątek od stwierdzenia, że coś się zasadniczo zmieniło. Otóż – w piętnaście lat po ustrojowej Wielkiej Przemianie skłonność mieszkańców naszego kraju do zapisywania się do partii politycznych okazuje się nieporównywalnie większa, niż u początków III RP. Z tym, że dotyczy ona tylko tych partii, które akurat wygrywają w sondażach.

Przed laty miałem okazję uczestniczyć w pewnym spotkaniu przygotowanym przez Grupę Windsor – było to coś jakby warsztaty dla polskich prawicowych polityków, prowadzone przez brytyjskich konserwatystów. Pamiętam, jak podczas dyskusji zabrał głos Ludwik Dorn, opowiadając o losach Porozumienia Centrum. W pewnym momencie, mówił, kiedy partia była uważana za tę właśnie, która będzie rządzić Polską, zaczął się masowy napływ chętnych, nagle się ich zapisało aż piętnaście tysięcy i zaczęliśmy nad tą masą tracić kontrolę – na szczęście udało nam się w porę wprowadzić procedury weryfikacji i dwóch trzecich się pozbyć. W tym momencie wszyscy Anglicy, jak jeden mąż, popatrzyli ze zdumieniem na tłumacza, a ten w swej kabinie rozłożył szeroko ręce i pokręcił głową, że nic nie pochrzanił, tylko dokładnie przetłumaczył to, co zostało powiedziane.

Aż piętnaście tysięcy ludzi – początek lat dziewięćdziesiątych. W parę miesięcy po tym, jak wskutek upadku sondażowych notowań partii Leszka Millera „Samoobrona" zaczęła wychodzić na prowadzenie w rankingach, zapisało się do niej, jak w wywiadzie dla jednego z tabloidów oznajmił triumfalnie sam przewodniczący, sto tysięcy nowych członków.

Sto tysięcy! Może „marszałek" przesadził, może nas buja? Może. Ale skłonny jestem wierzyć, bo nieco wcześniej działacze SLD przyznali się, że około stu tysięcy członków ubyło z ich szeregów, nie tyle wskutek weryfikacji, co wskutek niezłożenia na nowo deklaracji członkowskich. W chwilach swej potęgi SLD twierdził, że skupia 150 tysięcy ludzi – wynika więc z tego, że wraz z załamaniem popularności partii dwie trzecie organizacyjnego pogłowia dały sobie z nią spokój.

Zapewne nie wszyscy poszli do Leppera. Skądś się przecież także musiały wziąć masy szturmujące drugą partię liderującą w sondażach, Platformę Obywatelską. Platformersi co prawda nie pochwalili się konkretnymi liczbami, ale i u nich, sadząc po informacjach prasowych, ruch musiał być zbliżony. Wielokrotnie większy niż w opisywanych przez Dorna pionierskich czasach PC.

Niestety, może od długoletniej dziennikarskiej orki scyniczniałem, co, jak się zdaje, jest w tym fachu chorobą zawodową – ale nie potrafię w sobie skrzesać radości, że oto tak wielu moich rodaków wreszcie poczuło potrzebę działalności publicznej, że chce się twórczo zaangażować w demokrację, w rozwój kraju, coś z siebie dać innym. Fakt, że nabór dotyczy tylko partii mających szansę na dorwanie się do koryta, a te, które od koryta odpadają, więdną, dowodzi jasno, że polactwo zapisuje się do partii po to, aby się załapać na dobrą fuchę. Przez piętnaście lat rządzący stale i stale zwiększali liczbę stołków obsadzanych z partyjnej nominacji. Zawłaszczali na ten cel coraz to nowe obszary – samorządy, instytucje komunalne, rady nadzorcze w kasach chorych, sądowych ławników i co tam jeszcze. W Warszawie, kiedy rządząca miastem UW z AWS została wskutek partyjnych rozłamów i zmiany sojuszy zastąpiona koalicją PO z SLD, wymieniono nawet dyrektorów miejskich basenów. Jeszcze parę kroków w tym kierunku, a partyjnej nominacji wymagać będzie nawet stanowisko babci klozetowej.

Aż fakt, że kto należy, ten może liczyć na stołek, został przez znaczną część społeczeństwa zaakceptowany. Może niechętnie, jak akceptowało się reguły rządzące krajem za komuny, na zasadzie trudno, tak jest i inaczej nie będzie, trzeba się przystosować, ale w każdym razie – został zaakceptowany. Partia polityczna to sitwa, której głównym zadaniem jest popieranie swoich ludzi w zajmowaniu stanowisk – od tych najważniejszych po najniższe. Jeśli jesteś wobec partii, a zwłaszcza jej kierownictwa, wierny i lojalny, to partia ci się odwdzięczy. Jak za dawnych, peerelowskich czasów. Tyle tylko, że wtedy partia była jedna, a teraz ma człowiek straszny stres, którą obstawić.

Rozdział V

Niewiele rzeczy charakteryzuje zbiorowość lepiej, niż to, jakich bohaterów czci. Dla polactwa, bez dwóch zdań, największym bohaterem przeszłości jest dzisiaj Edward Gierek. I nie powinno to zaskakiwać nikogo, kto rozumie, że trzonem dzisiejszej, zdegenerowanej polskości jest przedziwny amalgamat folwarcznego chamstwa z tym, co zdołało ono kiedyś podpatrzyć u panów – a najłatwiej było fornalom podpatrzyć i skopiować to, co najgorsze.

Otóż i bez Gierka mieliśmy już w naszej historii bohatera, do którego wstyd się przyznawać, a który otoczony został tak wielkim i spontanicznym kultem, że jego ślady przetrwały kilka wieków. Nie ma wprawdzie pomników, nie nadaje się jego imienia szkołom – ale to wszystko mało ważne, bo cześć, na jaką sobie u narodu zasłużył, uwieczniona została w materiale twardszym od spiżu. W języku.

Ów bohater to „król Sas". Epoka „króla Sasa" pozostała w polszczyźnie przysłowiową krainą szczęścia i świętego spokoju. „Jak za króla Sasa" znaczy tyle co „jak w złotym wieku". Kim był ów król, któremu wdzięczni potomni zbudowali w swej mowie – w pewnym momencie będącej jedynym, co im zostało – taką dziękczynną świątynię? Zwycięskim wodzem, jak Jan III, któremu za wojenne przewagi nad bisurmany dziękowało całe zachodnie chrześcijaństwo z Papieżem na czele? Wielkim budowniczym, jak Kazimierz, który odziedziczył państwo w stanie rozsypki, a uczynił je mocnym i zasobnym (ostatni nasz władca, zauważył satyryk, który zostawił Polskę w lepszym stanie niż ją zastał)? Może przynajmniej mecenasem kultury i sztuki, jak, średnio skądinąd udany, Stanisław August?

Nic z tych rzeczy. O Auguście III Sasie, bo o nim to mowa, historycy nie mają do powiedzenia absolutnie nic dobrego. Wybrany pod rosyjskimi bagnetami, większość czasu spędzał w ogóle poza Polską, polował, ucztował, a sprawami państwa nie zajmował się w najmniejszym stopniu, bo i zresztą był za głupi, by je ogarnąć. Za jego czasów państwo polskie zgniło, a społeczeństwo rozprzęgło się do cna – nie doszedł do skutku bodaj jeden Sejm, obce wojska łaziły po Rzeczypospolitej niczym po rozgrodzonym pastwisku, prowadząc rekwizycje i wybierając rekruta, król Prus bezkarnie zasypywał kraj fałszywą monetą, doprowadzając do ruiny gospodarkę, szczytów sięgnęła magnacka samowola, prawo przestało istnieć wobec przekupności sędziów i braku egzekucji, a ze świetnej niegdyś armii pozostało tyle akurat, co na oficjalne parady i pogrzeby. Powszechnie sprzedawano i kupowano wszystkie publiczne godności, urzędy, stopnie oficerskie, a czym nie kupczono, to puszczano w karty – władza nie istniała, panowało ostatnie bezhołowie i anarchia. Raj na ziemi! Za króla Sasa jedz, pij i popuszczaj pasa, chwaliły te czasy następne pokolenia.

Oczywiście, za te radosne zapusty przyjść musiał w końcu rachunek. Zmówili się tyrani, żeby ukrzyżować wolność – czyli, mówiąc mniej poetycko, a bardziej w zgodzie z faktami, trzy ościenne mocarstwa po prostu zapukały w mapę i wygniła Polska wysypała się z niej jak próchno. Ale to już nie była wina króla Sasa. Broń Boże! On, chłopina, rządził jak się należy, za jego czasów to się żyło. Zło przyszło potem.

Gierek, miernota z partyjnego aparatu, zasłużył sobie na wdzięczną pamięć polactwa dokładnie w ten sam sposób. Odziedziczył peerel już w czasach, gdy permanentny kryzys socjalizmu i wyczerpanie przez ten system możliwości rozwoju stawało się oczywiste, ale naturalnie nie zdawał sobie z tego sprawy ani nie był w stanie wyobrazić sobie skutecznej rady. Gdyby miał niezbędną ku temu porcję wiedzy i rozumu, nie zaszedłby przecież w kompartii tak wysoko. Odziedziczył państwo po siermiężnym Gomułce, komuniście z pokolenia wojennego, o wyglądzie gnoma z normańskich sag, który „sporty" (najgorsze peerelowskie sierściuchy bez filtra – wyjaśnię młodym Czytelnikom) dla oszczędności dzielił żyletką na pół i palił je w fifce, narodowi fundował mikroskopijne mieszkanka ze ślepymi kuchniami i chciał go wyżywić domowymi kiszonkami, a gdy słyszał o marnowaniu cennych dewiz na import tak niepotrzebnych luksusów jak prawdziwa kawa, popadał w autentyczną wściekłość: ludziom pracy zbożówka w zupełności wystarcza!

Gierek, którego plusem było, że widział za młodu kawałek cywilizowanego świata – pracował jako górnik w Belgii – z punktu zyskał sobie miłość aparatu, pozwalając na używanie życia, o jakim za czasów ascetycznego piernika nie mógł ten aparat marzyć. A, jak już wspominaliśmy, dla fornala, którego marzenia tak prosto i celnie streścił Wyspiański („złota wór wysypie ludziskom przed ślipie, postawie se pański dwór") partyjna kariera traciła połowę uroku, jeśli nie mógł zewnętrznymi oznakami zbytku udokumentować swej wyższości nad tymi, spomiędzy których ledwie parę lat wcześniej się był wyawansował. Za Gierka zaś mógł wreszcie zacząć korzystać z nagrabionego dobra i uprzywilejowanej pozycji, pobudować sobie „pańską" willę, oraz, rzecz też nie bez znaczenia, rozwieść się z roztytym, koszmarnie ubranym baleronem, w jaki zmieniła się towarzyszka żona zapoznana swego czasu na rozkułaczaniu czy innej zetempowskiej imprezie, i wziąć sobie młodą laskę; pruderyjny Gnom za takie braki w socjalistycznej moralności bezlitośnie wywalał z KC. Ale reformatorskie ambicje pierwszego sekretarza szły dalej. Nie tylko aparat, ale cały lud pracujący miast i wsi niech zazna trochę Zachodu. Zbudujemy drugą Polskę – że niby, nowoczesną i dostatnią – rzucił hasło pierwszy sekretarz i tak zaczęła się dekada względnego luksusu; względnego, bo będącego luksusem tylko w porównaniu z czasami Gnoma. Oczywiście, ten gierkowski dobrobyt, co wie każdy człowiek jako tako znający sprawy, a czego polactwo do dziś nie chce przyjąć do wiadomości, polegał był wyłącznie na przejadaniu kredytów.

Przy czym chodziło, to ważna sprawa, którą trzeba wyjaśnić, nie tylko o te sławne pożyczki zagraniczne, których Gierek nabrał i z których wiele spłacamy jeszcze dzisiaj (jakie owoce najbardziej lubi Gierek? Zielune pożyczki – jeszcze jeden dowcip zapamiętany z podsłuchiwania rozmów Taty). Owszem, stanowiły one jedną z ważnych przyczyn załamania się peerelowskiej gospodarki. Sowiet pozwolił na zaciągnie kredytów, uznając peerel za swego rodzaju poletko doświadczalne nowej polityki „odprężenia". A Zachód udzielał ich chętnie, prawdopodobnie zdając sobie sprawę, że ekonomicznie na tym nie zarobi, ale politycznie tak. I faktycznie, uzależnienie się peerelu od zachodnich banków przyniosło istotne konsekwencje – aby uprościć sobie kontakty z Zachodem, gierkowszczyzna ratyfikowała międzynarodowe traktaty o prawach człowieka, na co potem, legitymizując swe prawo do istnienia, mogły powoływać się ruchy opozycyjne. Obawa przed utrudnieniami w wyciągnięciu z Zachodu kolejnej transzy kredytu kazała jej też wziąć na nieco krótszą smycz ubecję. Ludzi, którzy otwarcie ogłaszali antypeerelowskie materiały nękano aresztowaniami, niszczono materialnie zakazami pracy, nachodzono, demolowano im mieszkania i samochody, nasyłano zbirów i aktywistów z SZSP, od czasu do czasu bito – ale nie strzelano im już w potylice, z czego dzisiaj niektórzy usiłują zrobić jeszcze jeden liść w laurowym wieńcu dla Gierka. Bez tej wymuszonej kredytami względnej pobłażliwości dla opozycji strajki roku osiemdziesiątego wypaliłyby się tak, jak dziesięć lat wcześniej, i skończyły na jakichś guzik wartych „dodatkach drożyźnianych" i wciągnięciu paru utalentowanych przywódców w partyjno-związkowe tryby, które prędzej czy później pomiażdżyłyby ich jak Goździka, robotniczego lidera z października 1956.

Liberalizacja systemu była zresztą hasłem w czasach gierkowskich żywym nie tylko w kręgach „opozycji demokratycznej", czyli tych, którzy bądź zdali sobie sprawę, że PZPR-u zreformować się nie da i zaczęli swe poszukiwania prawdziwego socjalizmu w opozycji do kompartii, bądź też za nazbyt literalne czepianie się marksowskich obietnic wobec „ludu" zostali po prostu z tejże kompartii wyrzuceni. Liberalizacja chodziła po głowie także ludziom osobiście głęboko wobec komuny lojalnym, partyjnym literatom czy środowisku skupionemu wokół „Polityki" i Mieczysława F. Rakowskiego. Postulowali ją – bardzo ostrożnie, cichutko, w poufnych rozmowach i memorandach, opakowując belami wiernopoddańczego bełkotu o wyższości socjalizmu nad wszystkim innym – nie z umiłowania wolności czy troski o Polskę, tylko dlatego, że mając w czaszkach nieco więcej mózgu niż stanowiło w kierownictwie partii przeciętną, zaczynali rozumieć, iż totalny zamordyzm musi doprowadzić „realny socjalizm" do zagłady, i to z wielu względów. Wymieńmy dwa.

Po pierwsze, selekcja kadr według kryterium lojalności i „ideowości", preferująca typ człowieka bez żadnych wątpliwości i wahań, sprawiała, iż z roku na rok w urzędniczej maszynerii decydującej o wszystkim, o każdym najmniejszym nawet szczególe, wzrastał odsetek kompletnych durniów, gotowych bez zmrużenia oka podejmować decyzje najbardziej nawet bezsensowne i katastrofalne w skutkach, albo, co w sumie jeszcze gorsze, w ogóle nie podejmować żadnych, latami odsyłając sprawy ping-pongiem pomiędzy coraz liczniejszymi agendami i biurami stale się rozrastającej czerwonej biurokracji.

Po drugie, ludzie poddani całkowitej kontroli, ubezwłasnowolnieniu i dyktatowi popadali po prostu w apatię i przestawali dbać o cokolwiek. Można ich było, mając w ręku takie narzędzia, jakie dał Stalin, śmiertelnie zastraszyć, można było zmusić do posłusznego wykonywania każdego, najgłupszego nawet rozkazu, można było bezkarnie deptać ich godność, ale żaden, najsprawniejszy nawet, aparat terroru, cenzury i propagandy nie mógł na dłuższą metę wzbudzić w poddanych systemu autentycznej aktywności i entuzjazmu. Wódka i totalny zwis – to były dwie rzeczy najbardziej w socjalistycznym pejzażu rzucające się w oczy, i sądząc po różnych relacjach i opracowaniach, było tak w każdym kraju dotkniętym tą zarazą. Nikomu nie zależało na niczym. Przewróciło się, niech leży. Nie moje. Skoro wyżej de i tak nie podskoczysz, to po co się szarpać. Partyjne czołówki produkowały miliony metrów bieżących czerwonych transparentów z hasłami „pracuj wydajnie", „nasze czyny – partii", „wydajną pracą do socjalizmu", ale, rzecz dla normalnych ludzi oczywista, nie dawało to i nie mogło dać niczego, zwis pogłębiał się z roku na rok.

Można było w to brnąć, tak, jak prawie do samego końca brnęli Sowieci i większość krajów bałkańskich – wtedy koniec końców system musiał się załamać wskutek niewydolności warstwy rządzącej i bierności z pokolenia na pokolenie coraz bardziej zdegenerowanych (także biologicznie, od nadmiaru pochłanianej gorzały) poddanych.

Można też było, jak spróbowano tego w Polsce i w ostatnich, przedśmiertnych drgawkach w samej sowieckiej centrali, częściowo liberalizować. Ale takie próby tylko przyspieszały upadek. Nie można człowieka uwolnić „częściowo", częściowa wolność to coś takiego jak częściowa ciąża albo częściowo świeże jajko. Kiedy w spójnym świecie wzajemnie się uzupełniających kłamstwa i przemocy, jaki ku podziwowi wieków zbudowali Lenin ze Stalinem, pojawiało się pęknięcie, dalej było podobnie, jak gdy zacznie pękać tama – dziura rosła niepowstrzymanie. Jeśli łaskawie pozwolono myśleć o „bolączkach" i szukać racjonalnego rozwiązania w jakimś szczególe, to każdy w końcu logicznie dochodził do wniosku, że cały system jest oparty na idiotycznych założeniach, cała ideologia o kant dupy potłuc i nie ma co „naprawiać" socjalizmu czy malować mu „ludzką twarz", tylko trzeba z tym świństwem wreszcie skończyć. Wtedy władzy nie pozostawało nic innego, niż ściągnąć dochodzącego do zbyt daleko idących wniosków reformatora batem przez gębę, i na osłodę wyjaśnić mu, że po różnych stronach granicy, a i w samym peerelu, stoją sowieckie dywizje, które w każdej chwili mogą z nas zrobić mazdygę.

W sposób genialnie prosty opisał sprawę anonimowy autor powiedzonka (nieźle by on wyglądał, gdyby nie był anonimowy!), że człowieka w socjalizmie opisać można trzema parametrami: mądrość, uczciwość i partyjność, przy czym zasada rządząca opisem jest taka, że razem nie mogą występować więcej niż dwa z tych parametrów. Jeśli więc ktoś jest mądry i uczciwy, to na pewno nie jest partyjny. Jeśli jest mądry i partyjny, nie może być uczciwy. A jeśli uczciwy i partyjny, nie może być mądry. (Naturalnie, można było być i głupim, i nieuczciwym, i partyjnym, z której to opcji korzystano najczęściej.) Jedno zastrzeżenie, które w tamtych czasach nie było potrzebne, ale dziś może już tak – słowo „partyjny" oznaczało tu zaangażowanie w partyjnym aparacie, a nie samo posiadanie legitymacji, bez której w wielu obszarach życia publicznego nie dało się wtedy istnieć ani pracować, i którą setki tysięcy ludzi przyjęły jako konieczne nieszczęście, tak jak jakąś gibaną legitymację związku zawodowego, bez której nie można było wyjechać na wczasy.

Mówiąc krótko, właśnie w dekadzie Gierka okazało się, że wbrew marksowym bełkotom to nie kapitalizm, a właśnie „realny socjalizm" wytwarza nierozwiązywalną sprzeczność – nie liberalizować źle, liberalizować jeszcze gorzej. Jakbyś się nie kręcił, de zawsze będzie z tyłu: tego systemu nie były w stanie uratować nie tylko zachodnie pożyczki, ale w ogóle nic. Sprzeczności rozwiązać się nie dało, ale skutki jej uświadamiania sobie widać było na każdym kroku: z każdym rokiem ubywało idiotów, którzy umieli być zarazem uczciwi i wierzyć w socjalizm, i z każdym rokiem przybywało cynicznych kanalii, które miały się stać motorem ustrojowych przemian u schyłku lat osiemdziesiątych.

*

Skoro wspomniałem o partyjnych „liberałach", w ich gronie wyróżniając szczególnie środowisko „Polityki"... Losy tego środowiska mogły się w sumie potoczyć zupełnie inaczej, i ciekawe, czy nie wyszłoby to lepiej dla Polski. Oczywiście, tego rodzaju gdybania nie mają nic wspólnego z poważnymi politycznymi analizami. Ale ja nie jestem poważnym analitykiem i lubię zajmować czymś myśli w wolnych chwilach. Krótko po wyborach 1995, które dla wszystkich ludzi mających jednoznaczną opinię o peerelu stanowiły straszny szok – legendarny przywódca „Solidarności" pokonany przez ugłaskanego karierowicza z aparatu – napisałem sobie nowelkę z gatunku tzw. historii alternatywnej. Nie wiem, czy muszę tłumaczyć, ale na wszelki wypadek: rzeczywistość alternatywna to stary pomysł klasycznej SF, bierzemy jakieś wydarzenie historyczne jako „zwrotnicę", dajmy na to, zakładamy, że Napoleon wygrywa bitwę pod Waterloo, i logicznie staramy się układać dalszy bieg wypadków. W mojej nowelce, nazywało się to „Nieznośna względność bytu", Kwaśniewski też wygrywał wybory prezydenckie, tylko że jako kandydat neosolidarności. A konkretnie, tej jej części, którą nazywam Familią. Punktem zwrotnym całej historii było przyjęcie, na którym, za czasów późnego Gierka, młody zdolny działacz partyjny wypił o jeden kieliszek za dużo, i, by użyć staropolskiego określenia, „puściło mu gardło", czym sobie zarobił na tak daleko idącą niechęć małżonki ważnego towarzysza, że z dalszą karierą w PZPR mógł się już pożegnać – nie pozostało mu więc nic innego, niż przystąpić do michnikowszczyzny.

Wracam myślą do tej historyjki nie dlatego, że wykazałem się wtedy godną pisarza SF przenikliwością – słabość kwaśniewskich „goleni" nie była wtedy, gdy to pisałem, tak powszechnie znana – ale dlatego, że kilku kolegów po lekturze zwróciło mi uwagę na herezję, jakiej się dopuściłem. Otóż jednoznacznie wynikało z mojego opowiadanka, że Polska na rządach Kwaśniewskiego – opozycjonisty wyszłaby lepiej, niż wyszła na prezydenturze Wałęsy.

Trudno, jeśli się publicznie głosi pochwałę logiki i konsekwencji jako głównych cnót publicysty, to trzeba czasem przyznawać rzeczy, od których serce boli. Gdyby partyjni „liberałowie" nie poszli do Jaruzelskiego, tylko poczekali parę lat, najpewniej to oni rządziliby „ustrojową transformacją", w ten czy inny sposób – niewykluczone, że Rakowski byłby pierwszym reformatorskim premierem zamiast Mazowieckiego, a nawet jeśli nie, to nie spaliwszy się wcześniej, jego środowisko na pewno stanowiłoby trzon przemalowanej na socjaldemokrację postkomuny. I jeśli się zastanowić, nie byłoby to wcale takie złe. W czasach, gdy ludzie opozycji siedzieli w więzieniach albo, w najlepszym wypadku, byli w swych karierach mocno zablokowani, ci faceci jeździli na Zachód, mieli możliwość nauczyć się tego i owego o gospodarce oraz demokratycznej polityce. Myślę, że nauczyli się więcej, niżby wynikało w ich dokonań w latach osiemdziesiątych – ówczesne reformowanie socjalizmu, pod kierownictwem ludzi wierzących w moc rozkazów i wojskowego drylu i rękami tych samych bezmyślnych biurokratów, którzy go obsługiwali od lat, nie mogło dać niczego poza przyspieszeniem śmierci leczonego w taki sposób pacjenta. Ale ludzie typu Rakowskiego czy Urbana uznali po prostu, że trzeba „wchodzić" w Jaruzela, bo lepiej nie będzie. Przecież ruskie nie odpuszczą, dla socjalizmu nie ma alternatywy i tak dalej. Z punktu widzenia logiki karierowiczów podjęli, oczywiście, decyzję jedynie słuszną, która okazała się niesłuszna jedynie dlatego, że świat zachował się inaczej, niż powinien. Ze swojego własnego punktu widzenia, oczywiście, zachowaliby się mądrzej, gdyby podjęli decyzję na ów czas niemądrą, przedkładając przyzwoitość nad kariery, ale, ba, gdyby myśleli w taki sposób, to nie byliby tam, gdzie byli. Tak to się zabawnie polityka układa.

Wydawało mi się, że paru Czytelników psyknęło przed chwilą z irytacji, że tak zachwalam fachowe kwalifikacje ludzi, którzy coś tam niecoś w głowach mieli (jestem daleki od peanów, ale na takim a nie innym tle wypadają, powiedzmy uczciwie, dobrze), dzięki swemu konformizmowi i dostępowi do Zachodu – ale którym przecież opozycja mogła przeciwstawić ludzi uczciowych i ideowych. No, ale ja bym przecież nie pozwolił sobie na takie porównania, gdyby właśnie nie fakt, że kiedy po Okrągłym Stole przyszło do egzaminu, kiedy zagrały wybujałe ambicje, upojenie władzą i osobiste korzyści, to z ideowością tych naszych bohaterów z podziemia okazało się być, hm... różnie.

*

„Ale czemuż koło wyprzedza wóz", powściągnę się w rozpędzonej narracji słowami, jakimi czynił to Gall Anonim – o Okrągłym Stole pogadamy w następnym rozdziale. Jesteśmy cały czas przy Gierku i jego długach. Te zagraniczne, zaciągane od rządów i od banków komercyjnych, to drobna część zasobów, jakie pochłonęła budowa „drugiej Polski". Przede wszystkim, w czasach Gierka przeżarto oszczędności i składki emerytalne kilku pokoleń. Demografia wtedy komunie sprzyjała, stosunek liczby ludzi aktywnych zawodowo do emerytów był nader korzystny, o dzisiejszym szaleństwie rozdawania rent nie było mowy – składki emerytalne, potrącane z wynagrodzeń (składkami będące jedynie teoretycznie, bo szły do wspólnej państwowej kasy, nie kapitalizowano ich) wystarczały z nawiązką na wypłaty bieżących świadczeń. Czerpano więc z tego źródła bez żenady. Za te pieniądze, wiecie, zbudujemy hutę, i z zysków, jakie ta huta przyniesie, wypłacimy przyszłym pokoleniom emerytury. Możliwości, że huta będzie przynosić straty kierownictwo nie wzięło pod uwagę, bo niby po co – przecież na tym właśnie polegała wyższość socjalistycznej gospodarki nad bałaganem wolnego rynku, że w tej pierwszej, dzięki dobrodziejstwom centralnego planowania, wszystko się opłacało i wszystkie zasoby wykorzystywano w sposób optymalny – zatrudnienie wynosiło sto procent zdolnych do pracy i nic się nie marnowało.

Czerpano też z oszczędności obywateli. W wielu polskich domach leżą jeszcze książeczki oszczędnościowe PKO, na których latami odkładano po ileś tam złotych, sumy mające swoją wartość, by po latach za wszystkie te składki razem z oprocentowaniem móc kupić sobie paczkę papierosów. Podobnie jak za ciułane latami „wkłady mieszkaniowe" i inne przedpłaty. Kiedy na przykład fabryce samochodów małolitrażowych udało się wyprodukować na licencji cudo socjalistycznej motoryzacji, małego fiata, bez cienia żenady przyjęto przedpłaty od kilkuset tysięcy chętnych, choć wtajemniczeni doskonale wiedzieli, że taka liczba fiacików nie zjedzie z taśm produkcyjnych przez dwadzieścia najbliższych lat. No i wreszcie – drukowano pieniądze bez pokrycia. Obywatelom wydawało się, że są wynagradzani za swą pracę, a tymczasem mieli w ręku tylko papier. Już za Gierka zaczęła się w rachunkach planistów pojawiać stale rosnąca wielkość, którą w komunistycznym żargonie nazwano „nawisem inflacyjnym". Czyli po prostu – masa pieniędzy bez pokrycia w towarach. Ten „nawis" rósł, rósł, aż w końcu pogrzebał pod sobą i PZPR, i – jak o tym będzie dalej – „Solidarność", czy raczej „neosolidarność", tę założoną na nowo po Okrągłym Stole. Aby go zmniejszyć, ekipa Gierka zdobyła się na „regulację cen", czyli po prostu podwyżkę, nie bacząc na doświadczenie grudnia'70, kiedy podobna operacja ekipy Gomułki przyniosła jej szybki kres.

Podwyżka cen była takim momentem, kiedy czerwony dowiadywał się ze zdziwieniem, że nie wszystko z polactwem przechodzi. Zdawało się, że to polactwo zostało już tak kompletnie rozdeptane, zgnojone, częścią zastraszone, częścią kupione, tak ogłupione kłamliwą propagadną, wymytłane powojennymi migracjami i awansem społecznym, tak zglajszachtowane, że można z nim zrobić wszystko. A jednak, kiedy zaczynało brakować michy, polactwo szczerzyło zęby, a gdy już zaczynało szczerzyć zęby, to przypominało sobie skąd jego ród i skąd ród pasących się u władzy komuchów. Za swoich najlepszych lat komuna guzik by się tym przejęła – ot, wsadzić parę tysięcy ludzi więcej, trochę rozstrzelać, najwyżej towarzysze z bezpieczeństwa wezmą nadgodziny. Ale Gierek, jako się rzekło, nie mógł sobie na to pozwolić. Jego chwalcy podkreślają uparcie, że także nie chciał, że rozkaz strzelania do robotników był dla niego psychologicznie nie do przyjęcia. Niechby nawet – ale gdyby takie strzelanie było wtedy dla władców peerelu opłacalne, to albo by Gierka postawili przed faktem dokonanym, albo by go usunęli i zastąpili kimś bardziej zdecydowanym.

Wspomniałem chwilę wcześniej, nadmieniając o przedpłatach wyłudzanych za obietnicę samochodu dla każdej polskiej rodziny, o istnieniu „wtajemniczonych", którzy znali prawdziwy stan rzeczy. Bardzo ciekawe, czy zaliczał się do nich sam Gierek. Wcale nie było to oczywiste, wiele wskazuje, że od samego początku nie kontrolował on sytuacji, zwłaszcza gospodarczej. Zresztą niby jak? Tłum niedokształconych urzędasów, choćby nawet bardzo chciał, nie był w stanie układać ani realizować żadnych sensownych planów. Na wszelki wypadek starał się jednak sprawić dobre wrażenie na zwierzchnikach. A ci – na swoich zwierzchnikach. Okłamywano się na każdym szczeblu, od dołu do góry i od góry do dołu. Kiedy otwierano Port Północny, oczywiście na jakąś tam partyjno-państwową rocznicę, dyrekcja budowy „zasadziła" w przeddzień na wydmie całe zagajniki zrąbanych w pobliskich lasach świerczków, aby delegacji politbiura zasłonić widok na niedokończone obiekty, a żeby z komina portowej siłowni, w której jeszcze nie było żadnych urządzeń, walił czarny, gęsty dym, kazano robotnikom palić w piecu opony. Przyuważył to partyjny literat i usiłował skrytykować, oczywiście z pozycji socjalistycznych, ale te pozycje nic mu nie pomogły, cenzura wszelkie wzmianki, że cokolwiek jest nie tak, wycinała bezlitośnie. Cenzurowano nawet przemówienia członków politbiura i samego Gierka, nikt zresztą nie wiedział, co właściwie wolno napisać, a czego nie – czasem zatrzymywano także kawałki zbyt komunistyczne, bo, jak się zdaje, już wtedy cenzorzy podejrzewali, że jeśli ktoś w zbyt gorących słowach wychwala komunizm, to pewnie sobie robi jaja. Prawdy nie znał nikt, a najmniej ci, którzy mieli planować i kontrolować. Polecenia Gierka spełniano bezmyślnie i na opak, kiedy na przykład poszedł z góry prikaz, że dla unowocześnienia technologicznego kraju należy kupować licencje albo nowoczesne maszyny, to jechały na Zachód w delegacje bandy kompletnych idiotów i kupowały za ciężkie pieniądze, co popadło – kto wiedział, jak z takimi ludźmi rozmawiać, za grube miliony opychał peerelowi przeróżne kompletnie przestarzałe i zupełnie nikomu do niczego niepotrzebne badziewie, które potem rdzewiało i próchniało, zawalając magazyny.

To niesamowite, przepraszam, już kończę ten temat, bo żaden ze mnie historyk, kto ciekaw, więcej i mądrzejszych informacji na ten temat znajdzie w innych książkach – to niesamowite, jak łatwo zapomniało polactwo o tym, co bodaj najbardziej te czasy charakteryzowało: wszechogarniającym, przepraszam za jedyne stosowne tu słowo, burdelu. Nikt nic nie wiedział, wszystko robiono na opak, a każdy odruch protestu przeciwko powszechnemu absurdowi, każdy jęk zdrowego rozsądku, jeśli się jeszcze u kogoś trafił, tępiono bezlitośnie. Na jednym polu gniją ziemniaki, na drugim buraki, co się najpierw zbiera? Plenum – żartowano. Całą książkę można by wypełnić nonsensami gierkowskiego „ładu". W pierwszej mojej książce wydawca zamieścił, dla reklamy, fragmenty szykowanej do druku książeczki Eugeniusza Korenza „Pamiętnik inżyniera budowy Ursusa". Nie wiem, czy ta książka w końcu się ukazała, ale z samych zajawek można było wyłuskać co niemiara rzeczy charakterystycznych. Dwudziestotonowe ciężarówki jeżdżące do magazynu po kilka pilników i rękawic, wożenie piasku z odległości stu kilometrów, chociaż równie dobry był pod nosem, nowoczesne maszyny, sprowadzane zanim jeszcze zbudowano dla nich halę i trzymane bez przykrycia na deszczu i mrozie, tak, że zanim się na cokolwiek przydały, zżerała je rdza, i tak dalej, i tak dalej – przecież na każdej socjalistycznej budowie, w każdym socjalistycznym zakładzie pracy było tak samo! Naprawdę, zatraciła się ta pamięć zupełnie?

Nie jestem historykiem. Dam Czytenikowi tylko jeden prosty przykład, negliżujący z całą jaskrawością absurd gierkowskich, a zresztą w ogóle peerelowskich czasów i dojmującą głupotę ludzi, którzy wtedy rządzili: obsesja „przekraczania planu". Wyższość gospodarki socjalistycznej nad wolnym rynkiem, tak wbijano mi w głowę w ramach „bezpłatnej, powszechnej, socjalistycznej edukacji", polega na tym, że jest to gospodarka planowa. W Ameryce nikt nie planuje, każdy robi co chce, na własną rękę i w tym bałaganie zawsze czegoś wyprodukują a to za dużo, a to za mało, jest przez to straszne marnotrawstwo pracy i surowca. A u nas wszystko idzie jak dobrze uregulowana maszyna: mądrzy ludzie przewidzieli i policzyli, ile czego będzie potrzebne, stosowne władze rozdzielą zadania na froncie robót, kto co zrobi i na kiedy, podstawią w porę transport, odpowiednie centrale rozdystrybuują gotowe produkty, zwrotną pocztą dostarczając producentom odpowiednią ilość odpowiednich surowców na nowe partie, nic na żywioł, wszystko przemyślane. Jeśli wziąć to za dobrą monetę – spróbujmy na chwilę, dla eksperymentu myślowego – to najgłupszy człowiek musi zauważyć, że przekroczenie przez którąś z firm powiązanych systemem centralnego sterowania wyznaczonego jej planu szkodzi systemowi w nie mniejszym stopniu, niż jego niewykonanie. Zaplanowano, że w danym roku potrzeba dla realizacji zadań miliona muterek, fabryka śrubek wykonała plan wzorowo, a fabryka nakrętek, dla uczczenia sławnej rocznicy, trzasnęła pół miliona sztuk więcej. Jeśli te dodatkowe nakrętki do czegokolwiek się przydadzą, to znaczy, że plan był do bani. A jeśli plan był dobry, to na cholerę nagle pół miliona nakrętek, do których nawet nie ma śrubek? Co z nimi zrobić? Aby je wytworzyć zużyto dodatkowy surowiec, a że huty wytworzyły go zaplanowaną ilość, więc teraz tego surowca gdzieś zabraknie. Trzeba te nakrętki albo wywalić w diabły – straszne marnotrawstwo! – albo przechowywać, póki się nie przydadzą, więc zajmuje się magazyny, a skoro plan był tak doskonały, jak mówiono, to na pewno nie przewidziano w nim żadnych magazynów stojących na pusto. Więc przez fantazję fabryki nakrętek na coś teraz tych magazynów zabraknie, jakieś ważne towary wylądują pod gołym niebem, może przez to zniszczeją. Fabryka wykonała plan przed terminem, ale samochody czy wagony, niezbędne, żeby zabrać jej produkty, będą dopiero w terminie zgodnym z planem, bo tak to bystrzy planiści mądrze ułożyli – na razie transport potrzebny jest do obsługi akcji żniwnej, wożenie produkcji przemysłowej nieprzypadkowo przełożono na później.

Jednym słowem – dyrektor fabryki nakrętek, która narobiła takiego zamieszania, powinien zostać surowo ukarany. A tymczasem, wręcz przeciwnie, za przekraczanie planu i wykonywanie go przed terminem sypały się odznaczenia, premie i tytuły bohaterów pracy socjalistycznej, donosiła o tym triumfalnie telewizja. Plan przekraczał więc kto mógł i o ile mógł. Przekraczanie planu i wykonywanie go przed terminem było dowodem cywilizacyjnej wyższości, naszą odpowiedzią na amerykański imperializm i wojnę w Wietnamie. A skoro z przekraczania planów uczyniono największą cnotę, to co cwańsi ludzie – a do partii szli i załapywali się na dyrektorskie beneficja głównie cwaniacy – instynktownie, w lot chwytali, że plany trzeba ustalać tak, aby je potem łatwo było przekroczyć. Z zapałem więc okłamywali górę co do swoich rzeczywistych możliwości i potencjału. Choćby nawet gierkowscy planiści byli autentycznymi geniuszami – nie chcę dłużyć tego wątku, więc uwierzcie mi na słowo, że nie byli – to bazując na danych fałszowanych na każdym możliwym szczeblu, nie mogli niczego zaplanować sensownie. Zresztą gdyby nawet mogli, w obsesji przekraczania i oddawania przed terminem i tak cały plan szlag by trafił z punktu.

Nigdy, przez cały czas trwania „realnego socjalizmu", w żadnym z porażonych nim krajów nie znalazł się w partyjnych kierownictwach nikt na tyle mądry, żeby uświadomić sobie i innym, że robienie z przekraczania planu cnoty i obiektu socjalistycznego współzawodnictwa to gorzej niż nonsens, to po prostu zaprzeczenie całej idei gospodarki planowej. Nikt, nigdzie, ani razu. Tacy nami wtedy rządzili mędrcy – niezdolni zrozumieć nawet swoich własnych referatów, które dukali z kartki na rozmaitych posiedzeniach i naradach.

Burdel, powtórzę to brzydkie słowo, kosmiczny. Koszty własne – potworne, marnotrawstwo – niewiarygodne, wydajność pracy pod psem, efektywność gospodarki – ujemna. I na to wszystko nałożony lukier telewizyjnej propagandy, wrzeszczącej po sto razy dziennie, że jesteśmy dziesiątą potęgą gospodarczą świata (!) oraz obrazki z gospodarskich wizyt, które towarzysz Gierek regularnie składał w socjalistycznych zakładach pracy, w upiornym blasku jupiterów tucząc swym gospodarskim okiem socjalistyczny ład i porządek, odbierając meldunki o wzroście produkcji tudzież dobrobytu i ojcowskim tonem zadając wizytowanym fornalom swe ulubione, gospodarskie pytanie „a jak tam w waszym życiu osobistym?".

W wywiadzie-rzece, który krótko po ustrojowej zmianie stał się wielkim bestsellerem, opowiada Gierek bez ustanku, jak było świetnie, jak gigantyczny sukces i spłacenie zagranicznych długów były już tuż-tuż, tylko mu podłożyli nogę zawistni konkurenci wewnątrz partii. I co najciekawsze, mówi to z takim przekonaniem, że gotów jestem sądzić, iż naprawdę mógł w to wierzyć. Naprawdę mógł nie wiedzieć, co się w kraju dzieje, jakie to licencje i technologie są kupowane za podpisywane przez niego pożyczki, jaki bałagan panuje na każdym kroku. Przecież wszystkie statystyki i raporty, które do niego docierały, wyraźnie dowodziły, że Polska rośnie w siłę, a ludziom żyje się dostatniej. Ba, ludzie sami mu to mówili, spontanicznie, kiedy spotykał się z nimi podczas swoich gospodarskich wizyt. Wzrost zamożności społeczeństwa odnotowywały na każdym kroku socjalistyczne media. Czemuż miałby im nie wierzyć? Skoro, jak powszechnie wiadomo, partia komunistyczna budowała swoistą piramidę głupoty, i można w niej było zajść tym wyżej, im się było bardziej bezmyślnym, to czego się spodziewać po człowieku, który siedział na samym szczycie tej piramidy?

Nie robiono w tych czasach socjologicznych badań – nie sposób ocenić, jaki procent ludzi akceptował ten system i w jakim stopniu. Czasem ten socjalistyczny bardak zaczynał drażnić, czasem ktoś padł ofiarą absurdu, podpadł jakiemuś partyjnemu kacykowi i tak dalej – ale, jak sądzę, dopóki była micha, większość sobie raczej nie krzywdowała. Zresztą, była jakaś alternatywa? Piło się zdrowo, zakąszało i nie przepracowywało. Cytowany już inżynier budowy Ursusa wspomina, że w dniu popularnych imienin – Jana, na przykład – cała socjalistyczna budowa stawała, bo obsługująca ją betoniarnia zaprzestała pracy już o dziesiątej rano: ani jeden robotnik nie był w stanie już o tej porze utrzymać się na własnych nogach. „Zależało mi kiedyś na zabetonowaniu pewnego fragmentu. Poszedłem do operatorów Stettera i poprosiłem: panowie, niech wam się nic nie popsuje do godziny 17.00, bardzo mi na tym zależy. Dam wam ręką znak, kiedy się już może psuć. I tak było. Po zabetonowaniu dałem znak ręką i zaraz usłyszałem krzyk od strony Stettera: płukać rurociąg, agregat nawalił!". Mieliby robotnicy nie wspominać tego budowania Ursusa jak złotego wieku? Zwłaszcza że ten inżynier, któremu z jakiegoś powodu (chory jaki, czy co?) zależało na zabetonowaniu czegoś tam na termin, zarabiał pewnie ze trzy razy mniej od nich. Pensje na budowie, z tego samego źródła: inżynier – 4000 zł, operator dźwigu po kilkumiesięcznym przyuczeniu – 20 000. Żeby klasa robotnicza nie miała wątpliwości, kto jest między Bugiem a Odromnysom najważniejszy.

Myliłby się zresztą, kto by sądził, że na takie kursy, po których zarabiało się dwadzieścia tysięcy, pchali się robotnicy masowo. Przypomina mi się opowieść znajomej, która już parę lat po ustrojowej przemianie zadała, z głupia frant, pytanie byczącym się pod sklepem wielobranżowym bezrobotnym, zresztą w regionie o strukturalnym bezrobociu, dlaczego nie spróbują zmienić zawodu, pójść na jakiś oferowany przez pośredniak kurs, nauczyć się czegoś. Usłyszała, że nie ma głupich – był tu, owszem, jeden taki ambitny, to go teraz ciągle do roboty pędzą. Dodajmy, że już w czasach budowy Ursusa wspominany wyżej „nawis inflacyjny" powodował, iż pieniądz był w sumie średnią pokusą, bo niewiele można było za niego kupić. Dobra luksusowe wymagały albo „wystania w kolejce", względnie wynajęcia do tego zawodowego „stacza", albo posiadania waluty innego rodzaju – dewiz, czy ich substytutu „bonów PKO", bądź też „asygnat", rozprowadzanych przez partię.

Mówiąc krótko: Gierek, ludzki Pan. Do roboty nie za bardzo gonił, a wszystko, co trzeba, było. Świnie się karmiło chlebem ze sklepu, opowiadał mi rozmarzony chłop, bo był tańszy od paszy. Za litr mleka w skupie można było kupić cztery litry w sklepie. Na boku się wyhodowało jedną-drugą „blondynkę", to miastowe brali za każde pieniądze z pocałowaniem. A z kolei robotnik – potrzebował czegoś, brał z zakładu. Absurd planowej gospodarki łagodził spontanicznie powstały rynek nielegalnych usług i towarów, kierowcy służbowych samochodów wozili pasażerów „na łebka", konwojenci i sklepowe organizowali na lewo towar, lekarz, za ten lewy towar albo pracę ekipy z państwowej budowy przy remoncie jego domu odwdzięczał się lewymi zwolnieniami lekarskimi i tak to szło, prawie każdy coś tam mógł skręcić albo załatwić – ludzie wyskrobywali sobie nisze w systemie, i w sumie jakoś sobie w nich żyli. Że działo się to kosztem trwonionych miliardów, że szły na to ich przyszłe emerytury i pensje ich jeszcze nie urodzonych dzieci? Ani o tym nie wiedzieli, ani nie mieli na to wpływu, ani ich to w sumie nie obchodziło. Który fornal, kiedy go nie gonią do wykopków, będzie się troskał, że jak zimnioki pognijom, to dziedzic straci? Co się będziemy martwić, niech się oni martwią, mawiało się.

Znam ludzi, którzy w gierkowskich czasach, przyciśnięci niefartem, poważnie się zastanawiali, czy nie przenieść się do PGR-u, bo – dzisiaj młodszym ludziom trudno w to uwierzyć, ale tak było – w PGR--ach kasy nigdy nie brakowało, jako ideologicznie słuszna forma gospodarki rolnej mogły one liczyć na pokrycie każdej straty wywołanej bałaganem i niegospodarnością. Czy wasz PGR przynosi zysk? Tak, licząc z dotacją, w ubiegłym roku mieliśmy zysk półtora miliona złotych. A ile wyniosła dotacja? No, czterdzieści milionów. Taki wywiad z dyrektorem PGR-u zapamiętałem z radia w początkach posierpniowej odwilży, kiedy średnia pensja wynosiła kilka tysięcy złotych.

Przez całą gierkowską dekadę tysiące ludzi pchało się na Śląsk, bo górnikom płacono, jak na owe czasy, krocie, przysługiwały im dodatki, asygnaty i szesnaste pensje, a wojennej machinie Układu Warszawskiego każdej ilości węgla, jaką tylko dało się wydobyć, i tak było za mało, żeby odlać dość czołgowych skorup na potrzeby wyzwalania zachodniej Europy i reszty świata spod kapitalistycznego wyzysku. Na utrzymanie tego wszystkiego poszły zasoby pokoleń, także tych, które dopiero się urodzą.

Kogo to obchodzi. Za Gierka to było życie. Jadło się, piło i popuszczało pasa.

*

Jeszcze jedna sprawa, o której zupełnie się dziś nie pamięta. Czekam z utęsknieniem na książkę, w której ktoś opisałby skalę zbrojeń w peerelu lat siedemdziesiątych – i koszty tego obłędu, jakie na nas spadały. Ta sprawa wydaje się dziś na śmierć zapomniana. Może dlatego, że w wielostopniowym systemie cenzorskich zakazów i propagandowych kłamstw, jaki obowiązywał w peerelu, to wszystko, co dotyczyło tzw. obronności, czyli przygotowań do ataku na Europę, okryte było tajemnicą i cenzurą najściślejszą z możliwych. Prędzej można było zdemaskować klikę partyjnych złodziei, napisać prawdę o Katyniu, nazwać pierwszego sekretarza gruby słowem, nawet naurągać samemu Breżniewowi, niż drobną wzmianką zahaczyć o sprawę wydatków wojskowych bądź władzy, jaką miało wojsko, żartobliwie zwane „ludowym", nad każdą dziedziną życia.

W istocie, w swojej głębokiej warstwie, peerel, tak jak wszystkie państwa socjalistyczne, zaprojektowany był jako państwo przejściowe i cała jego konstrukcja podporządkowana została wielkiemu zadaniu, jakie postawiła historia przed całym „obozem" – zadaniu zaniesienia płonącej żagwi rewolucji aż do wybrzeży Atlantyku i dalej, na cały świat, żeby i oni zaznali wreszcie tego raju, który raczyli nam zabezpieczyć w Jałcie i Poczdamie. Peerelowskie miasta, do dziś można zauważyć tego ślady, budowano tak, że od przedmieścia do centrum ciągnęły się pasy pustego miejsca. Wiatr duł tymi ciągami, zwłaszcza na peryferiach, tak, że wychodził człowiek zza węgła i miał wrażenie, że cug mu zaraz urwie łeb. Oficjalnie nazywało się to „klinami napowietrzającymi" i jakoby służyć miało temu, żeby do centrum miasta docierało świeże powietrze. Ale nieprawda, chodziło o przepływ w stronę odwrotną – te niezabudowane kliny miały rozbić falę uderzeniową wybuchu atomowego i zminimalizować w ten sposób zniszczenia.

Zauważalny fakt, że każda rzecz wykonana w socjalizmie była toporna, nieporęczna, za duża i w ogóle jakaś taka, chciałoby się rzec, chamska, w dzieciństwie tłumaczyłem sobie marnością socjalistycznej technologii. Byle drobiazg kupiony w peweksie wydawał się śmiać w ręku, zachęcać, żeby go chwycić, jeszcze do tego znać było w nim troskę o ekonomię – wyrób socjalistyczny wyglądał przy nim jak bunkier przy domku z bajek Disneya. Kuchenka czy lodówka opakowane były w blachę diablo grubą, choć każdy głupi widział, że to zwykłe marnowanie surowca, pociągające za sobą na dodatek niewygody dla użytkownika. Kiedyś mi uświadomił znajomy inżynier, że to kwestia maszyn, niezdolnych do precyzyjnych czynności, i tego, że nasze huty po prostu nie były w stanie walcować cienkiej stali. Dlaczego? Dlatego, że te maszyny i te blachy miały służyć przede wszystkim produkcji wojskowej, i do niej były przystosowane. Chwilowo produkowały wyroby cywilne, owszem, ale nie było to ich prawdziwe przeznaczenie. O tym, do czego je zrobiono naprawdę, szczegóły znaleźć można było w kopercie „mob". Odpowiednie władze wojskowe konsultowały, co można było zainstalować na wyposażeniu fabryki, a co było zbędne. Odpowiedni wydział musiał zatwierdzić każdą przebudowę budynku, każde byle przepierzenie czy podpiwniczenie.

Nie mielibyśmy dziś tak potwornego gospodarczego i społecznego problemu z kopalniami, gdyby były one drążone z myślą o potrzebach Polski, a nie dla napędzania zbrojeniowych młynów Kriuczkowa czy innego Greczki. Nie użeralibyśmy się z kolejarzami, gdyby głównym zadaniem postawionym przed peerelowskimi PKP nie było przewiezienie w odpowiedniej chwili sowieckich jednostek drugiego i trzeciego rzutu, i gdyby w związku z tym nie utrzymywano tam ogromnego nadzatrudnienia. Polskie huty nie miałyby takiego kłopotu z konkurencją na światowych rynkach, gdyby zbudowano je do wytapiania wysokogatunkowej stali i przygotowywania z nich wyrobów potrzebnych w normalnej gospodarce, a nie do produkcji prefabrykatów na pancerze i lufy. I, przede wszystkim, załamanie gospodarcze nie byłoby może aż tak głębokie, gdyby peerel nie utopił ogromnych środków, surowców i bezmiaru ludzkiej pracy w uzbrajaniu na nic nam niepotrzebnej armii, po to tylko, żeby Jaruzelski mógł na jej czele najechać na Danię i okupować ją w imię Marksa-Engelsa-Lenina i ich proroków z Kremla.

*

Jaruzelski. Na liście bohaterów-idoli polactwa zajmuje na pewno drugie miejsce, po Gierku, a tuż przed czterema pancernymi i kapitanem Klossem. Fakt, że sowiecki generał w polskim mundurze i były komunistyczny namiestnik priwislanskiego kraju zachował w Polsce tak liczną rzeszę histerycznie mu oddanych zwolenników, sam w sobie jest wystarczającym dowodem, jakiej degeneracji uległ ten dumny naród, który niegdyś żył na zajmowanych przez nas ziemiach. Trudno mi sobie wyobrazić, co musi się człowiekowi stać w głowę, aby, dostawszy po pysku, jeszcze za to dziękował bijącemu, chwaląc go, że przecież mógł zamiast niego przyjść ktoś silniejszy i obić gorzej.

Zresztą wdzięczność polactwa dla Jaruzelskiego za to, że wprowadzając stan wojenny dał pohulać ubekom i zomolom i pozwolił położyć fundamenty pod przyszłe fortuny różnym komunistycznym szumowinom, obywa się byle jakim pretekstem. Propaganda stanu wojennego bazowała na twierdzeniu, że „Solidarność" szykowała jakieś krwawe zamachy, powstania, falę terroru – i śmiała akcja WRON-y zapobiegła wojnie domowej. Była to oczywista bzdura, ale ponieważ po roku 1989, w ramach zawartego kontraktu politycznego, nikt nie prostował ani tego, ani innych kłamstw upowszechnianych latami przez komunistyczną propagandę, więc wcale często można jeszcze spotkać ludzi, którzy wciąż głęboko w tę niedoszłą wojnę domową i jej nieszczęścia wierzą.

Potem chwalcy Jaruzelskiego wystąpili z tezą, że gdyby nie stan wojenny, doszłoby do ruskiej inwazji. A ruska inwazja, ma się rozumieć, spowodowałaby tak straszne ofiary, że tych kilkunastu zastrzelonych górników plus ponad sto ofiar skrytobójstwa „nieznanych sprawców" to przy tym pikuś. Bzdura jest tak piramidalna, że aż człowiek nie wie, od czego zacząć jej rozplątywanie. Po pierwsze, teza, że wejście do Polski Sowietów wywołałoby jakieś spontaniczne powstanie, jest kompletnie wyssana z palca. Skoro nie było żadnych większych wystąpień przeciwko rodzimemu żołdactwu i ZOMO, choć ktoś mógłby się łudzić, że Polak do Polaków strzelać nie będzie – to znaczy, że tym bardziej nikt nie wyszedłby na ulice demonstrować ani nie barykadowałby się w fabrykach przeciwko Armii Czerwonej. A tej ostatniej też przecież nie zależałoby na krzyczących relacjach w zachodniej prasie. Najpewniej cała interwencja przeszłaby nie bardziej krwawo, niż w Czechach. Zresztą szkoda o tym gadać, bo – po drugie – wiemy przecież ponad wszelką wątpliwość, że Sowieci wchodzić do Polski z wojskiem nie zamierzali, mamy ujawnione przez Bukowskiego protokoły z samego ich centrum decyzyjnego. I, mało jeszcze, jasno wynika z rozmów, które tam sowieccy przywódcy toczyli, że to Jaruzelski zabiegał u nich o zbrojną interwencję, i od nich właśnie usłyszał, że ma sprawę załatwić sam.

Mówiąc nawiasem, Czesi, nad którymi polactwo przyzwyczaiło się odczuwać wyższość, kpiąc sobie z ich tchórzostwa (dlaczego w Czechach nie było w czasie wojny partyzantki? Bo Niemcy zabronili) jakoś nigdy nie czcili Husaka i nie wmawiali sobie, że w końcu mogli im Sowieci osadzić u władzy kogoś gorszego. Nikt na Węgrzech nie ośmieli się nazwać patriotą Kadara. W tych krajach trafili się komuniści – Dubczek i Nagy – którzy zasłużyli sobie na wdzięczną pamięć swoich narodów, ale za to akurat, że, choć czerwoni, mieli odwagę postawić się Moskwie. W Rumunii z tego samego powodu do dziś zdarza się usłyszeć dobre słowo o Ceausescu – drań był, ale nasz, i z ruskim potrafił gadać ostro. Jedno tylko polactwo upatrzyło sobie na bohatera właśnie tego komucha, który na rozkaz Moskwy przetrącił swojemu własnemu narodowi kark.

Mówiąc jeszcze jednym nawiasem, kult Jaruzela łączy polactwo zupełnie harmonijnie z kultem Gierka, do czego trzeba nielichej dawki demencji. Kult Gierka, poza wymienionymi już przyczynami, żywi się w znacznym stopniu konstatowaniem i przeżywaniem wielkiej krzywdy, jaką wyrządzono byłemu pierwszemu sekretarzowi, wywalając go z partii i odbierając związane z tym apanaże, tak, że na starość musiał żyć bardzo skromnie z emerytury, na którą zapracował sobie w młodości, kopiąc węgiel u wrażych kapitalistów (poglądowa lekcja, swoją drogą, wyższości kapitalistycznego wyzysku pracownika nad socjalistyczną troską o tegoż). Oczywiście sklerotykom, którzy stawiają dziś Gierkowi pomniki, zawieruszyło się w pamięci, że w ten sposób potraktowała ich idola nie brzydka „Solidarność”, która za amerykańskie dolary zniszczyła socjalny raj peerelu, tylko drugi ich idol – Jaruzelski. I że to on właśnie zapakował Gierka i jego ekipę do internatu, zarzucając jej zrujnowanie kraju, bo wymyślił sobie, niesłusznie, że społeczeństwo będzie miało Gierkowi coś za złe. Popieram pomysł Macieja Rybińskiego, żeby dla oszczędności obie miłości polactwa połączyć w jednym pomniku, przedstawiającym Jaruzelskiego internującego Gierka.

Jest i trzeci element jaruzelskiego kultu, nie do końca pasujący do pozostałych, bo wykuty w intelektualnych kuźniach Michnika – i o tym trzeba napisać najwięcej. Owoż, wedle pokrętnej michnikowej logiki, Jaruzelski zasłużył sobie na wdzięczność potomnych, bo, wprowadzając stan wojenny, otworzył drogę do historycznego kompromisu przy

Okrągłym Stole. To niezłe wykręcenie kota ogonem. Można by równie dobrze rzec, iż atak Hitlera na Polskę we wrześniu 1939 otworzył drogę do zwycięstwa nad faszyzmem i na tej podstawie wzywać do oddania Adolfowi historycznej sprawiedliwości. Ale mniejsza o pokrętność, o michnikowszczyznie piszę gdzie indziej. Tu czuję się w obowiązku wystąpić w obronie Jaruzelskiego, przeciwko krzywdzie, jaką mu – zapewne nieświadomie – taką linią obrony Michnik wyrządził.

Otóż robienie z Jaruzela jakiegoś liberała, który po to tylko wprowadził stan wojenny, aby potem móc oddać władzę i rozpocząć ustrojową transformację, oznacza automatyczne odebranie mu tego, że był, i chyba do końca pozostał, ideowym komunistą. A jest to bodaj jedyna rzecz, z jakiej Jaruzelski mógłby być dumny; wedle stosowanej już wcześniej metodologii opisu łączył on bowiem partyjność z osobistą uczciwością. Chyba ta właśnie ostatnia cecha sprawiła, że na ostatnim (wszystko wskazuje na to, że naprawdę ostatnim) zjeździe SLD delegaci urządzili mu większą owację niż któremukolwiek z czynnych wówczas liderów lewicy. Facet, który przez ładnych parę lat sprawował w Polsce władzę niemal dyktatorską i nie skorzystał z okazji, żeby się nakraść, to na tle lewicowców III Rzeczypospolitej niezłe dziwowisko.

Ale Jaruzelski naprawdę chciał bronić socjalizmu. Na tym polegało całe nieszczęście: jako szczery komunista, on naprawdę wierzył, że socjalizm to przodujący ustrój, a trudności mają charakter przejściowy. Naprawdę był głęboko przekonany, że towaru nie ma w sklepach tylko dlatego, że wykupili go spekulanci, a niskiej wydajności pracy i marnym ekonomicznym wynikom socjalistycznych przedsiębiorstw można zaradzić wprowadzeniem w nich wojskowej dyscypliny. Socjalizm uratować miały inspekcje robotniczo-chłopskie, wojskowe grupy operacyjne posyłane w teren do walki z marnotrawstwem i spekulacją, oraz komisarze wojskowi przy socjalistycznych zakładach pracy. Zwłaszcza z tymi ostatnimi bywała niezła jazda. Jeśli trafił się jakiś rozsądny, to po prostu się w nic nie wtrącał, produkując tylko dla picu jakieś raporty dla dowództwa, ale wielu podwładnych towarzysza generała głęboko się przejęło otrzymaną od niego misją i aktywnie zabrało do uzdrawiania powierzonych im zakładów – jedynymi metodami, jakie znali.

Spotęgowało to, oczywiście, chaos jeszcze bardziej, choć parę miesięcy przed stanem wojennym wydawało się to już niemożliwe, i stanowiło jeśli nie ostatni, to na pewno jeden z ostatnich gwoździ do trumny dla przodującego ustroju.

W jednostce, w której odsługiwałem zaszczytny obowiązek obrony ludowej ojczyzny przed dybiącymi na nią Duńczykami, chodziła opowieść o tym, jak to Jaruzelski podczas jakiejś inspekcji miał wyleźć na wartownika i jak wartownik, zgodnie z regulaminem, położył go wraz z całą świtą na ziemię do czasu przybycia wezwanego dowódcy warty. Pointa była taka, że miał ów żołnierz na osobiste polecenie, nie pamiętam już, czy jeszcze tylko ministra obrony, czy już premiera i pierwszego sekretarza, Jaruzelskiego właśnie w każdym razie, zostać nagrodzony urlopem za wzorowe pełnienie służby. Nie dam głowy, czy tak było naprawdę, ale zakładam, że nikomu nie chciałoby się wciskać nam kitu. Nawet zresztą gdyby, to fabrykowanie takich kitów też by dobrze świadczyło o wyczuciu ludzkich potrzeb, a ich podchwytywanie przez kadrę oficerską – o autorytecie, jaki sobie Jaruzel u niej wyrobił. W każdym razie przypomniała mi się ta opowieść parę lat później, gdy pani premier Suchocka jechała nieprzepisową kawalkadą i pewien policjant usiłował ją zatrzymać, a wobec braku reakcji na jego polecenia dobył broni i oddał strzały ostrzegawcze w powietrze. Zachował się dokładnie tak, jak według przepisów i regulaminów powinien, ale ponieważ w jednym z łamiących przepisy samochodów jechała jaśnie pani, został za to ukarany. Śledziłem tę sprawę, głęboko przekonany, że pani Suchocka zrobi to, co się na jej miejscu narzucało, ale jakoś nie wpadła na pomysł, aby tę niesprawiedliwą karę anulować. Jaruzelski, choć komunista i pachoł okupantów, miał jednak cechy dobrego dowódcy i klasę zdecydowanie kontrastującą z większością późniejszych przywódców państwa – przykro to przyznawać, ale trzeba, bo w narodzie tak skłonnym do kierowania się zewnętrznymi pozorami mają te fakty na pewno znaczenie dla zrobionego Jaruzelowi pijaru.

Duże znaczenie miało też dla niego to, iż Jaruzelski wypowiadał się publicznie, jak na pierwszego sekretarza, dość rzadko i zwięźle, a przemówienia miał dobrze napisane. Mając przy tym dobrą dykcję i głos, potrafił na poddanych sprawić wrażenie mądrego. Że nie jest to prawdą, dowodzą przechowywane dziś w archiwach Instytutu Pamięci Narodowej stenogramy z posiedzeń politbiura i rządu. Dopiero te zapisy długich, ciągnących się chyba godzinami tyrad towarzysza generała na każdy możliwy temat pokazują, jaki rzeczywiście był poziom wiedzy i inteligencji człowieka, który deklarował, że będzie „bronił socjalizmu jak niepodległości". Każdy, kto miał nieprzyjemność odsługiwać w latach peerelu służbę wojskową wie, co kryje się w słowie „trep", ale miał już prawo zapomnieć znaczeniowe niuanse tego słowa. Otóż, czytając te tyrady Jaruzelskiego, odkryłby je na nowo. To po prostu najklasyczniejsze bredzenie peerelowskiego trepa, z jego charakterystyczną pokręconą logiką, pustosłowiem oraz natłokiem cudacznych słów z partyjno-wojskowego żargonu umożliwiających zadawanie pozorów sensu i logiki oczywistym bredniom ignoranta. A i tak, jak twierdzi historyk, z którym rozmawiałem, fragmenty, które znalazłem w jego pracach, to te najbardziej jeszcze strawne i najbardziej o czymś. Towarzysz generał znał się na wszystkim i o wszystkim miał swym podwładnym coś mądrego do opowiedzenia, od wytopu surówki po delikatne kwestie wychowania seksualnego młodzieży.

Nie różniło go to zresztą od poprzedników – można nawet z dużą dozą prawdopodobieństwa przypuszczać, że zanim sam został numerem pierwszym przodującego ustroju, musiał cierpliwie i z gotowością potakiwania wysłuchiwać podobnych bredzeń swoich zwierzchników. Socjalistyczni przywócy tak właśnie mieli. Z zachwytem oglądałem kiedyś w telewizji satelitarnej, jak na wiecu w Hawanie Fidel Castro z wyżyn swojej wszechwiedzy opowiadał Kubańczykom o produkcji, budowie i eksploatacji roweru – niestety, w telewizji pokazano tylko drobny, dziesięciominutowy ułamek z półtoragodzinnego przemówienia. To i tak nic wobec dokonań wielkiego wodza Kim Ir Sena, rozwiązującego na poczekaniu problemy, nad którymi na próżno biedzili się najwięksi naukowcy świata. Kolega z klubu fantastyki, w czasach, kiedy można u nas było dostać północnokoreańską gazetę wydawaną po rosyjsku przynosił czasem, zaczerpnięte z niej, fantastyczne doprawdy opowieści o Wielkim Wodzu. Wódz nawiedzał w tych opowieściach gospodarstwa rolne, fabryki i instytuty naukowe, spotykał się ze swymi prostymi poddanymi na ulicach, i każdemu udzielał jakiejś cennej rady, która z początku wydawała się dziwna, ale po zastanowieniu i zrozumieniu potwierdzała nadprzyrodzony geniusz koreańskiego przywódcy.

Jedna z tych opowiastek była tak wspaniała, że nie oprę się pokusie zacytowania. Owoż Wielki Wódz odwiedził pewnego razu instytut, w którym opracowywano pasze – między innymi dla drobiu. I zapytał, z czego przygotowywana jest pasza dla kurcząt. Kiedy mu powiedziano, że ze zboża, skarcił po ojcowsku wizytowanych i pogroził im palcem – rozrzutność, towarzysze, rozrzutność! Paszę dla kurcząt można robić z trawy! Wywołało to niejakie zdumienie, kilku małych duchem naukowców ośmieliło się nawet wyrazić wątpliwości, ale Wielki Wódz powtórzył tylko: a ja wam mówię, towarzysze, że paszę dla kurcząt można robić z trawy. I co powiecie? Pracownicy instytutu przysiedli fałdów, wzięli się za eksperymenty (ile kurzych istnień to kosztowało, gazeta, niestety, nie podała) i już po roku od tej wizyty mogli na międzynarodowym kongresie ogłosić o stworzeniu rewelacyjnej paszy z trawy... z pewną domieszką ekstraktu zbożowego.

(Skoro się nie powstrzymałem przed zacytowaniem tej opowieści, to zadedykuję ją tu niniejszym wszystkim niestrudzonym poszukiwaczom „nieliberalnej alternatywy", którzy z determinacją godną koreańskich specjalistów od pasz usiłują wbrew wszelkim historycznym doświadczeniom dowieść, że socjalizm może funkcjonować... z pewną domieszką wolnego rynku.)

W Polsce nie było aż tak, ale nie było inaczej. Pamiętam z dzieciństwa, jak Gierek na jakimś transmitowanym przez telewizję spotkaniu czy naradzie z aktywem wyjaśnił, że przejściowe braki na rynku przetworów żywnościowych wynikają nie z braku tychże przetworów, tylko z niedociągnięć w zabezpieczeniu pełnego pokrycia potrzeb... no, mówiąc po ludzku, że nie ma chłodni i linii do robienia konserw, i nie można ich na razie zbudować z braku cennych dewiz. W związku z czym rozwiązaniem powinno być robienie przetworów domowych, żeby ludzie przechowywali tę żywność, wiecie, różnymi domowymi, starymi sposobami, które, wiecie, też są dobre, i tu zaczął się rozwodzić, jak to, wiecie, można wpuścić siatkę do studni, albo wykopać jamę i wyłożyć ją liśćmi łopianu czy tataraku – zapamiętałem to w miarę dobrze, bo mój wujek, tak się przypadkiem składa, że z zawodu właśnie specjalista od przetwórstwa żywności, słuchając z nami tych bredni na przemian pękał ze śmiechu i klął w żywy kamień. Takie to właśnie były czasy, że z reguły robiło się te dwie rzeczy na przemian. Po co zresztą o tym gadać, kto przeżył, wie, a kto nie przeżył i tak nigdy nie uwierzy.

Ciekawe, nawiasem mówiąc, że w tej akurat scenie, która tak mi się wryła w pamięć, Gierek zachowywał się dokładnie, jak Gomułka, plotący z zamiłowaniem o kiszonkach i makuchach (ale tego już z własnego doświadczenia nie pamiętam, musicie spytać kogoś starszego). Pewnie dlatego, że wyniesiona z domu wiedza, jak się kisi ogórki, należała do nielicznych rzeczy, jakie ci ludzie naprawdę wiedzieli. Poza tym cała ich edukacja sprowadzała się do wkutych na pamięć grubych tomów bełkotu różnych mełamedów od marksizmu-leninizmu.

Piszę o tym wszystkim dlatego, żeby wyjaśnić Czytelnikowi, iż, dokładnie odwrotnie od propagandowej tezy ukutej dla politycznych potrzeb michnikowszczyzny, Jaruzelski, zostawiając już na boku jego rzekomy patriotyzm (gdy w istocie zachowywał lojalność nie wobec swego narodu, ale wobec komunistycznej ideologii i Kremla), nie był żadnym mądrym, przewidującym mężem stanu. Przeciwnie, był jeszcze jednym ograniczonym partyjniakiem i wyhodowaną przez negatywną selekcję partyjnego aparatu miernotą, tak jak jego poprzednicy. I że wcale nie był tak przewidujący ani mądry, by zdawać sobie sprawę, że wprowadzając stan wojenny, uruchomił proces, który nieuchronnie doprowadzić musiał do demontażu „realnego socjalizmu". Wręcz przeciwnie: był taki głupi, że do ostatniej chwili nie zdawał sobie z tego sprawy. Do ostatniej chwili wierzył, że wcale socjalizmu nie rozmontowuje, tylko właśnie go ratuje – Inspekcjami Robotniczo-Chłopskimi, Grupami Operacyjnymi, wojskowym malowaniem trawy na zielono, PRON-em, drugim etapem reformy, o pierwszym nie wspominając, no i, oczywiście, esbeckimi szwadronami śmierci oraz Zmotoryzowanymi Odwodami Milicji Obywatelskiej.

I chyba do ostatniej chwili nie zauważył, że ze swoją grupką partyjnych dziadków i sztabem trepów z WRON-y, został w wierze w przodujący ustrój sam. Jaruzel, jak już wspominałem, postanowił się od gierkowskiej ekipy odciąć całkowicie i demonstracyjnie. Musiał to zresztą zrobić, z dwóch co najmniej względów. Po pierwsze, była skrajnie niekompetentna – a towarzysz generał, wierząc w socjalizm, nie rozumiał, iż jest to skutek wieloletniego działania systemu, i przypisywał tę niekompetencję błędom gierkowskiej polityki personalnej. Po drugie, była odpowiedzialna za liczne nadużycia, korupcję i tworzenie lokalnych sitw. Przez pewien czas nawet rozważano urządzenie propagandowych igrzysk i publiczne rozliczanie z nadużyć, z pomysłu tego ekipa Jaruzelskiego ostatecznie zrezygnowała, bojąc się, że takie pranie brudów zanadto by partię skompromitowało, niemniej w ramach przygotowań specsłużby opracowały dość szczegółowy raport, który potem wyciekł jakoś na Zachód i zamieszczony został w jednym z „Zeszytów historycznych" paryskiej „Kultury". Z perspektywy dzisiejszych afer czyta się go z pewnym pobłażaniem, bo po prostu możliwości przekrętu były za Gierka znacznie mniejsze niż dziś – wtedy partyjny kacyk mógł ukraść willę, teraz, w zamęcie ustrojowej transformacji, tym z najlepszymi układami zdarzało się „prywatyzować" na swoją korzyść całe branże. Niemniej, jest to materiał bardzo ciekawy, a czegoś mało po roku 1989 rozpowszechniony. Pewnie dlatego, że już tam pojawiają się nazwiska osób, które w III RP bywały bardzo czynne i miewały fantastyczną prasę.

Tak czy owak, odwołując lub zsyłając w odstawkę współpracowników Gierka z nim samym na czele, niechcący oczyścił Jaruzelski wierchuszkę PZPR z ostatnich komunistów. Ci internowani byli niedobitkami, którzy jeszcze umieli w marksistowskie bzdury autentycznie wierzyć. Zachowały się przezabawne opowieści o tym, jak pozamykani przez Jaruzela gierkowscy prominenci urządzali sobie w internacie zebrania partyjne, wspólne śpiewanie pieśni rewolucyjnych i obchody czerwonych świąt – warto by było, żeby ktoś to kiedyś wydał drukiem ku uciesze narodu. Ci natomiast, którzy przyszli na ich miejsce, to było już pokolenie Kwaśniewskiego, pokolenie karierowiczów i konformistów, wychowanych na Ordynackiej (warszawska siedziba Socjalistycznego Związku Studentów Polskich, potem przemianowanego na Zrzeszenie Studentów Polskich) i Smolnej (Związek Socjalistycznej

Młodzieży Polskiej – w sumie to samo, tylko dla wieśniaków). Ci ludzie mieli ideolo głęboko w tyle. Naturalnie, sami by tego nie przyznali nawet przed sobą. Mieli pełne gęby socu, mogli o nim tokować godzinami, posłusznie dawali się ubecji posyłać do mieszkań opozycjonistów, by rozbijać ich wykłady czy to pięściami, czy chamskimi okrzykami, tupaniem i wyciem. Dopóki było trzeba, byli najszczerszymi komunistami pod słońcem. Ale – ani chwili dłużej.

Ludziom, którym los oszczędził styczności z komuną, trudno jest zrozumieć zjawisko, które Orwell nazwał dwójmyśleniem. To był wyższy stopień hipokryzji. Zwykła hipokryzja polega na udawaniu, natomiast komunistyczne dwójmyślenie zasadzało się na umiejętności wzbudzania w sobie wiary w to, w co akurat należało wierzyć. Kiedy na przykład generał Kiszczak – niedawno ujawniono stosowne dokumenty – przyznawał nagrody funkcjonariuszom, którzy różnymi podłymi sposobami „wrobili" w zamordowanie Grzegorza Przemyka lekarkę i sanitariuszy pogotowia ratunkowego, aby wybielić w ten sposób rzeczywistych morderców z MO, nie napisał, że nagradza ich za sfałszowanie aktów oskarżenia, zeznań świadków etc. i doprowadzenie do skazania niewinnych ludzi. Napisał, że nagradza ich za zasługi w odkryciu i ujawnieniu prawdy o tym morderstwie. Czy Kiszczak mógł wierzyć, że Przemyka pobili śmiertelnie sanitariusze, a nie milicjanci? Oczywiście, że nie. Gdyby w to wierzył, byłby idiotą, a idiota nie mógłby skutecznie kierować całą potęgą tajnych służb i aparatu przemocy państwa policyjnego, nawet tak dziadowskiego, jak rozsypujący się peerel. Ale przecież pisał to w tajnym dokumencie, wiedząc, że nikt jego słów nie będzie czytać poza tymi, którzy równie dobrze jak on sam wiedzieli, jaka jest prawda i jakimi metodami uzyskano „dowody" niewinności MO w sprawie Przemyka. Czemu więc nie poszedł otwartym tekstem? Bo sam był w stanie uwierzyć, że może i subiektywnie nie była to prawda, ale obiektywnie była, jako że prawdą obiektywną było to, co służyło socjalizmowi, nawet jeśli subiektywnie prawdą nie było – umiał więc sam sobie narzucić głębokie przekonanie, że obiektywnie wina sanitariuszy była prawdą, mimo subiektywnych...

Nie, obawiam się, że młody Czytelnik, który miał szczęście nie zmarnować młodości w tej beczce z czerwonym łajnem, jaką był peerel, nic z tego nie rozumie. Odpuszczam. Nie wyjaśnię mu tego. Bo to jest, tak naprawdę, nie do wyjaśnienia i nie do zrozumienia dla człowieka normalnego. Proszę, po prostu przyjmijcie na wiarę – tak właśnie dziwnie i pokrętnie funkcjonował *homo aparatus*, i na tym, że zdołali sobie wyhodować takich mutantów, polegała wyższość sowieckich komunistów nad ich niemieckimi braćmi w socjalizmie spod znaku swastyki. Kiedy hitlerowcy mordowali Żydów, to pisali w raportach: tego a tego dnia zagazowano i spalono tylu a tylu Żydów. Potem wystarczyło wziąć te raporty do ręki i wydać wyrok. Sowieci potrafili mordować i głęboko wierzyć, że wymordowani wymordowali się sami, albo że w ogóle nigdy ich nie było. Życie stało się lepsze, towarzysze, życie stało się weselsze, jak mówił towarzysz Stalin. Rozumiecie to? Obawiam się, że nie. Powiem szczerze, im dalej, tym mniej sam to rozumiem. A przecież to istniało, choć nie chce się wierzyć.

W każdym razie, właśnie dzięki takiemu wyćwiczeniu umysłów w dwójmyśleniu rozmaici młodzi karierowicze z socjalistycznych związków socjalistycznej młodzieży potrafili zarazem być i nie być komunistami. Z jednej strony, gorliwie wierzyć, że socjalizm jest słuszny, zdając sobie sprawę, że od stopnia tej wiary zależą ich partyjne kariery – i z drugiej strony, równie głęboko wierzyć, że socjalizm uratować mogą tylko reformy. A jedyną możliwą reformę socjalizmu stanowiło, tak jak w północnokoreańskiej paszy dla kur, dodawanie do niego domieszki kapitalizmu.

O tym, że głęboka i na różne sposoby demonstrowana wiara w słuszność systemu opartego na sprawiedliwości społecznej i równości nie przeszkadzała tym ludziom dorabiać się prywatnych fortun i wspierać się w tym dziele w ramach stworzonych na bazie socjalistycznych związków towarzystw kolesiów, chyba nawet nie trzeba wspominać.

Wspomnę za to o czym innym. O tym, że „magister" Kwaśniewski, symbol tej umysłowej i pokoleniowej formacji, wychował się na paryskiej „Kulturze". Tak twierdzi. I na pewno w to wierzy, że stamtąd właśnie zaczerpnął swe duchowe inspiracje. I że całe życie był krytycznie nastawiony do peerelowskiego systemu. Po to tylko poszedł do partii, żeby go reformować. Wiemy to, bo sam tak mówił.

*

Jaruzelski, jak sądzę, nie zrozumiał nigdy, że pomiędzy nim a Gierkiem (krótko urzędującego bezbarwnego aparatczyka Kanię można pominąć) sytuacja w kraju zmieniła się zasadniczo. Tak zasadniczo, że właściwie towarzysz generał objął władzę już w innym zupełnie kraju.

Stanisław Lem napisał kiedyś opowiadanko o planecie, którą rządzą roboty. Ludzi oficjalna ideologia uważa za największych wrogów, roboty spotkane przez bohatera na ulicy wygłaszają przeciwko ludziom namiętne filipiki, zachwalając robocią cywilizację – ze zdumieniem odkrywa on jednak, że niektóre z tych robotów tak naprawdę robotami nie są. Tak naprawdę to ludzie, poukrywani w metalowych skorupach, usiłują jakoś żyć wśród nienawidzących ich robotów. Pointa opowiadania jest zaś taka, że robotów okazuje się już w ogóle na planecie nie być – zaludniają ją sami poprzebierani ludzie, z których każdy sądzi, że jest tym jedynym.

Tak właśnie wyglądał komunizm czasów gierkowskich. Pod prasą ogłupiającej propagandy i drobiazgowo zorganizowanego obłędu każdemu wydawało się, że jest ostatnim normalnym człowiekiem w morzu absurdu, a jego dom – ostatnim miejscem, gdzie się mówi prawdę, formułując ją w normalnej, polskiej mowie, a nie w koszmarnym partyjnym slangu.

Dzisiejszym młodym ludziom trudno sobie wyobrazić, jak silne było to poczucie oblężenia. O swoim dziadku, o jego endeckiej działalności, legionach i POW dowiedziałem się dopiero wtedy, gdy byłem dorosły. O tym, że mój własny Ojciec zdążył jeszcze jako młody chłopak złożyć wojskową przysięgę w AK – dopiero po jego śmierci. Mój własny Tata, kochany, cudowny człowiek, bał się ze mną rozmawiać na takie tematy. Bał się, że coś wyniosę z domu, chlapnę w szkole, a jakiś kapuś natychmiast doniesie – i zgnoją mu syna. Do dziś pamiętam, jak się o mnie przestraszył, gdy przypadkiem natknął się w moim pokoju na rzuconą gdzieś byle jak „bibułę".

Często pytam ludzi, których spotykam, jak to wyglądało u nich. Przeważnie – podobnie. Nasi ojcowie bali się nam opowiadać o rodzinnej historii, o krewnych zaginionych na Wschodzie czy pomordowanych po wojnie. W każdym razie odkładali te rozmowy, aż dzieci podrosną i dojrzeją do wtajemniczenia. Trudno się dziwić, jeśli wziąć pod uwagę, w jakie czasy sięgali pamięcią. Może nie całe pokolenie polskiej inteligencji, ale ogromna jego część, rosło w kompletnej próżni. Bez pamięci, bez tradycji, bez historii, ani tej wielkiej, narodowej, ani rodzinnej. Przeszłości nie było, zostały z niej jakieś strzępki, i nie każdy miał czas, chęć i możliwości, aby mozolnie odnajdywać zagubione elementy i stopniowo układać z nich cały obraz.

Pod koniec podstawówki udało nam się u jednego z kumpli znaleźć jakiś stary portret Piłsudskiego. Odfotografowałem go, porobiłem odbitki dla kolegów i siebie, a potem z dumą umieściłem Marszałka na honorowym miejscu w swoim pokoju. Mój Tata popatrzył, pokręcił głową i westchnął „gdyby dziadek to widział, to by chyba umarł!”. Ale nawet wtedy nie chciał mi jeszcze wyjaśnić, dlaczego mój dziadek, choć legionista, Piłsudskiego szczerze nienawidził. A ja i moi rówieśnicy, choć nie byliśmy jakimiś opornymi na wiedzę młotkami (śmiem twierdzić, że przeciwnie), o Piłsudskim wiedzieliśmy akurat tyle, że bił czerwonych i że szkolny podręcznik nazywał go faszystą. Gdyby ktoś wtedy nazwał go przy nas socjalistą, to jak nic zarobiłby w kły.

Zdarzały się wyjątki. Przez krótki czas, bodaj w szóstej klasie, przedmiotu zwanego „Przysposobieniem Obronnym” nauczał nas, wskutek braków w ciele pedagogicznym, niejaki pan Gałach, z zawodu trener siatkówki, w szkole zatrudniony jako WF-ista (gdziekolwiek dziś jest, niech postępują za nim słoneczne promienie i śpiew ptaków). To na jego lekcji po raz pierwszy w życiu usłyszałem straszne słowo „Katyń”. A kiedy na pytanie o największą polską organizację podziemną nierozgarnięty kolega odpowiedział zgodnie z podręcznikiem „Armia Ludowa” (AK, wedle tego samego podręcznika, przestała wojnę z bronią u nogi), Gałach potrafił cisnąć w niego sabotem, rycząc: „To Polak tak mówi? Patriota? Won, skurwysynu, za drzwi!”. Ale ten złoty człowiek funkcjonował w szkole na wariackich papierach. Większość nauczycieli śmiertelnie się bała – wyjąwszy tych kilkoro całkowicie zaprzedanych czerwonych świń, w rodzaju pani dyrektor szkoły, która potrafiła wezwać do szkoły ubecję, odkrywszy w zeszycie jednego z moich kolegów obraźliwą karykaturę Jaruzela.

Przepraszam, ale potrzebne mi do wywodu jeszcze jedno wspomnienie. W dniu, kiedy przeniósł się do wieczności towarzysz Breżniew, w mojej szkole zapanowała spontaniczna radość – zresztą, wiadomość tę przynieśli do szkoły moi dwaj bracia, którym na tę okoliczność nasza matka po raz pierwszy i jedyny w życiu nalała wódki i wychyliła z dziećmi kieliszek, ku należnemu uczczeniu radosnej wieści. Przez całą przerwę wraz z kumplami tańczyliśmy na korytarzach, skandując radosne okrzyki i hasła, w których czcigodny zmarły przyrównywany był do zwierząt hodowlanych i narządów płciowych, a nauczycielki zamknęły się w pokoju nauczycielskim i nie odważały się wyściubiać z niego nosa, przerażone, że ktoś doniesie, że to widziały i słyszały. Dla nich było to niepojęte. Niektóre z nich pamiętały jeszcze, jak na wieść o śmierci Stalina w panice wcierały sobie pod powieki tytoń z papierosów, żeby mieć oczy równie czerwone i załzawione jak wszyscy dookoła.

Pomiędzy Gierkiem a Jaruzelskim stało się coś niewiarygodnego, niesamowitego. Przyjechał do nas Polak – Papież, a potem wybuchła „Solidarność" i ludzie nagle zobaczyli, ilu ich jest. Przestali chować się w robocich skorupach i wygłaszać do siebie nawzajem propagandowe filipki przeciwko ludziom. Okazało się, że nie ma się co wygłupiać, że komuna zdechła, wszyscy myślimy to samo i mamy ją głęboko gdzieś. Tego już nie można było cofnąć. Nie można było przywrócić martwej ideologii nawet pozorów życia. Można było zrobić tylko jedno: złamać odradzający się naród siłą, przetrącić wchodzące w życie pokolenie, odebrać mu nadzieję, zmusić do wyjazdu, do pogrążenia się w alkoholizmie, w najlepszym wypadku, zamknięcia się w czterech ścianach. Przedłużyć agonię i gnicie systemu kosztem złamania w ludziach nadziei. Tę właśnie przysługę oddał socjalizmowi Jaruzelski.

*

Czasem, proszę wybaczyć ten osobisty ton, trudno mi uwierzyć, że to się działo naprawdę. Pamiętam „Solidarność" jako jakąś niesamowitą eksplozję optymizmu, nadziei, energii. Tak musiały wyglądać, wyobrażam to sobie, czytając historyczne opracowania, czasy, gdy uchwalano Konstytucję Trzeciego Maja, albo pierwsze dni Powstania Listopadowego. Nie mogę uwierzyć, że ten wybuch tkwiącej w nas energii mógł do tego stopnia nie pozostawić po sobie żadnego śladu. Zniknąć, rozwiać się. W dzisiejszej Polsce, pełnej zapiekłej złości, frustracji, zrzędzenia, poczucia beznadziejności, mającego się zupełnie nijak do faktów, w Polsce, co tu gadać, po prostu ciężko chorej na psychozę depresyjną, usiłuję sobie ten entuzjazm przypomnieć – i długo muszę sam siebie przekonywać, że on istniał naprawdę, a nie tylko w którejś z fantastycznonaukowych powieści, których tyle za młodu pochłaniałem.

Być może, gdyby wśród ludzi decydujących o biegu wydarzeń po roku 1989 trafił się mąż stanu z prawdziwego zdarzenia, gdyby nie popełniono tych wszystkich głupstw i podłości, o których pogadamy w następnym rozdziale, udałoby się coś z tego kapitału ocalić. Ale co tam gdybać...

Historyczną zasługą Jaruzela – zasługą, oczywiście, nie dla Polski, tylko dla jej wrogów – było to, że zdołał zabić w nas nadzieję na lepsze jutro. Nie wymagało to masowych morderstw – wystarczały „punktowe", wymierzone w podziemnych aktywistów i krzewiących patriotyzm księży. Nie wymagało masowych zsyłek na Sybir – wystarczała demonstracja siły i kilka czy kilkanaście tysięcy paszportów w jedną stronę. Wszyscy, którzy dywagują o rzekomej wojnie domowej, powstaniach i ofiarach, przed którymi miała nas akcja Jaruzela ochronić, bredzą albo świadomie łżą w obronie swoich nikczemnych biografii. To nie była już Polska szwoleżerów ani powstańców warszawskich. To była Polska wytrzebiona z elit, na poły rozstrzelana, Polska pamiętająca jeszcze swoją Białą Górę, triumf bezkarnej zbrodni oraz mużyckiej przemocy, i z tego powodu, mimo całego entuzjazmu, pełna czeskiej ostrożności. Przez cały czas istnienia „Solidarności" nie udało się milicji i SB, mimo licznych starań, sprowokować żadnego antysowieckiego ekscesu – w końcu musiały do profanowania nocami cmentarzy Armii Czerwonej posyłać swoich funkcjonariuszy. Nie było tak znowu trudno pokazać tej Polsce, że się w swoich nadziejach pomyliła, że, jak to zwięźle ujął car Aleksander – „żadnych marzeń", nie ma co śnić o lepszym jutrze, każda praca zostanie tu zniweczona, każde działanie udaremnione i każde życie złamane.

Tak samo, jak pamiętam wybuch entuzjazmu po wyborze Jana Pawła II i zwycięskich strajkach sierpniowych, tak samo pamiętam ten zwis po stanie wojennym. Nikomu nie chciało się robić nic – niektórym, co najwyżej, uciekać gdzieś do normalnego świata. Najlepiej zresztą mówić za samego siebie. W połowie lat osiemdziesiątych nie chciało mi się już nawet pisać porządnej, wojującej science fiction w stylu zajdlowskim, dusza domagała się bajki o skarbach, stolinach i magicznych włóczniach. Ten i ów przez wzgląd na poczucie przyzwoitości robił coś dla podziemia, ale bardziej z jakiegoś konradowskiego poczucia wierności samemu sobie, niż z wiary, że kolportowaniem ulotek można zaszkodzić sowieckim dywizjom. Zresztą ulotki miały sens, gdy trzeba było ujawniać jakąś ocenzurowaną prawdę, a po stanie wojennym mieliśmy przekonanie, że wszyscy wszystko doskonale wiedzą, że wszystko jest oczywiste. Przekonanie, które się zresztą po roku 1989 strasznie na ludziach „Solidarności" zemściło.

Wiedzieliśmy, że wszystko wokół nas gnije i się rozpada, że życie w tym stanie rozkładu jest nieznośne, że będzie coraz gorzej – ale, z drugiej strony, że nic się nie da zrobić, bo za Bugiem stoi te czterdzieści dywizji, na które przecież nie rzucimy się z kamieniami. Pewnie właśnie dlatego, jeśli mnie jaki psychoanalityk będzie kiedyś próbował badać metodą wolnych skojarzeń, to na hasło: „peerel"? – zawsze, odruchowo, bez chwili namysłu odpowiem to samo: „syf". Żadne inne słowo nie jest w stanie lepiej opisać tego, co stanowiło mój „kraj lat dziecinnych".

Komuniści? Dziś wielu z nich udaje głupich, twierdząc uparcie, że przecież w ogóle żadnych komunistów ani komunizmu w peerelu nie było, no, może na początku, ale potem już nie. Pewnie, jeśli „komunizm" ma oznaczać głęboką wiarę w ideę i starania na rzecz zrealizowania utopii społeczeństwa bezklasowego czy jak tam się to niby nazywało, to ten gatunek ludzki wymarł na długo przed oficjalnym ogłoszeniem śmierci ustroju. Tylko nie bardzo rozumiem, po co się bawić w słówka. Być komunistą znaczyło należeć do nomenklatury, do rządzącej mafii, której ideologia w gruncie rzeczy nie różniła się od zasad życiowych pierwotniaka pantofelka: jeść i rosnąć. A komunizm oznaczał rządy tej mafii. Ponieważ do roku 1989 wszyscy oni chcieli, żeby ich nazywać komunistami, dlaczego nie mieliśmy im wyświadczyć tej drobnej uprzejmości i tak ich właśnie nazywać? I dlaczego mielibyśmy nagle teraz zmieniać nazewnictwo, bo ludzie, którzy kiedyś demonstracyjnie zwracali się do siebie per „towarzyszu", dziś się tego wstydzą i chcą być nazywani inaczej?

W tamtym czasie spotykałem dwa rodzaje komunistów. Z pierwszym z nich najpełniej zetknąłem się w początkach swej pracy zawodowej. Miesięcznik „Fantastyka", w którym załapałem się na etat stażysty, należał do partyjnego koncernu „RSW Prasa – Książka – Ruch" i po paru miesiącach obecności w pracy dowiedziałem się, że muszę wziąć udział w szkoleniu ideologicznym. Właściwie nie wiem, czy był to wymóg dotyczący każdego nowego pracownika, czy też zadziałała przeciwko mnie redakcyjna spychotechnika. Pojechałem na to szkolenie do ośrodka KC PZPR w Serocku, przysłano nam lektorów, oczywiście też z KC... Lektorzy partyjni, jak należało się spodziewać, stanowić powinni komunistyczną śmietankę. Powinni nas, młodych dziennikarzy, starać się natchnąć swym ideologicznym zaangażowaniem, zaagitować, rozgrzać, toż za to im, do cholery, płacono i rozdawano talony na małe fiaty. Tymczasem na swych szkoleniach z kamiennymi twarzami, monotonnym, znudzonym głosem recytowali nam brednie z przeznaczonych do tego broszurek, a po południu, przy obowiązkowym gorzałkowaniu (barek ośrodka zaopatrzony był w wódki i piwa o klasę lepsze od asortymentu dostępnego w sklepach) usiłowali się z nami zbratać, udowadniając, że tak prywatnie, między nami, mają to wszystko głęboko w tyle, no ale, bądźmy poważni, przecież jest określona sytuacja międzynarodowa, są pewne określone uwarunkowania, no nie, Jałta, czterdzieści dywizji, no co niby zrobisz. Taki był sznyt ówczesnych komunistów. W prywatnych kontaktach demonstracyjnie klęli komunę, opowiadali, jacy to kretyni siedzą w KC i politbiurze, co ci idioci znowu wymyślili – dokładnie tak, jak towarzysz Jan Winnicki z serialu Barei „Alternatywy 4", postać doskonale podpatrzona w rzeczywistości tych czasów.

Ale widziałem także komuchów nieco innych. Komuszków, powinienem był właściwie powiedzieć, bo chodzi o moich rówieśników. Nie było ich wielu – na stuosobowym roku trafiał się taki jeden, albo i tego nie. Przeważnie synowie komunistycznych generałów, pułkowników lub sekretarzy, choć nie było to regułą. Inteligentni, doceniający wagę wykształcenia, uczący się języków i tak cyniczni, że aż nie było po nich tego cynizmu znać, do tego stopnia uważali go za rzecz najzupełniej naturalną. Szykowali się robić kariery, żyć w luksusowych domach, jeździć dobrymi samochodami, bywać na Zachodzie, i w gruncie rzeczy nic ich w życiu więcej nie interesowało. Pytani o swoje członkostwo w ZSyPie czy innej powszechnie bojkotowanej organizacji potrafili odpowiedzieć z rozbrajającą szczerością: „przecież jak się w tym kraju nie da dupy, to się do niczego nie dojdzie". Komuna ich potrzebowała i korzystała z ich gotowości chętnie, bynajmniej nie egzaminując ze szczerości deklarowanych przekonań. Czasy były takie, że kto „dawał dupy", a jeszcze nie był przy tym ostatnim mułem, znał jakiś język obcy i miał pojęcie o czymkolwiek, szedł w górę jak rakieta. Oczywiście, śmieliśmy się z nich i otaczaliśmy towarzyskim ostracyzmem. Ale oni jakoś ten ostracyzm znosili, wliczając go w koszty wymarzonej kariery, i śmieli się z nas, przy nielicznych okazjach, kiedy do takich rozmów przychodziło, mówiąc, że my nigdy nic nie osiągniemy, a oni kiedyś będą tu rządzić.

I rzeczywiście, rządzą. Co i raz widzę te zapamiętane z młodości padalcowate twarze i rybie oczka na zdjęciach i na ekranie telewizora. Są prezesami państwowych mediów i spółek skarbu państwa, ministrami, obsadzają zarządy i rady nadzorcze, przekręcają miliony, a jeden zdołał nawet tak w sobie polactwo rozkochać, że dwukrotnie wygrał wybory prezydenckie. Żeby nie było nieporozumień: tego akurat w młodości osobiście nie znałem, i naprawdę tego nie żałuję.

I jeszcze jedno, dla mnie osobiście ważne wspomnienie z mniej więcej połowy lat osiemdziesiątych. W podziemnym piśmie studenckim „HiP" – od „Historia i Prawo", bo na tych dwóch wydziałach pismo to redagowano – autor, którego pseudonimu nie pomnę, napisał tekst „Między...", hm, bądź tu mądry – w każdym razie chodziło o trzy ulice z warszawskiej Pragi. Niech będzie „Między Targową, Ząbkowską a Radzymińską". Był to z talentem napisany reportaż, uświadamiający mi, ówczesnemu studentowi polonistyki, że między tymi trzema ulicami żyją ludzie, którzy autentycznie wierzą we wszystko, co im pokazuje państwowa telewizja. Że „Solidarność" szykowała tu za amerykańskie dolary krwawe łaźnie, chciała wieszać i mordować wszystkich członków partii, i tylko zdecydowana akcja wojska i milicji zapobiegła straszliwej, krwawej apokalipsie. Że przez tę „Solidarność" panowało bezhołowie, przestępczość, zamęt, a dzięki generałowi wreszcie mamy porządek i spokój. Że wszystkie przejściowe trudności w zaopatrzeniu sklepów to przez strajki i tego Reagana.

Gdzieś tam, relacjonował ów autor, żyją ludzie, którzy uważają, że wcale im nie jest tak źle, bo nie ma wojny ani nie cierpią głodu. I co wolna Polska, jeśli kiedykolwiek jej doczekamy, zrobi z tymi ludźmi, żyjącymi gdzieś między Targową, Ząbkowską i Radzymińską (czy jakie tam ulice występowały w oryginale)?

Dzięki temu nieznanemu mi bliżej autorowi „HiP-a" uświadomiłem sobie, bodaj czy nie po raz pierwszy w życiu, że tu, w naszym kraju, oprócz Polaków żyje jeszcze polactwo. Że oprócz komunistów mamy jeszcze tego strasznego, wewnętrznego wroga, ich biernego, ale wypróbowanego sojusznika, o którym pisał Hemar. Wielka szkoda, że nie uświadomili sobie tego ludzie, którzy ledwie kilka lat potem mieli zasiadać przy Okrągłym Stole i brać się do budowania nowej, wolnej Polski.

Ale ten rozdział miał traktować o czasach, które Okrągły Stół poprzedzały. Widzę zresztą, że wystukałem już te 80 tysięcy znaków, które na ten cel przewidziałem, a nie ma powodu, żebym się komunistycznym sznytem szarpał na przekraczanie planów. W tym więc miejscu na chwilę przerwę, zapraszając Czytelnika do rozdziału następnego.

Rozdział VI

Istotę zmiany ustrojowej w 1989 najlepiej uchwycił karykaturzysta, którego rysunek w jakiejś zachodniej gazecie – bodajże francuskiej – wpadł mi wtedy w oczy podczas wizyty u znajomych. Zdaję sobie sprawę, że może w końcu Czytelnika zirytować ta moja maniera ciągłego powoływania się na Bóg raczy wiedzieć czyją wypowiedź, udzieloną sam nie wiem komu i kiedy, i opowiedzianą mi z drugiej ręki przez też nie pamiętam już kogo, bez żadnych adresów bibliograficznych, przypisów i możliwości weryfikacji. Rozumiem, nawet się zgadzam, ale co poradzę – na torturach nie przypomnę sobie, co to była za gazeta i kto podpisał się pod rysunkiem. Samą karykaturę pamiętam jednak dobrze. Wyobrażała pikujący ku ziemi samolot – skrzydła połamane, kłęby czarnego dymu walą z płonących silników, słowem, katastrofa pewna i nieunikniona. A w kabinie pilotów widać Jaruzelskiego, który, podając wolant siedzącemu obok Wałęsie, mówi: dobra, teraz ty steruj!

Nie mogę tego zrozumieć – rzecz była oczywista dla jakiegoś rysownika, siedzącego sobie w spokojnym, zachodnim kraju o ileś tam set kilometrów i pewnie znającego Polskę tylko z telewizyjnych dzienników. Rzecz była oczywista dla takich sobie, dwudziestoparoletnich misiów, słabo zorientowanych w publicznych sprawach, jakim byłem wtedy ja i większość moich kolegów. A przywódcy podziemnej „Solidarności", którzy zasiedli z czerwonym do Okrągłego Stołu nie rozumieli, że jeśli komuniści nagle gotowi są złamać raz na zawsze daną sobie przysięgę „władzy nie oddamy nigdy", to tylko dlatego, że cały ten interes wali im się na łeb? A niby z jakiego innego powodu mogliby to robić? Co innego mogłoby tę bezwzględną mafię, która korzystając ze wsparcia sowieckich tanków od pół wieku trzymała w tym kraju wszystkich i wszystko za mordę, zmusić do popuszczenia uchwytu?

Komunistyczna mafia wciąż dysponowała szeregiem przewag nad ludźmi opozycji. Wciąż bezkarnie działały w kraju ubeckie szwadrony śmierci, mimo głośnej, ale skutecznie zatuszowanej wpadki, jaką były ucieczka z rąk oprawców kierowcy księdza Jerzego Popiełuszki i spowodowana nią częściowa dekonspiracja zbrodniarzy. Wyjąwszy kilka osób zbyt znanych na świecie, aby komuniści odważyli się postąpić z nimi aż tak odważnie – choć wydaje się dziś, że i takie warianty brali pod uwagę – praktycznie każdego, kogo mieli ochotę, mogli kazać usunąć w drodze „nieszczęśliwego wypadku". Korzystali z tej możliwości jeszcze w połowie roku 1989, i trzeba być ślepym albo świadomie kurczowo zamykać oczy, aby nie widzieć, że również i w latach następnych.

Te sprawy wciąż pozostają niewyjaśnione, a odpowiedzialny dziennikarz nie powinien dzielić się z Czytelnikiem podejrzeniami, których nie może niczym poprzeć. Ale, by wziąć jeden tylko, ale za to najgrubszy przykład, jakim była afera Funduszu Obsługi Zadłużenia Zagranicznego – funduszu, z którego zginęły zdaniem jednych setki milionów, a zdaniem niektórych nawet miliardy dolarów i złotych. Jeśli kontroler NIK, Michał Falzmann, który pomimo wielokrotnych „ostrzeżeń" ujawnił aferę, umiera nagle na serce, to jeszcze można uwierzyć w przypadek. Jeśli jego przełożony, prezes NIK, profesor Walerian Pańko, ginie niedługo potem w wypadku samochodowym, dosłownie w przeddzień posiedzenia, na którym zaprezentować miał informację w sprawie FOZZ – ale żadnego raportu ani notatek do niego w jego papierach potem nie znaleziono – to prawdopodobieństwo przypadku gwałtownie maleje. Ale jeżeli niedługo potem umiera także jego szofer (pierwotnie oskarżony o spowodowanie wypadku, wkrótce oczyszczony z tego zarzutu), jeśli w błyskawicznym tempie schodzą z tego świata policjanci, którzy byli na miejscu zdarzenia, a sporządzone przez nich protokoły gdzieś się bez śladu gubią, i jeśli śmierć zbiera żniwo wśród kilkunastu innych osób w ten czy inny sposób związanych z FOZZ – to, proszę bardzo, jeśli chcecie, uważajcie mnie za oszołoma wyznającego spiskową teorię dziejów, ale gdybym wierzył, że to wszystko przypadek, sam miałbym się za ostatniego idiotę.

Oczywiście, wszyscy ci ludzie zmarli w sposób zupełnie naturalny. Są na to niepodważalne, fachowe ekspertyzy. Są też niepodważalne, fachowe ekspertyzy, że jeden z możniejszych gangsterów III RP, znany pod ksywą „Baranina", powiesił się w celi wiedeńskiego aresztu zupełnie sam, i pewnie są też równie fachowe ekspertyzy, że tajemnicze papiery, które gangster ten miał w swoim sejfie i o których opowiadał wielu osobom, że to jego „polisa ubezpieczeniowa", same z tego sejfu wyszły i poszły sobie na wycieczkę. Prokuratura, opierając się na równie fachowych ekspertyzach, uznała, że towarzysz Sekuła sam strzelił sobie kilkakrotnie w brzuch z odległości około metra – nijak zresztą nie umiem pojąć, po co się było tak ośmieszać; akurat w wypadku Sekuły, gdyby zgodnie ze zwyczajem umorzono śledztwo ze względu na znikomą szkodliwość społeczną czynu, nikt by marnego słowa nie powiedział. Aż dziw, że dotąd jeszcze fachowcy nie wydali ekspertyzy, że generał Papała padł ofiarą wypadku drogowego.

Dopiero kilka miesięcy temu historycy Instytutu Pamięci Narodowej (któremu, przypomnę, zdominowany przez postkomunistów parlament wielokrotnie usiłował obciąć budżet do rozmiarów uniemożliwiających jakąkolwiek działalność) dokopali się do archiwalnych śladów esbeckich przygotowań do zamordowania Anny Walentynowicz. Walentynowicz przeżyła czystym przypadkiem, wskutek nieprzewidzianej zmiany planów; konfidentka tajnych służb miała podać jej w jedzeniu substancję, jak czytam w gazetowej informacji na ten temat, wywołującą atak serca i..., co ważniejsze, już po kilku godzinach niemożliwą do wykrycia w ciele zmarłego. Skoro mamy dowód, że SB dysponowała takim preparatem i nie wahała się go używać, to czy zbyt śmiałym będzie przypuszczenie, że w taki właśnie sposób mógł zostać zamordowany śp. Michał Falzmann?

Były poseł Lech Pruchno-Wróblewski, jeden z najaktywniej udzielających się w parlamentarnej komisji badającej po ogłoszeniu „Listy Macierewicza" teczki tajnych współpracowników SB (czy raczej tego, co z tych teczek zostało) opowiadał mi, jak wychodząc z prac komisji znalazł w oponie swojego zaparkowanego pod Sejmem samochodu stalowy kołek, taki, jaki ze specjalnego pistoletu wstrzeliwuje się, czy w każdym razie kiedyś wstrzeliwało, w betonowe ściany, aby móc powiesić na nim obrazek albo szafkę. Nie chodziło bynajmniej o przebicie opony; kołek tkwił w niej, nie powodując ucieczki powietrza, schowany w bieżniku i trudny do zauważenia. Od kilku zupełnie się nawzajem nie znających fachowców uzyskałem potwierdzenie, że taki wbity w ogumienie kołek rozgrzewa się w trakcie jazdy i przy szybkości ponad stu kilometrów na godzinę powoduje nagłe rozerwanie opony; jakie są tego skutki przy takiej szybkości, nie trzeba chyba wyjaśniać. Znaleźć potem gdzieś o kilkanaście czy kilkadziesiąt metrów od miejsca wypadku taki kawałeczek metalu i skojarzyć go ze sprawą nie jest pewnie łatwo. Czy będzie nadmiernie śmiałym przypuszczenie, że w ten właśnie sposób mógł „nieznany sprawca" sprawić, że służbowy samochód śp. profesora Pańko, prowadzony przez doświadczonego kierowcę, na prostym odcinku drogi niespodziewanie wypadł z trasy i rozbił się?

Niewiele o tym wszystkim wiemy i niełatwo będzie się dowiedzieć, bo lwia część esbeckich archiwów – te, które przechowywane były w kraju – poszła z dymem. W pierwszym odruchu neosolidarność pozwoliła jeszcze na stworzenie w kontraktowym Sejmie komisji, która miała zbadać los tych ponad stu ofiar „nieznanych sprawców" i „nieszczęśliwych wypadków", jakie pociągnął za sobą stan wojenny. Komisję stworzono, ale nie dano jej absolutnie żadnych możliwości działania i wyświetlania ponurych tajemnic peerelu. Potem ludzie sprawujący władzę w imieniu „strony społecznej" Okrągłego Stołu (sprawujący ją chwilowo, jak się miało okazać) zauważyli, że pod ich oknami nie przeciągają żadne manifestacje, które by się wyjaśnienia i rozliczenia tych zbrodni domagały, a wiodące media doskonale się z nimi, z nowymi elitami władzy, zgadzają, iż maglowanie starych spraw byłoby z politycznego punktu widzenia niewskazane – i stare sprawy zostały przysypane grubą warstwą pyłu zapomnienia.

W ze wszech miar godnym uwagi filmie Jerzego Zalewskiego „Dwa kolory" Jan Rokita, który był przewodniczącym wspomnianej przed chwilą komisji, opowiada, jak od ludzi przejętych sprawą i jeszcze wierzących w Zmianę dostawał informacje, że w licznych miejscach Polski na masową skalę niszczone są esbeckie archiwa, co, pomijając już wszystko inne, także w świetle ówczesnego prawa było poważnym przestępstwem. Dysponując konkretami, gdzie i kto, zadzwonił z interwencją do premiera, Tadeusza Mazowieckiego, a ten najnormalniej w świecie spławił go, mówiąc „proszę się w tej sprawie zwrócić do ministra Kiszczaka, ja mam do niego pełne zaufanie".

Do dziś trudno to zrozumieć. Trudno się dziwić, że w świetle takich informacji wielu ludzi skłonnych jest wierzyć rydzykowym radykałom, że Mazowiecki i jego ekipa, że cały KOR, i w ogóle cała opozycja w peerelu była jednym wielkim, żydowsko-masońskim picem i stworzyła ją sama komuna po to, by potem w ramach perfidnego spisku upozorować oddanie jej władzy i w taki sposób skołować katolicki naród.

Nie, nie – ja, choć też trudno mi to i inne zachowania ludzi „Solidarności" po roku 1989 pojąć, nie uważam, by sprawy były tak debilnie proste. Co zatem uważam? Spokojnie, już jedziemy dalej.

Oto więc wspomnieliśmy o pierwszej przewadze komunistów nad niedobitkami opozycji w roku 1988. Były i inne. Wszelkie rozmowy z opozycją mogła wtedy władza prowadzić z pozycji miażdżącej siły, i opozycjoniści przecież doskonale to wiedzieli. Strajki roku 1988, które stanowiły pretekst do wysunięcia przez komunę propozycji rozmów, były groteskowym, bladym cieniem strajków sprzed ośmiu lat. Strajkowały grupki młodzieży – przytłaczająca większość robotniczych załóg pochowała się pod łóżkami i trzęsła ze strachu tyłkami. Gdyby władza miała kaprys spuścić ZOMO i ludowe wojsko ze smyczy, byłoby po ptakach w minutę osiem. Gdyby, jak to zauważył w jednym z esejów Piotr Wierzbicki, Kiszczakowi i Jaruzelowi coś się nagle odwidziało i zapragnęliby zakończyć rokowania z opozycją tak, jak generałowie sowieccy zakończyli rokowania z dowódcami AK, to znaczy, gdyby kazali na przykład zwinąć swych rozmówców wprost z Magdalenki w trzy budy, wywieźć do więzienia, co ja mówię – do pierwszej z brzegu żwirowni, rozstrzelać i zasypać, to załamane i zmiażdżone społeczeństwo polskie nie zdobyłoby się na żaden znaczący protest, a Zachód zapomniałby o sprawie po dwóch tygodniach. Co najwyżej, podczas kolejnej wizyty w Paryżu Jaruzelowi znowu kazano by wchodzić do pałacu prezydenckiego kuchennymi drzwiami.

Dalej: wbrew temu, co w roku 1988 wydawało się takim misiom jak ja, opozycja była głęboko podzielona. Właściwie od zawsze trwała w niej konkurencja pomiędzy tymi, którzy socjalizm kontestowali niejako od wewnątrz, byli jego wychowankami i zbuntowali się przeciwko nierealizowaniu przez komunistów tego, co komunistyczna ideologia obiecywała – a niedobitkami polski przedwojennej, którzy widzieli w komunizmie narzędzie sowieckiej okupacji i domagali się niepodległości. Czyli pomiędzy, nazwijmy to tak na użytek naszej rozmowy, „rewizjonistów" i „niepodległościowców". W tej cichej, zawziętej walce, toczonej głęboko pod ziemią, „rewizjoniści" zdecydowanie wygrywali. Z wielu względów. Byli lepiej zorganizowani, bardziej energiczni, sprawniejsi w osiąganiu celów. Umieli dla swych inicjatyw pozyskiwać ludzi. Jeśli Michnik dostrzegał kogoś, kto się wybijał, liczył, dawał nadzieję na przyszłość, to przede wszystkim starał się z nim spotkać – on, albo któryś inny z ważnych „rewizjonistów" – przekonać, oczarować i włączyć do swojej grupy. Dopiero jeśli osoba okazywała się na to odporna, zarządzano wobec niej towarzyski ostracyzm, przestawano o niej i jej środowisku informować w „Tygodniku Mazowsze" i rozpuszczano plotki, że „rozbija podziemie" albo coś jeszcze gorszego. Natomiast „niepodległościowcy" już wtedy porażeni byli sekciarską chorobą, którą w takim rozkwicie mogliśmy obserwować podczas cyrku „integrowania centroprawicy" w latach dziewięćdziesiątych. Pozyskiwanie, przekonywanie, „wkręcanie" się w nowe środowiska i przerabianie ich na swoją modłę, tak typowe dla lewicy, duszy katolicko-narodowej jest najgłębiej obce. W tym środowisku, właśnie odwrotnie, króluje postawa sekciarska: stale trzeba rozwijać czujność w wyszukiwaniu tych, którzy nie pasują, odstają, są nie dość prawomyślni, i od których należy się zdecydowanie odciąć.

„Rewizjoniści" byli dużo chętniej widziani przez zachodnie media, zdominowane przecież przez lewicę, dla której „polski patriota" znaczyło dokładnie tyle samo, co „polski nacjonalista", a ten ostatni oznaczał pogrobowca faszyzmu, kogoś znacznie gorszego niż komuna. Mikrofony i kamery zachodnich korespondentów kierowały się zatem głównie ku „opozycji demokratycznej", a to sprawiało, że w oczach zwykłego Polaka, mającego o ideologicznych i personalnych niuansach w łonie opozycji pojęcie dokładnie zerowe, Michnik, Kuroń i Geremek przyćmiewali Moczulskiego, Czumę czy Niesiołowskiego bez reszty. To sprawiało również, że głównie właśnie do „opozycji demokratycznej" szła kasa, maszyny drukarskie i innego rodzaju pomoc. Znacząca część tej pomocy pochodziła, na przykład, od zachodnioeuropejskich trockistów – trudno by się spodziewać, żeby chcieli oni pomagać przyszłym twórcom ZChN. Ale i Amerykanie, zgodnie z opiniami swych analityków, uważali za bardziej wartą wsparcia raczej „demokratyczną", niż „niepodległościową" część podziemia.

Przedmiot rywalizacji zmieniał się. W pewnym momencie sprawą kluczową było to, kto będzie w imieniu całej antypeerelowskiej opozycji kontaktował się z wolnym światem. Potem – kto zyska wpływ na „Solidarność", a tak prawdę mówiąc, kto będzie bliżej Wałęsy i będzie mu suflował posunięcia oraz odzywki. A w końcu – kto w imieniu społeczeństwa będzie prowadził negocjacje z komuną. Bo to, że jedynym wyobrażalnym uwieńczeniem wszystkich starań opozycji mogą być tylko jakieś negocjacje, w których da się na czerwonym wymusić bliżej nieokreśloną „finlandyzację", wydawało się oczywiste. Co niby mogło się, w najśmielszych snach, zdarzyć innego? Zwycięskie powstanie? Upadek Związku Sowieckiego? No, proszę bardzo, pożartujmy sobie jeszcze.

W każdym razie, we wszystkim, co stanowiło przedmiot rywalizacji, „rewizjoniści" wygrywali. W pewnym momencie praktycznie zmonopolizowali kanały informacyjne wiodące na Zachód i „niepodległościowcy" mogli się najwyżej pozżymać nad wierszykiem Szpota „Kostuś i pan Karol" o tym, jak różny, choć niby podobny, jest los Niesiołowskiego i Modzelewskiego. Potem uzyskali znaczny wpływ na Wałęsę, zbudowali informacyjną siłę „Tygodnika Mazowsze", po latach przekształconego w „Gazetę Wyborczą". A wreszcie – najpierw sprytnie szantażując „niepodległościowców", że kto gada z czerwonym, ten zdrajca, a potem w odpowiedniej chwili zasiadając do takich rozmów sami, uzyskali dla siebie decydujący głos po „społecznej" stronie Okrągłego Stołu i będącego jego skutkiem, „kontraktowego" parlamentu.

O tych wszystkich wewnętrznych napięciach, walkach i konfliktach ambicji oraz celów w łonie opozycji nikt nie wiedział lepiej, niż komunistyczna ubecja. Ale miała ona i dalsze przewagi. Specsłużby składały się nie tylko z biurokratów, mięśniaków i fachowych morderców, miały także na swe usługi doskonałych psychologów. Specjalistów od łamania charakterów, od manipulowania ludźmi. Znawców ludzkich słabości. W tym czy innym okresie miały też większość opozycjonistów w więzieniach, mogły stosować wobec nich przeróżne środki nacisku, niekoniecznie po to, by ich złamać.

No, i wreszcie sprawa najważniejsza: komuniści dysponowali informacjami o szykującym się dramatycznym przełomie nie tylko dla Polski, a dla całej światowej polityki. Przez całe lata osiemdziesiąte szermowali dla uzasadnienia swojej władzy argumentem geopolitycznym: jesteśmy skazani na sojusz z ZSRR, nie ma wyjścia. Właściwie, sowieckie dywizje pozostały ostatnim uzasadnieniem ich władzy. A pod koniec lat osiemdziesiątych dostali z Kremla tajny, ale jednoznaczny prikaz: radźcie sobie sami. Związek Radziecki już wam nie pomoże. Ani militarnie, ani gospodarczo, ani w żaden inny sposób.

Władimir Bukowski opisuje w „Moskiewskim procesie", na podstawie protokołów z posiedzeń sowieckiego politbiura, jaki cyrk pociągnęła za sobą złożona nieopatrznie przez Breżniewa obietnica wsparcia po stanie wojennym „bratniej Polski" ilomaś tam tonami mięsa. Jakich cudów musiało dokonywać światowe mocarstwo, dysponujące dwudziestoma tysiącami głowic atomowych, jak się naprężać, żeby znaleźć na swym bezkresnym terytorium to mięso – które i tak w końcu okazało się głównie łojem i kośćmi. Jest to opowieść przezabawna. Związek Sowiecki rozpadał się i rozłaził w szwach, ale świat jeszcze o tym wszystkim nie wiedział. Budowany latami system pozorów i ukrywania prawdy do ostatniej chwili działał na tyle sprawnie, że znany i poważany do dziś amerykański specjalista od spraw sowieckich jeszcze w drugiej połowie lat osiemdziesiątych wyszył był sążniste opracowanie, jak powinny sobie układać USA stosunki ze Związkiem Sowieckim w nadchodzącym ćwierćwieczu.

Sowiety się sypały i kończyły – kiedyś oczywiście musiało się to wydać, ale na razie poza najściślejszym kierownictwem partii i specsłużb nikt jeszcze o tym nie wiedział, ba, nie marzył w najśmielszych snach. Jednocześnie sięgnęła dna socjalistyczna gospodarka peerelu, zrujnowana przez Gierka, dobita trepowską głupotą jaruzelskich komisarzy i bezskutecznie szarpana przez partyjnych reformatorów. A tymczasem społeczeństwo było złamane, pokonane i na jakiś czas jeszcze pozbawione woli stawiania dalszego oporu, opozycja zaś na tyle zmiękczona, że można było liczyć na jej skuteczne „rozegranie". Peerel był dokładnie jak ten wyobrażony w karykaturze samolot, pikujący ku ziemi z popsutymi silnikami. I co sprytniejsi komuniści wiedzieli, że jeśli chcą ocalić głowy, muszą szybko coś przedsięwziąć.

*

Czytając to, co napisałem o zwycięstwie opozycyjnych „rewizjonistów" nad „niepodległościowcami" niejeden Czytelnik dopisze mnie, być może, odruchowo, do listy publicystów „Głosu", „Naszej Polski" czy innych rydzykowatych pisemek, którzy te prastare fakty wydobywają na światło dzienne w tonie głębokiego, moralnego oburzenia. Michnik z Kuroniem zmonopolizowali kontakty KOR-u z Zachodem! Zepchnęli jego zdrową, katolicko-narodową część w medialny niebyt, realizowali swoje własne przekonania i programy, zamiast przekonań i programu Macierewicza – cóż to za antypolski spisek, cóż za hańba!

Nie, nie, spokojnie – komu moje słowa zabrzmiały zbyt podobnie do publicystyki wspomnianych tytułów, niech raczy przeczytać je raz jeszcze. Stwierdzam tylko fakty, na tyle, na ile mogę je dzisiaj poznać z nielicznych opracowań i z wypowiedzi ludzi, którzy byli wtedy bezpośrednio w działalność opozycyjną zaangażowani. I wcale się nimi nie oburzam. Powiem więcej, naprawdę nie rozumiem, dlaczego przez piętnaście lat wolnej Polski michnikowszczyzna uparcie usiłowała te fakty przywalić niepamięcią i podtrzymać fikcję stuprocentowej jedności antypeerelowskiej opozycji. Czemu zrobiła z nich wiedzę zakazaną do tego stopnia, że samo sięgnięcie po nią ma być już dowodem oszołomstwa, nienawiści, frustracji i wszystkich innych grzechów, za które michnikowszczyzna zwykła skazywać na banicję z życia publicznego. Czy Michnik i Kuroń do dziś wstydzą się tego, że mieli własne pomysły na walkę z reżimem, inne niż narodowi katolicy, i że chcieli je skutecznie realizować?

Tylko w tej atmosferze dziwnego milczenia o historii najnowszej pan Wrzodak mógł publicznie obwieszczać swe odkrycia o „różowych hienach z KOR”, które na plecach protestujących robotników dojechały do władzy. I nikt z osób go otaczających, a przecież byli wśród niech byli członkowie i współpracownicy tej różowo-hienowskiej organizacji, nie odważył się mu wyjaśnić, że gdyby nie ciężka praca tych „różowych hien”, to protestujący robotnicy daliby się udobruchać jakąś guzik wartą podwyżką, daliby się ubecji zmanipulować i podzielić, i, jak wiele razy przedtem, wyszłoby z ich protestu jedno wielkie gie.

Wyobrażam sobie – w końcu przede wszystkim jestem twórcą literatury fantastycznej – że jest rok tysiąc dziewięćset siedemdziesiąty któryś, a ja jestem Kuroniem względnie Michnikiem, i widzę, że wraz ze mną działa w opozycji taki, powiedzmy, Świtoń. Oczywiście, nie wiem jeszcze, że ten Świtoń, na razie sprawdzający się w podziemiu jako człowiek bojowy, zgoła nieustraszony, za lat dwadzieścia, w wolnej już Polsce, narobi nam wstydu przed całym światem, bo uroiwszy sobie, że okupację komunistyczną zastąpiła okupacja żydowska, zacznie w porozumieniu z jakimś ponurym ubekiem obstawiać na złość Żydom obóz w Oświęcimiu krzyżami – ale widzę go, znam, i zdaję sobie sprawę, że to kawał świra. Czy nie starałbym się go zepchnąć na bok, zmarginalizować, żeby zachodni korespondenci raczej nie z nim kojarzyli sobie polską opozycję? Czy rozmawiając z, powiedzmy, Macierewiczem, nie próbowałbym odsunąć go od wpływu na bieg wydarzeń? A z innej strony patrząc – czy Macierewicz i inni tak dzisiaj skłonni do lamentu niepodległościowcy, gdyby byli do tego zdolni, nie staraliby się zepchnąć na boczny tor „trockistów” z pezetpeerowskim rodowodem?

Nie mam do nikogo pretensji, że będąc politykiem, co tam zmienia, że podziemnym, uprawiał politykę. I nie mam do polityki pretensji, że ma swoje prawa i nie zawsze jest czysta, elegancka i ładnie pachnie. Jeszcze mnie nie porąbało. Czy to znaczy, że michnikowszczyzna może mnie dopisać do listy autorytetów moralnych, a w każdym razie „ludzi rozumnych", którzy mają prawo zabierać publicznie głos i wypowiadać swoje poglądy na łamach jedynie słusznej gazety? Na jej miejscu jeszcze bym się z taką decyzją wstrzymał.

Nie mam, mówię, pretensji o to, że wierząc w swój rewizjonistyczny program chcieli go „rewizjoniści" promować i uczynić programem „Solidarności", ani że im się to udało. Mam natomiast pretensję o to, że ten program był przeraźliwie głupi i okazał się dla wolnej Polski zabójczy.

Na czym polegał socjalizm? Na pozbawieniu ludzi własności, wolności osobistej i wolności gospodarczej, oraz na zniszczeniu całej społecznej struktury opartej na rodzinnej własności, i na pracy własnych rąk. Wszystko to miało zastąpić, wedle wskazań Marksa i innych ponurych bandziorów, skoszarowanie społeczeństwa, poddanie go dyscyplinie i wepchnięcie w falanster własności „społecznej", czyli tak naprawdę należącej do władców trzymanego za pysk społeczeństwa. Realizacji tego celu służyła cenzura, policja polityczna, przemoc.

Rewizjonizm był dzieckiem takiej głupoty, która nie pojmowała, że ta przemoc, cenzura i wszechwładza policji politycznej są dla realizacji komunistycznej idei niezbędne. I która naiwnie postulowała, żeby je odrzucić, nie odstępując bynajmniej od zasadniczego celu. Społeczeństwo bezklasowe i własność uspołeczniona tak, cenzura, pałowanie i strzały w potylicę – nie. Zamiast odrzucić socjalizm, nurt sprzeciwu, który wywalczył sobie pozycję nurtu dominującego i przemożny wpływ na całość antypeerelowskiej opozycji, postulował odrzucenie cenzury i przemocy oraz demokratyzację, w przekonaniu, że wtedy zamordystyczne sowieckie samodzierżawie zamieni się w jakąś lepszą jakość, w socjalizm „z ludzką twarzą", podobny do szwedzkiego czy zachodnioeuropejskiego. Nie byli przy tym rewizjoniści w stanie pojąć, że socjalizm zachodnich „państw opiekuńczych" to tylko szczególny sposób trwonienia zasobów przez kraje, które ten system zafundowały sobie, gdy już były, dzięki kapitalizmowi, rozwinięte i bogate, i że polega on na przejadaniu najpierw posiadanych zapasów, potem zaciąganych kredytów, a na końcu prowadzi do ugrzęźnięcia w bagnie gospodarczej stagnacji i populizmu.

Żeby być uczciwym, trzeba stwierdzić, że gdyby w latach osiemdziesiątych górę wziął w opozycji nurt „niepodległościowy", i gdyby to on zdominował pierwsze lata III RP, sytuacja wiele by się nie różniła. Mielibyśmy zapewne więcej narodowych mszy, pomników, i zapewne nieco lepiej przyswojoną martyrologię, ale niewiele lepsze nastroje, tyleż samo afer i te same problemy społeczne. Temu, co stanowiło zasadniczą sprawę w odejściu od socjalizmu – gospodarce – poświęcali niepodległościowcy równie mało uwagi. Jeśli w ogóle chciało im się myśleć o tym, jak powinna ta niepodległa Polska wyglądać, to widzieli w swych marzeniach powrót Polski sanacyjnej, z wszechpotężną biurokracją, państwową własnością hut, portów i zakładów zbrojeniowych, z bodaj ośmioma państwowymi monopolami i tak nikłym wzrostem gospodarczym, że agresji potężnych sąsiadów mogła ta Polska przeciwstawić brygady kawalerii i samoloty z dykty oraz płótna.

*

Łatwo gadać, zezłości się niejeden Czytelnik. Łatwo się takiemu Ziemkiewiczowi mądrzyć, dzisiaj, teraz, kiedy siedzi sobie w wygodnym fotelu, wie, że nikt go nie aresztuje ani nie spałuje, kiedy sklepy zawalone są szynkami i kiełbasami, litr czerwonego „Johny Walkera" można kupić w byle markecie za cenę raptem trzy razy większą niż litr polskiej „Wyborowej", i, na dodatek, kiedy jest o piętnaście lat i o rozmaite ujawnione w tym czasie archiwa mądrzejszy od tych, którzy do Okrągłego Stołu siadali. Wcale się nie będę spierał – niech będzie, że mi łatwo. I co to ma do rzeczy? Albo piszę prawdę, albo nie. Jeśli się mylę, można mnie bez trudu przygwoździć argumentem, i wtedy dywagacje, czy mi się było łatwo pomylić, czy nie, czy wypada, komu to służy, kto za tym stoi i tak dalej, są zupełnie zbędne. A jeśli się nie mylę – tym bardziej będą te dywagacje nie na miejscu. Jedną z przyczyn, by szczerze nie cierpieć michnikowszczyzny, która potrafiła tak skutecznie obezwładnić i ogłupić na długie lata resztki polskiej inteligencji, jest ta maniera wekslowania wszelkich sporów na dysputy etyczne i rozstrzyganie ich za pomocą moralizowania, tokowania w imię wyższych racji, jeszcze, ma się rozumieć, z pozycji autorytetów moralnych, którymi przywódcy tego towarzystwa obwołali się sami. Ani słowa o tym, czy to słuszne, czy nie, czy dobre dla Polski, i dlaczego – tylko tartuffowskie minki, zadęcie i przejmująca troska, aby „nie krzywdzono ludzi” i nie szerzono nienawiści.

To żałosne, że doprowadzono publiczne debaty w naszym kraju do takiego stanu, iż w ogóle musiałem powyższy akapit napisać. A przecież chodzi o sprawy oczywiste. Opozycja, w żadnym ze swych nurtów, nie miała programu ustrojowej reformy dla Polski ani zagospodarowania niepodległości. Skąd go niby miała mieć, skoro śmierci się bardziej spodziewała, niż tego, że nagle obejmie władzę? Opozycja, co więcej, nie miała też żadnego programu reformy gospodarki, a raczej: ustroju gospodarczego. Gorzej: nie miała cienia pomysłu na taką reformę. Nie miała nawet świadomości, że właśnie taka reforma będzie po upadku socjalizmu sprawą najpotrzebniejszą, najważniejszą, absolutnie kluczową. Kapitalizm, w przeciwieństwie do wolności słowa i zgromadzeń, pozostawał całkowicie poza jej zainteresowaniami. Na palcach jednej ręki policzyć można ludzi, którzy zdawali sobie sprawę, że to właśnie kwestie własności i wolności gospodarowania są dla walki z socjalizmem najważniejsze. Był Mirosław Dzielski, który, niestety, wolności nie dożył, był Kisiel, chadzający własnymi drogami, nie słuchany i krótko po Okrągłym Stole wręcz wyszczuty z „Tygodnika Powszechnego” – i kto jeszcze? Bratkowski, niestrudzony organicznik-pozytywista, orzący na pograniczu między partią a opozycją i po obu stronach traktowany z pobłażaniem, jakie rezerwuje się dla różnych postrzeleńców. I Korwin-Mikke, uważany za świra i zawdzięczający zaistnienie w sferze publicznej temu, że szefujący państwowej telewizji Urban polecił go wpuszczać na antenę na złość solidaruchom.

Optyka opozycji była w tym czasie optyką fornala, który chce poszerzyć zakres swojej swobody, domaga się tego lub owego, ale o całości spraw folwarku nie ma pojęcia, a z odpowiedzialności za jego losy jest dożywotnio zwolniony przez swą niewolniczą kondycję. Czego się domagała „Solidarność”, czy raczej, wtedy już neosolidarność, kiedy zaczęły się przymiarki do ustrojowej reformy? Indeksacji płac i samorządów pracowniczych. To były koncepty równie mądre, jak założenia gierkowskiego cudu gospodarczego, wzięte z kawiarnianego ględzenia i z czasów, gdy socjalizm wydawał się w miarę jeszcze żywą propozycją intelektualną – podczas gdy w roku 1989 on już był martwy jak solony śledź. Paradoksalnie, przy Okrągłym Stole socjaliści siedzieli po stronie „społecznej". Komuna już wiedziała, że ten ustrój się nie sprawdził, i że nie ma sposobu go zreformować – wiedziała, bo próbowała na różne sposoby, i gdyby którakolwiek z tych prób się powiodła, do żadnego Okrągłego Stołu przecież by w ogóle nie doszło, bo niby po co. Opozycja natomiast wciąż nie zdawała sobie z tego wszystkiego sprawy i żyła złudzeniami o „sprawiedliwości społecznej".

Pewnie nie mogło być inaczej. Ale mijały miesiące, opozycja stała się władzą, stopniowo się różnych rzeczy dowiadywała, i niczego to nie zmieniało. Zachowywała się tak, jakby nic w ogóle do niej nie docierało, była ślepa na fakty, trzymała się kurczowo jakichś urojeń, wojowała z fantomami, nie dostrzegając prawdziwego zła, a wręcz mu w najgłupszy sposób służąc i pomagając. I to jest rzecz, którą zrozumieć trudno, a wybaczyć po prostu nie można.

*

Zdarzają się ludzie tak bystrzy, że potrafią, patrząc w przeszłe albo nawet i bieżące wypadki, bezbłędnie wskazać stojące za nimi centrum decyzyjne. Tacy ludzie nie wierzą, że cokolwiek w świecie zdarza się przypadkiem, albo że jakikolwiek zamiar może się nie udać, że sprawy mogą pójść torem przez nikogo nie przewidzianym, a działanie przynieść odmienne skutki, niż przynieść miało. Wszelkie matematyczne teorie chaosu odrzucają z góry, z drwiącym uśmiechem ludzi, których na byle co nie nabierzesz. Nie szanuję takich za grosz, ale szczerze im zazdroszczę. Wiara, że zawsze istnieje jakieś centrum decyzyjne, które, choćby nawet zdawało się wszechpotężne, można odkryć, zdemaskować albo zniszczyć, sprzyja zachowaniu psychicznej równowagi w większym stopniu, niż świadomość, że mamy do czynienia ze ślepymi często siłami, które nie słuchają wcale tych, którzy je rozpętali, i że sprawy z reguły przyjmują obrót przez nikogo nie przewidziany, tym częściej, im bardziej ci, co podejmują decyzje, nie zdają sobie sprawy z ich znaczenia i możliwych skutków.

Piszę w tym akurat miejscu, bo dla ludzi wspomnianych w poprzednim akapicie Okrągły Stół i w ogóle cała ustrojowa transformacja jest materią doskonale zbadaną. Ogłosili na ten temat szereg szczegółowych teorii, kto z kim tak to wszystko ukartował i kiedy – teorii, w których wszystko doskonale do siebie pasuje, które są bardzo przenikliwe i w ogóle mają tylko jedną, jedyną, ale za to wspólną wadę: że są, mianowicie, do bani. Jeśli ktoś próbował w życiu kierować bodaj klubem miłośników fantastyki, wie, jak paskudnie niesterowalnym materiałem są ludzie. Nawet w ściśle zhierarchizowanych strukturach, takich jak wojsko czy specsłużby, nie sposób dokładnie przewidzieć, w jakiej formie dotrze polecenie do wykonawcy po przejściu licznych szczebli pośrednich, i jak zniekształci się przesyłana do centrali informacja. Gdy zaś do hierarchii dołączyć ma tajność, niesterowalność wzrasta skokowo – każdy kolejny wykonawca pozwala sobie na wykorzystywanie struktury do załatwiania swoich prywatnych spraw i na dezinformowanie przełożonych, nie będąc zdolnym przewidzieć, co z drobnych nawet dezinformacji może wyniknąć, do jakich „dudnień" mogą one doprowadzić, powodując, że centrum decyzyjne nagle zacznie odnosić się do rzeczywistości wirtualnej zamiast do prawdziwej. Teorie w rodzaju tej, że w 1975 Willy Brandt pospołu z Breżniewem ustalili na tajnym spotkaniu, że założą KOR i doprowadzą do Okrągłego Stołu, po to, aby grabieżczo sprywatyzować polski majątek narodowy i wepchnąć skołowany naród w nowe, brukselskie jarzmo (nie zmyśliłem tej egzegezy naszej historii najnowszej, została kiedyś ze śmiertelną powagą wyłożona na łamach „Naszego Dziennika") są oczywistym bredzeniem wariata.

Ale to, co o ustrojowej przemianie ma do powiedzenia michnikowszczyzna, jest niewiele więcej warte. Jej teoria zakłada jako pewnik, że poza tym, co zawarto w oficjalnych dokumentach i co publicznie ogłoszono, poza tym, co powszechnie wiadome, nie ma, nie było i nie mogło być niczego. Nie istniały żadne nieformalne porozumienia, żadne ciche układy, nie było nigdy żadnych grup interesów, poza tymi, które zarejestrowały się i wywiesiły szyld z podaniem swego składu, programu oraz adresem rzecznika prasowego, i tak dalej. Nie było, zdaniem michnikowszczyzny, ludzi z komunistycznych specsłużb, z aparatu, a w każdym razie nie mieli oni poczucia, że mogą coś stracić, a jeśli mieli takie poczucie, to w żadnym wypadku nie mieli ochoty przedsiębrać czegokolwiek dla ratowania swoich głów. Nikt też nie miał najmniejszego zamiaru ani możliwości, by skorzystać z rozpadu ustroju po to, żeby się nachapać. Z dnia na dzień ubecy pozapominali o wszystkich swoich kontaktach i służbowych podległościach, posłusznie oddali posiadane, a przeważnie nie wykazane w żadnej księgowości fundusze operacyjne, zapomnieli na śmierć wszystkich latami gromadzonych w archiwach faktów i „haków", kompromitujących działaczy opozycji i osoby publiczne peerelu, wyrzucili z głowy nazwiska i kryptonimy konfidentów, których pracę kontrolowali... Nic nie było. Było tylko dwóch szlachetnych generałów, Jaruzelski i Kiszczak, którzy pewnego dnia, tknięci nagłym impulsem postanowili Polskę zdemokratyzować i przywrócić ją wolnemu światu.

Nie byłoby to warte nawet szyderstwa, gdyby mnie fakt, że nasza zastępcza inteligencja łyknęła tę mądrość ochoczo.

*

Okrągły Stół był dla komuny, jak się wydaje, wariantem awaryjnym. Dość długo czerwony liczył, że uda mu się wykręcić mniejszym kosztem. Nie od razu brano pod uwagę wpuszczenie opozycji we „współrządzenie", mające być raczej „współodpowiedzialnością". Przez długi czas zamierzano to zrobić za pomocą jakiejś „rady konsultacyjnej" czy innej fikcji – ale, co może dziwić w świetle zdarzeń późniejszych, opozycja zachowywała się wtedy całkiem rozsądnie i nie dała się w żaden podobny pic wmanewrować. W końcu komuniści zdecydowali się na Okrągły Stół, ale aż do zakończenia obrad i jeszcze po nich byli przekonani, że się władzą tylko podzielą, wcale jej nie będą musieli oddawać. Podobnie zresztą, jak „Solidarność" wciąż jeszcze nie spodziewała się, że będzie ją musiała przejąć.

Nie należę do tych, którzy wiedząc to, co wiemy dzisiaj, twierdzą, że w ogóle nie należało do rozmów z komuchem siadać, że trzeba było zachować stanowisko twarde i pryncypialne. Przy tym stanie wiedzy, jakim mogła wtedy opozycja dysponować, decyzja „negocjować" była najrozsądniejszą z możliwych. Ale ci, którzy takie nieprzejednane stanowisko głoszą, wychodzą od intuicji, która nie jest wcale nieprzytomna. Od intuicji, która mówi, że właśnie przy Okrągłym Stole, właśnie od tego zbratania się, które tam nastąpiło, zaczął się upadek wielkiego, narodowego mitu, jakim była „Solidarność". To prawda. Tyle, że ten upadek nie nastąpił dlatego, iż opozycjoniści usiedli do rokowań. Nawet nie dlatego, że wykazując się brakiem elementarnego rozsądku i godności, poszli na owe odrażające toasty, z których zdjęć, zamieszczonych potem w książce Kiszczaka, oglądać nie można inaczej, niż z zażenowaniem.

Upadek narodowego mitu zaczął się, jak sądzę, od tego, że opozycjoniści dali się złapać w perfidną, psychologiczną pułapkę, jaką na nich ze sprytem godnym mistrzów ubeckiego rzemiosła przy tym okrągłym meblu zastawiono. Dali się wciągnąć w grę, z dzisiejszego punktu widzenia nie można wątpić, że pozorowaną – nazwijmy ją grą w porozumienie odpowiedzialnych elit. Komuna znała doskonale stan ducha opozycjonistów, ich poczucie słabości, lęk przed sowiecką inwazją. Znała ich gotowość do negocjacji, bo kwestia ta była przecież otwarcie dyskutowana w podziemnej publicystyce, studiowanej przez ubecję bardzo starannie. Komuna wiedziała też doskonale, iż z natury funkcjonowania w podziemiu wynikać musiało nieuchronne wyobcowanie opozycjonistów ze społeczeństwa. Działacze podziemia nie jeździli przecież na wiece, nie zlecali ośrodkom badania opinii publicznej takich czy innych sondaży ani fokusów (co prawda, w tej kwestii poczucie komunistów, że dysponują obiektywną wiedzą, okazało się złudne). Na tym wszystkim komuniści umiejętnie zagrali. Z jednej strony, pokazali opozycji rąbek porozumienia, o którym opozycjoniści marzyli, pokazali im perspektywę realnej „finlandyzacji", prawdziwego udziału we władzy, a nie w jakichś picownych PRON-ach czy radach konsultacyjnych. A z drugiej pogrozili. Ale nie tym, że jak się nie zgodzą, to ich znowu zamkną, nie, to byłoby prymitywne i nieskuteczne.

My tutaj, powiedzieli czerwoni generałowie – to znaczy, tak sobie to, co oni musieli powiedzieć, rekonstruuję z późniejszych wydarzeń, nie udaję wcale, że siedziałem ukryty za zasłoną i cytuję teraz dosłownie, jak szło – my tutaj jesteśmy ludźmi, którzy naprawdę chcą dobrze dla Polski, i wy też jesteście ludźmi światłymi, z którymi się można dogadać. My się z wami zasadniczo jesteśmy w stanie zgodzić, a wy jesteście w stanie zrozumieć geopolityczne uwarunkowania i naciski, jakim my tu, w politbiurze, w partii i służbach, podlegamy. My się możemy dogadać. Ale problemem są ci, których tu, przy tym stole, nie ma. W partii, w wojsku, w służbach jest na niższych szczeblach wiele „betonu". Strasznych fanatyków. Ograniczonych aparatczyków. Oni liczą na sowiecką interwencję, jeśli poczują się zagrożeni, są gotowi zrobić wszystko, by do niej doprowadzić, a jeśli im się uda, to nas tu wywiozą ruscy w workach na głowie, a was postawią *pad stienku*, i na całe pokolenie albo i dłużej – żegnajcie, piękne Hiszpanki. A kiedy temu betonowi może się udać sprowadzenie tu Sowietów? Jeśli uda im się sprowokować jakieś zamieszki, jakieś antysowieckie incydenty, jeśli Kreml uzna, że sytuacja wymknęła się NAM – zwróćcie uwagę, mili moi, już NAM, tej wspólnocie, jaką tu przed chwilą czerwony z opozycjonistami zawiązał – spod kontroli, że grozi wyprowadzenie Polski z Układu Warszawskiego i tak dalej. Słuchajcie, panowie – konkludowali komuniści, to znaczy, tak sobie to rekonstruuję – oprócz komunistycznego betonu są tu, w tym kraju, antykomunistyczni radykałowie. Jak oni coś odpalą, jak beton dostanie w łapę taką okazję, to już po nas. No więc, rozumiecie, warunkiem, żeby to wielkie, historyczne dzieło, do którego tu się zabieramy, mogło się udać, jest to, żebyście wy tych radykałów spacyfikowali, bo tylko wy, przywódcy „Solidarności", ze swoim autorytetem, możecie to zrobić. My bierzemy na siebie nasz „beton", a wy musicie utrzymać pod kontrolą, no, w ogóle, radykałów. Czy się co do tego zgadzamy?

I, słuchajcie – ci frajerzy ten bałach kupili!

Kupili go jak swój, nie zdając sobie sprawy, co to w istocie oznacza. A oznaczało, że Wałęsa, Michnik, Kuroń i inni, ludzie, będący wtedy żywymi legendami, zaangażowali się na stupajów u komuny! Oni, przywódcy oporu przeciwko komunizmowi, podjęli się teraz pacyfikować antykomunistyczne nastroje społeczeństwa! Wyjść na front, rzucić na szalę cały swój autorytet i wziąć na siebie cały gniew, którego rozmiarów, oczywiście, nie byli sobie w stanie uświadomić –

i wszystko to w sumie za bezdurno, za, owszem, realny, ale bardzo ograniczony udział we władzy.

Jakim cudem ten numer mógł się udać? Z jednej strony, opozycja nie zdawała sobie sprawy, w jakim stanie jest kraj i jak bolesnej operacji trzeba dokonać, żeby go uleczyć. Z drugiej, miała o sto osiemdziesiąt stopni różne od prawdy wyobrażenie o nastrojach społecznych. Nie wiem, czy tak ją sprytnie zdezinformowali ubecy, czy zdezinformowała się sama. W każdym razie zupełnie na poważnie liczyła się z niekontrolowanym społecznym wybuchem, z tym, że z nadmiaru entuzjazmu Polacy wyjdą na ulice i naprawdę, tak jak się to śpiewało po pijaku dla pokrzepienia serc, „na drzewach zamiast liści będą wisieć komuniści". Z trzeciej – w rozbitej opozycji dochodziło do głosu nowe pokolenie, radykalne, nie przetrącone, jak niepodległościowcy, i nie zaczadzone komunistycznymi sentymentami z czerwonego harcerstwa, jak rewizjoniści. Tylko było patrzeć, jak ludzie z „Solidarności Walczącej" czy Federacji Młodzieży Walczącej poślą historycznych liderów opozycji do diabła i znajdą sobie przywódców bardziej zdecydowanych. Och, nie oskarżam bynajmniej Wałęsy i jego doradców o taką małostkowość, żeby lękali się o swoją pozycję. Lękali się, że jeśli nie zawrą historycznego kompromisu w porę, to rosnące w siłę młode pokolenie w ogóle taki kompromis uniemożliwi, i wszystko skończy się konfrontacją oraz sowieckim najazdem.

W rzeczywistości prędzej zagrażał wtedy Polsce najazd Marsjan, a społeczeństwo było w totalnym zwisie, nawet nie na dnie, ale głęboko w mule pod nim. Wiara w lepsze jutro i entuzjazm nie powraca szybko. Między czasami, gdy młodzi ludzie wcierali sobie pod powieki tytoń, aby demonstrować rozpacz po zgonie „Wielkiego Stalina", a czasami, gdy ja i moi rówieśnicy bez cienia lęku wznosiliśmy na korytarzu radosne okrzyki z okazji zgonu jednego z tegoż Stalina następców, minęło trzydzieści lat. Bez mała dwa pokolenia. Od czasu rozjechania czołgami „Solidarności" do Okrągłego Stołu minęło niecałe siedem lat. Za mało, żeby przetrącone społeczeństwo mogło podnieść głowę.

Żeby polska wolność mogła się udać, należało w tym momencie, zaraz po „kontraktowych" wyborach zrobić wszystko, aby ludzi poderwać, zarazić ich entuzjazmem, napełnić nadzieją. Ale nowa władza robiła coś dokładnie odwrotnego: stawała na głowie, żeby stłumić w społeczeństwie wszelką energię, żeby je obezwładnić, rozbroić, wtrącić w apatię, w której właśnie tkwiło w stopniu zagrażającym jego egzystencji! Był to pierwszy z grubych i fatalnych w skutkach błędów, popełnionych przez neosolidarność.

Wynik wyborów w czerwcu 1989 stanowił szok dla wszystkich. Największy dla komunistów, bo okazało się, że ich naukowe badania opinii publicznej, zrobione przez CBOS Kwiatkowskiego-seniora, są o kant de potłuc, że wszelkie oznaki społecznego poparcia, jakie obserwowali, były pozorem, wymuszonym strachem albo nadzieją na apanaże za lizusostwo. Lista PZPR była wycinana nawet w tzw. zamkniętych okręgach wyborczych, a więc tam, gdzie głosowało wojsko i milicja. To był po prostu koniec. Nie pozostawało nic innego, niż rzucić hasło „ratuj się kto może". Plan komuny poszedł w drebiezgi i gdyby w ciągu następnego roku „Solidarność" zdobyła się na zrobienie dosłownie kilku energicznych posunięć – naprawdę, nie trzeba było niemal wcale wysiłku – po całej tej komunistycznej mafii zostałby tylko smród.

Ale neosolidarność też przeżywała szok. Szok strachu. Szalone, nieodpowiedzialne społeczeństwo zupełnie nie zrozumiało tej misternej gry, jaka się tu toczyła! Naraziło nas na potworne niebezpieczeństwo! Zamiast triumfować, Wałęsa i jego ekipa rzucili się do telewizorów, aby nas, takich jak ja i moi rówieśnicy misiów, dosłownie, opieprzać za to, że nie zagłosowaliśmy na PZPR i że wycięliśmy listę krajową!

Pamiętam z dzieciństwa jakąś idiotyczną dobranockę, bodajże czeską, w której dwa rysunkowe misie siedziały na dachu i zagadywały przyjaźnie do księżyca, a księżyc się nagle odwrócił i, za przeproszeniem, zrobił misiowi na głowę kupę (naprawdę, coś takiego poszło jako dobranocka w telewizji). Otóż widząc, jak Wałęsa i inne legendy walki z komunizmem z paniką w oczach opieprzają naród, w tym i mnie, za to, że nie dojrzeliśmy, nie rozumiemy, że źle zagłosowaliśmy, że bezmyślnie wycięliśmy z przyszłego Sejmu partyjnych reformatorów – widząc, jak Wałęsa i „Solidarność" stają na uszach, żeby tych jednoznacznie przez społeczeństwo odrzuconych parszywych komuchów jednak wepchnąć do parlamentu, poczułem się tak, jak ów miś, którego jego śliczny księżyc złoty nagle obesrał.

Ja to ja, na mnie mógł sobie Wałęsa machnąć ręką. Ale tak samo poczuła się, jak myślę, wielka część społeczeństwa. Nie ta spomiędzy Targowej, Ząbkowskiej i tak dalej, tylko ta, która gotowa była wiele dla „Solidarności" zrobić i wiele znieść. Pomiędzy neosolidarnością a społeczeństwem pojawiła się rysa, która w następnych miesiącach miała błyskawicznie urosnąć do rozmiarów przepaści.

*

Po co, wróćmy do tej kwestii, był komunistom Okrągły Stół? Dlaczego musieli się nań zgodzić, choć, jak pisałem, i jak jasno wynika z ustaleń historyków, bardzo długo ani im to było w głowie? Słucham odpowiedzi.

Żeby wprowadzić kapitalizm? Nie. Pod tym względem przełomem nie był Okrągły Stół, gdzie nic mądrego o gospodarce nie powiedziano, tylko ustawa gospodarcza Rakowskiego. Ta ustawa, która pozwalała swobodnie prowadzić działalność gospodarczą wyłącznie na podstawie wpisu do rejestru w gminie, właściwie położyła kres ideologicznym podstawom „ustroju sprawiedliwości społecznej".

Żeby uwłaszczyć nomenklaturę? Nie, to też załatwiono już za Rakowskiego. Powstające wtedy masowo spółki, zakładane przez partyjnych dyrektorów, przejmowały państwowy majątek „w drodze wymiany nieekwiwalentnej" – i szlus. Po to, by sekretarze partyjni mogli się zamienić w bogatych kapitalistów, żaden stół, a już zwłaszcza okrągły, potrzebny nie był. Po prostu rejestrowali firmy i brali z banków kredyty, a banki były państwowe i zarządzali nimi ich partyjni kumple. Wyciągali też kasę z państwowych ubezpieczeń, z budżetu państwa, skądkolwiek bądź, czasem wykazując się przy tym pomysłowością, ale przeważnie na chama i na rympał.

Żeby wpuścić do kraju kapitał zagraniczny? To też zaczął robić już Rakowski, co prawda, głównie po to, by ten kapitał został ich właścicielom ukradziony. Do peerelu wpuszczono, na zasadzie pierwszej, eksperymentalnej jaskółki w socjalistycznym obozie, tak zwane firmy polonijne. Firma polonijna składała się z naiwnego polonusa, który przywoził tu kasę, oraz z „partnera krajowego", którego aprobował teoretycznie Urząd Wojewódzki, a tak naprawdę SB. A potem było jak w starym żydowskim kawale – jeden wspólnik miał doświadczenie, drugi pieniądze, a po roku było odwrotnie. Wspominam o sprawie, bo wielu z tych „krajowych partnerów" z esbeckimi koneksjami odegrało i odgrywa do dziś w polskim biznesie znaczącą rolę, można ich znaleźć na dorocznych listach najbogatszych Polaków tygodnika „Wprost" i w informacjach na temat różnych ważnych prywatyzacji. Równie wielką rolę odgrywają w polskim biznesie do dziś innego rodzaju „przedsiębiorcy polonijni", ci, którzy do kraju wrócili dopiero w latach dziewięćdziesiątych, a wcześniej obracali za granicą kasą otrzymywaną od rezydentur peerelowskiego wywiadu.

Do tego wszystkiego komuna wcale nie potrzebowała legalizować na nowo „Solidarności", pozwalać na wolne wybory i tak dalej. Wręcz przeciwnie, skoro już zdecydowali się komuniści posłać świetlane wskazania Marksa i Lenina do śmieci i zostać kapitalistami, to związki zawodowe i demokracja były im w tym tylko przeszkodą. Znacznie chętniej dokonaliby ustrojowej transformacji taką metodą, jaką później zastosowały Chiny. Ba, byli nawet opozycyjni publicyści, którzy uważali taki wariant – mówiąc hasłowo, kapitalizm bez demokracji – za wcale korzystny dla Polski, by przypomnieć tylko świetny „List do porucznika Borewicza" śp. Mirosława Dzielskiego. I nawet skłonny byłbym się zgodzić, że byłoby to nie najgorszym rozwiązaniem, lepszym w każdym razie, niż wariant „demokracja bez kapitalizmu", do którego się po piętnastu latach niepodległości zbliżamy. Ale to czysto teoretyczne igraszki. Jaruzelski nie był Pinochetem, takie porównanie tylko obraża chilijskiego dyktatora, który wprawdzie wylał nieporównanie więcej od Jaruzela krwi, ale w przeciwieństwie do niego zrobił to dla dobra swojego narodu, a nie dla utrzymania go w poddaństwie.

No więc co sprawiło, że polscy towarzysze biznesmeni nie mogli pójść drogą chińskich, tylko musieli zgodzić się na Okrągły Stół, a w konsekwencji demokratyzację i oddanie władzy?

Jedna prosta sprawa: nie byli w stanie zapanować nad finansami państwa i nad inflacją. Załatwiły ich, tak jak w ogóle „realny socjalizm" na całym świecie, prawa ekonomii. Bo, przykro powiedzieć, ale to nie żadna opozycja obaliła socjalizm, choć Wałęsa skromnie przypisuje sobie tę zasługę przy każdej możliwej okazji, a i jego byli współpracownicy od niej nie stronią. Gdyby ten system był wydolny ekonomicznie, czerwone flagi z sierpem i młotkiem nadal powiewałyby nad Kremlem, Warszawą i Berlinem, i nie mógłby zmienić tego żaden strajk ani żadne dolary od CIA – dopiero, co najwyżej, parędziesiąt celnie wymierzonych atomówek, a na to raczej by się nie zdecydowano.

Realny socjalizm, pozwolę sobie powtórzyć, wykończyły prawa ekonomiczne. Z tymi prawami komuniści nie byli sobie w stanie poradzić, bo nie dało się ich rozstrzelać, zastraszyć ani kupić – można było tylko udawać, że ich nie ma. A to nic nie dawało. Prawa ekonomiczne działają nie dlatego, że zostały przegłosowane na radzie ministrów. Działają, bo istnieją obiektywnie – tak samo, jak każdy, choćby w życiu nie słyszał o Newtonie, albo zgoła nawet sformułowane przez niego prawo zdecydowanie odrzucał, jeśli skoczy z urwiska, to spadnie na de i ją sobie obtłucze. Otóż jedno z tych zlekceważonych w peerelu praw ekonomii spowodowało, że skoro zaczęto bezmyślnie drukować puste pieniądze, to ich ilość w obiegu stale wzrastała. Można to uznać za swoistą, pośmiertną (oczywiście, mówimy o śmierci politycznej) zemstę Gierka na Jaruzelskim. Po przekroczeniu pewnego progu już żadne czołgi, bagnety ani terenowe grupy operacyjne nie były w stanie zatrzymać ciągłego namnażania się w obiegu pieniędzy bez pokrycia. A jednocześnie jednak uruchomiono, w ramach reform, mechanizmy nie pozwalające już w nieskończoność fikcyjności waluty ukrywać. Jeśli chciało się robić kapitalizm, to ten kapitalizm wymagał realnego pieniądza, a nie zadrukowanych papierków. Jeśli chciało się otwierać na Zachód, to trzeba się było liczyć z elementarnymi standardami światowych instytucji finansowych. Tymczasem „nawis", jak go nazwano, rósł, inflacja się rozkręcała, kolejni partyjni reformatorzy odpadali od sterów, i w końcu stało się jasne, że jeszcze kilka, kilkanaście miesięcy i sprawa się musi rypnąć: finanse państwa pękną jak mydlana bańka i rzesza ludzi nie tylko nie dostanie pensji, ale nagle zobaczy, że wszystkich ich oszczędności, wkładów mieszkaniowych, przedpłat i tak dalej po prostu nie ma. W roku 1950 w podobnej sytuacji komuna zrobiła „wymianę pieniędzy", po prostu konfiskując nadmiar złotówek, ale czterdzieści lat później coś podobnego było nie do pomyślenia. Komuna miała już z polactwem swoje doświadczenia, pamiętała, jakie bywają tu skutki podniesienia o parę złotych cen cukru czy mięsa, i mogła się spodziewać, że jak po takim numerze apatyczne i osowiałe społeczeństwo dostanie nagle wigoru, to piosenka o komunistach wiszących na drzewach zamiast liści przestanie być jedynie biesiadną przyśpiewką. A na sowiecką pomoc, przypominam, liczyć już nie mogli.

„Solidarność" jako się rzekło, siadała do Okrągłego Stołu z żądaniami ekonomicznymi, które nazwać idiotycznymi będzie uprzejmością. Potem, jak wiemy, sytuacja gwałtownie przyspieszyła i okazało się, że neosolidarność musi stworzyć rząd. Legenda głosi, że wszystkie teki rozdzielono bez wielkiego trudu, natomiast na ministra finansów chętnego po prostu nie było. Wszyscy profesorowie, do których się zwracano, uprzejmie zapewniali, że chętnie będą doradzać, ale co do ministrowania, to bardzo dziękują, nie. W przeciwieństwie do polityków wiedzieli doskonale, co się dzieje, i trudno się dziwić, że żaden nie miał ochoty usiąść na tykającej bombie. W końcu rozbrojenia tej bomby podjął się nikomu wcześniej nieznany Leszek Balcerowicz.

Balcerowicz jest dobrym ekonomistą, może nawet bardziej na miejscu będzie powiedzieć – wybitnym, nie mnie, prostemu dziennikarzowi, rozdzielać takie tytuły. Ale nie jest, na litość boską, cudotwórcą. Jakikolwiek by wybrał sposób urealnienia waluty, czy była to operacja kursowa, czy walutowa „kotwica", czy przyjąłby zamiast kursu stałego płynnie, stopniowo regulowany, co postulowała potem centroprawica z takim zadęciem, jakby cokolwiek to zmieniało – jakkolwiek, powtórzę, to robił, skutek musiał być ten sam. Fikcyjne pieniądze musiały zniknąć. A tym samym, znikały ludziom z kont, książeczek czy bieliźniarek oszczędności całego życia. Sto dolarów, ciułanych latami i przechowywanych na czarną godzinę przez cały peerel, przestawało nagle być majątkiem, a stawało sumą zupełnie przeciętną. Gromadzony przez kilkanaście lat „wkład" na książeczce mieszkaniowej można było po paru miesiącach włożyć sobie co najwyżej w... No, dobrze, ugryzłem się w ostatniej chwili w język – Czytelnik i tak wie, co chciałem powiedzieć.

„Reforma Balcerowicza oznaczała bezprzykładną grabież oszczędności społeczeństwa", powtórzył kilkakrotnie prawicowy publicysta, którego skądinąd znam i poważam. Ależ nie, wcale nie tak! W czasach Balcerowicza tych oszczędności dawno już nie było. One zostały rozgrabione i roztrwonione o wiele wcześniej, głównie na ten tak do dziś uwielbiany przez polactwo gierkowski cud, że czy się stało, czy leżało, kasa się zawsze znajdowała. Komunizm dożył swoich dni, i przyszedł moment, kiedy trzeba było przyznać, że to wszystko było oszustwo, że czerwony płacił ludziom bezwartościowymi papierkami.

A nie było wyjścia – jeśli Polska miała przystąpić do odbudowy, trzeba było te sprawy wyczyścić. Trzeba było ściągnąć z rynku inflacyjny „nawis", a wypłaty w państwowych przedsiębiorstwach zdusić „popiwkiem" do czasu ich sprywatyzowania i poddania zasadom gry rynkowej. Gdyby spróbował tego premier Rakowski, nie skończyłoby się na pajacowaniu z krawatem, jak na sławnym spotkaniu w Stoczni Gdańskiej. Właśnie dlatego komuch musiał się pogodzić z myślą o oddaniu władzy „Solidarności". I właśnie dlatego naiwność opozycji, która nie zdając sobie w ogóle sprawy z sytuacji całe to, przepraszam za słowo, gówno, wzięła ochoczo na siebie, była dla komuny po prostu darem z niebios.

Jest dzisiaj, oczywiście, ciekawym przedmiotem „igraszek swobodnego umysłu" gdybanie, jak można było w tej sytuacji przejąć władzę mądrzej. Niektórzy twierdzą, że operację ściągania z rynku „nawisu" należało połączyć z powszechnym uwłaszczeniem. Przeciętny Polak widziałby wtedy, że wprawdzie znikają mu oszczędności, ale coś dostaje w zamian. Tym czymś byłaby własność – ponieważ w roku 1990 wszelka własność, potem przekazana samorządom, była jeszcze państwowa, można było rozdać i mieszkania, i inne mienie komunalne, i udziały w prywatyzowanych przedsiębiorstwach. Rzecz dałaby się przeprowadzić, dałaby się uzasadnić – w końcu całe to mienie, zagarnięte jako „państwowe" przez komunę, było wypracowywane przez pokolenia poddanych *socjalisticzieskoj własti*. No i, przede wszystkim, z punktu zaczęłoby się tworzyć normalne, zdrowe społeczeństwo w miejsce postniewolniczego społeczeństwa pańszczyźnianego. Same plusy. Minus tylko jeden: wtedy, u schyłku roku 1989, nie było żadnej siły politycznej, która by wpadła na ten pomysł i mogła go zrealizować.

W takim razie pozostawało jeszcze jedno rozwiązanie, i, choć teraz wydam się Czytelnikowi strasznym cynikiem, byłem za takim właśnie rozwiązaniem całym sercem. Nie ma chleba, bo chleb został rozkradziony – niech będą przynajmniej igrzyska. I niech w ramach tych igrzysk zadyndają ci, którzy ten chleb ukradli. Dlaczego nie? Bo taka brzydka zemsta uraziłaby poczucie estetyki warszawsko-krakowskiego salonu? A to, to ja akurat, delikatnie mówiąc, lekceważę. Wzięcie przez społeczeństwo na komunie „odwetu" za jej liczne podłości i zbrodnie nic a nic by mnie, w przeciwieństwie do Michnika, nie zmartwiło – pewnie dlatego, że nigdy w życiu się z żadną komunistyczną kanalią nie skumplowałem. Czemuż by ludzie, którzy przez pół wieku niszczyli i okradali własny naród, którzy mieli na sumieniach polityczne morderstwa, udział w zorganizowanym rabunku narodowego mienia i w masowym wyzysku, nie mieli za to sądownie odpowiedzieć, jak socjalistom spod nieco innych znaków zdarzyło się to w Norymberdze? Taką właśnie drugą Norymbergę powinni byli przywódcy neosolidarności zorganizować, jeśli nie dla sprawiedliwości, to z wyrachowania, gdyby tylko mieli w głowach choć trochę rozumu.

Ale to wszystko, jak mawiał Majster z „Dialogów na cztery nogi", „teoryzowanie". Świadomie czy nie, neosolidarność wybrała wariant najgorszy z możliwych. Pozwoliła, by przeciętny Polak uwierzył, że te pieniądze, które mu przepadły, ukradli mu nie Gierek z Jaruzelskim i Rakowskim, jak to było naprawdę – ale Balcerowicz. Pozwoliła, by to na nią spadło całe odium zamykania nierentownych zakładów, restrukturyzowania, ujawniania ukrytego wcześniej bezrobocia i w ogóle, likwidowania całych ogromnych obszarów fikcji „wysoko rozwiniętej gospodarki socjalistycznej". Wzięła to wszystko na siebie, żeby być uprzejmą wobec swoich „partnerów" od Okrągłego Stołu. I jeszcze z godną lepszej sprawy zawziętością starała się komunistów wybielić.

A poza tym, w kluczowym, decydującym o przyszłych losach nas wszystkich, momencie nie miała w ogóle głowy, by myśleć o Polsce, bo zajęta była wzajemnym się wyrzynaniem.

*

O „wojnie na górze" każdy ma swoje zdanie, a zwłaszcza ci, którzy byli w niej zaangażowani po którejś ze stron. Ja osobiście, tak jak nic specjalnego nie zrobiłem w latach osiemdziesiątych, chyba żeby za formę oporu przeciwko komunizmowi uznać picie wódki i pisanie aluzyjnej fantastyki, tak i nie zaangażowałem się w „wojnę na górze" – li tylko jako wyborca, popierający w obu turach Wałęsę. I nie wstydzisz się tego dzisiaj, Ziemkiewicz? – zapyta ten i ów Czytelnik. Owszem, odpowiem, trochę się wstydzę. Ale, dodam zaraz, pociesza mnie jedna tylko myśl, że gdybym był wtedy poparł Mazowieckiego, to dzisiaj musiałbym się wstydzić jeszcze bardziej.

W pewnym momencie, jak wspominałem, kluczową sprawą dla utrzymania „pakietu kontrolnego" w opozycji było mieć Wałęsę. Wałęsa był symbolem, do Wałęsy przyjeżdżały zagraniczne delegacje, Wałęsa znany był wszystkim Polakom. I, generalnie, „rewizjonistom" udało się wpływ na Wałęsę uzyskać. Dowodem najdobitniejszym reprezentacja neosolidarności w kontraktowym Sejmie, niemal wyłącznie złożona z przedstawicieli tej frakcji. Mało kto pamięta, że w ramach protestu przeciwko skrajnemu brakowi pluralizmu w doborze kandydatów do zdjęcia z Wałęsą odmówił wówczas kandydowania Tadeusz Mazowiecki – dopiero potem miał zmienić linię i związać cały swój polityczny los z Familią.

W jaki sposób ten wpływ na Wałęsę uzyskiwano, można się domyślać z różnych wzmianek – ale można też, jeśli ktoś pogrzebie w bibliotekach, znaleźć tam jeszcze peany na cześć wielkiego przedstawiciela Ludu, wypisywane w stosownym czasie przez czołowych opozycyjnych intelektualistów. Wałęsa, od czasu, jak dał się poznać, nie ma co do tego wątpliwości, że pochlebstwa lubił – nie on jeden zresztą wpadł w tę pułapkę. Myślę, że u podstaw wojny na górze legła irytacja ludzi, niegdyś mu do obrzydzenia kadzących, na samych siebie i swoje lizusostwo. Irytacja, którą zgodnie z dobrze zbadanym mechanizmem psychologicznym, rzutowali oni na obiekt swych niedawnych panegiryków i salonowych pląsów. Albowiem, twierdzę to z całym przekonaniem, ta wściekła, zajadła wybijanka do jakiej doszło w neosolidarności w roku 1990, nie da się wytłumaczyć w kategoriach politycznych.

W kategoriach politycznych była to sprawa zupełnie bez sensu. Politycznie myślał wtedy Kaczyński: Wałęsa dąży do prezydentury, bo uważa, że mu się to należy jak psu buda, że skoro prezydentem i symbolem dla świata został jakiś taki Havel, który przy Wałęsie jest nikim, to cóż on, przywódca dziesięciomilionowej „Solidarności", człowiek, który obalił komunizm i tak dalej. Bo, krótko mówiąc, Wałęsa w to wszystko, co mu przez lata sączono w uszy, uwierzył, sodówa mu teraz rozsadza łeb i być prezydentem po prostu musi. A skoro tego chce, to mając taki mir w społeczeństwie, prezydentem zostanie. W związku z tym, analizował Kaczyński sytuację, lepiej wybrać go prezydentem teraz, na mocy decyzji parlamentu. Jaruzelski zgodzi się ustąpić – zgodziłby się, bo Jaruzel w tym okresie wyraźnie zauważył, że dzieło i wiara całego jego życia nawet nie legło w gruzach, ale zatonęło w bagnie, i zachowywał się z kompletną biernością, którą jego hagiografowie chcą teraz uznawać za przejaw odpowiedzialności. Czerwoni za tym zagłosują – zagłosowaliby, tkwili jeszcze w szoku wywołanym rozmiarami swej własnej niepopularności, ujawnionymi przez wybory, i hukiem, z jakim, niczym kolejne klocki domina, przewracał się socjalizm po kolei we wszystkich krajach „obozu". A naród, kiedy skonfrontuje legendę Wałęsy z Wałęsą rzeczywistym, za najdalej rok będzie miał go dosyć; to nie ulega wątpliwości, bo przecież pamiętamy, jak było. Przez ten rok uchwalimy konstytucję, zrobimy wolne wybory do parlamentu, i na koniec ogłosimy wybory prezydenckie, Wałęsa oczywiście w nich wystartuje – i przegra.

Czy Kaczor nie miał wtedy racji? Miał. Na tym polegało nieszczęście i jego, i całej Familii. Bo, zabrzmi to paradoksalnie, ale to kolejna sprawa, o której zadecydowała nie polityka, tylko psychologia: Jarosław Kaczyński, który stał się głównym wrogiem michnikowszczyzny, celem niezliczonych obelg w kontrolowanych przez nią mediach, szwarccharakterem oskarżanym o każdą możliwą podłość, od zamachu na demokrację po przekręty, na którego Michnik rzucił więcej jadowitych obelg niż na kogokolwiek innego, nawet na Wałęsę – ów Kaczyński w gruncie rzeczy, genetycznie, programowo, etosowo, czy jakkolwiek jeszcze to ująć, należał do Familii, mało tego, był jej najwybitniejszym politykiem, i takim przez cały czas pozostał – tyle, że na banicji. A jeszcze z tej banicji szukał z Familią porozumienia, bo w gruncie rzeczy to właśnie była jego formacja. Wypchnięcie go pomiędzy ludzi typu Olszewskiego, Macierewicza czy Szeremietiewa stanowiło kompletne nieporozumienie – zresztą wypalił się tam bez pożytku dla kraju w drobnych utarczkach wszystkich ze wszystkimi o przywództwo nad magmą Konfederacji, nasiąkając paranoiczną podejrzliwością i uprzedzającą agresją wobec wszystkich. Kaczyński powinien był zostać przewodniczącym Unii Demokratycznej, a jeszcze lepiej – wiceprzewodniczącym przy pozbawionym energii, pełniącym funkcje reprezentacyjne prezesie w typie Mazowieckiego. Gdyby tak się sprawy ułożyły, Familia rządziłaby do dziś.

Ale Kaczyński musiał zostać z Familii wypchnięty, bo popełnił dwa grzechy nie do wybaczenia. Bynajmniej nie poszło tu o jego „prawicowość", tego typu sprawy dla Familii nie miały nigdy decydującego znaczenia – w Unii Demokratycznej można było być równie dobrze chadekiem, konserwatystą, liberałem, jak i socjaldemokratą, najlepiej, oczywiście, wszystkim tym naraz. Nie poszło też o sprawę rozliczeń z komunistami, bo, wbrew potocznemu mniemaniu, ten spór miał charakter wtórny. Unia Demokratyczna nie dlatego cięła się z Wałęsą i PC, że tamci chcieli dekomunizować, a Unia nie. Unia dlatego broniła komunistów, że tamci, z którymi była pocięta na śmierć i życie, chcieli ich dekomunizować – taka była kolejność przyczyny i skutku. A i dekomunizacja w wizji Kaczyńskiego nie była bynajmniej jakimś wybuchem antykomunistycznych namiętności. To, co projektował, wymierzone było w rozbicie struktur, bo, jak trafnie ocenił, mając na zapleczu nie ruszone, na razie tylko sparaliżowane strachem mafie zbudowane na powiązaniach aparatu, specsłużb i stworzonego za czasów Rakowskiego kompleksu bankowo-biznesowego, neosolidarność długo sobie Polską nie porządzi. Wizje polowań na byłych członków partii, rewolucyjnych trybunałów dekomunizacyjnych i temu podobne były tylko rojeniami miotanego wojennym szałem Michnika. Pezetpeerowiec nie należący do starego układu, a jeszcze lepiej należący do nowego, choćby był wcześniej sekretarzem KC, mógłby w Unii Kaczyńskiego być w zarządzie, czy nawet z jej rekomendacji rządzić stolicą, równie dobrze, jak w Unii Mazowieckiego.

Grzechy Kaczora były inne. Po pierwsze – wystąpił z polityczną koncepcją, rzeczywiście słuszną, optymalną, najbezczelniej w świecie, nie mając do tego żadnego prawa. W Familii obowiązywała hierarchia jak w stadzie pawianów, albo, niech będzie ładniej, jak w salonie, gdzie każdy ma swoje miejsce przy stole i posadzić nagle tyłek na fotelu Pana Profesora czy Pana Mecenasa jest po prostu nieopisanym chamstwem. Z takim politycznym planem mógł wystąpić któryś z członków sprawującego nad Familią rząd dusz triumwiratu Geremek – Kuroń – Michnik. Potem objawiłby go szeregowym familiantom któryś z przybocznych, w rodzaju Wujca czy Lityńskiego. Ale nie Kaczyński! Kaczyński był jakimś tam misiem z prowincji, poniżej którego w familijnej hierarchii był już tylko Celiński i kosze na śmieci! Taki Kaczyński, jeśli naprawdę chciał, powinien cichcem wsączyć swą myśl w uszy któregoś z wielkich, i namówić go, żeby uznał ten plan za swój własny. Nie mogę zresztą dać głowy, czy Kaczor tego nie próbował, i dopiero spuszczony na bambus nie zdecydował się powiedzieć na głos, co trzeba zrobić, dopuszczając się w ten sposób niewybaczalnej gafy.

Mogło tak być, albowiem Kaczor dopuścił się jeszcze jednego grzechu, równie ciężkiego: poszedł pod prąd, miał inne zdanie, niż towarzystwo. A Familia nie toleruje odmiennego zdania, chyba że to jej przywódcy dziś mają inne poglądy, niż mieli wczoraj. Po to ma Familia swą hierarchię, aby każdy wiedział, co myśleć i uważać wypada. Familia to ludzie rozumni, których rozumność poznaje się właśnie po tym, że składając różne deklaracje i dywagując niezobowiązująco o bytach abstrakcyjnych, w konkretach wszyscy muszą być jednomyślni – w języku Familii nazwano to „różnić się ładnie". Bez ścisłej hierarchii mogłoby nagle dojść do pomieszania, wielu familiantów nie wiedziałoby, co myśleć i mówić, aby nadal być człowiekiem rozumnym.

Kaczyński na przełomie 1989/1990 doszedł do wniosku, że z Wałęsą nie ma co iść na udry, bo jest za silny – trzeba sposobem. Tymczasem właśnie wtedy wzbierały w Familii namiętności dokładnie odwrotne. Znowu sens wydarzeń może nam uświadomić tylko psychologia. Otóż salonowe bractwo, śmietanka polskich elit, ludzie rozumni, najlepsze towarzystwo z możliwych i tak dalej, poczuło się pewnie. Największa gazeta, która miała być gazetą neosolidarności, została, jako wydawnictwo prywatnej spółki „Agora", gazetą Michnika. Inne gazety mówiły jej głosem, jej głosem mówiła państwowa telewizja, i Familia, czytając o sobie w tych gazetach i widząc się w tej telewizji, zobaczyła, że całe społeczeństwo jest pełne dla niej bezbrzeżnego uznania, że jej autorytety są autorytetami najwyższymi, i tak dalej. Familia poczuła się strasznie pewnie, uznała, że jest wreszcie na swoim własnym folwarku, i napełniona poczuciem mocy doszła do wniosku, że Wałęsa, któremu się dotąd musiała kłaniać, a który teraz został na uboczu, w Gdańsku, to w gruncie rzeczy głupi cham, prymityw i kukła – wszystko, co osiągnął, to tak naprawdę osiągnął dzięki nam, swoim doradcom, był tylko symbolem, a teraz niech tam sobie siedzi na prowincji i się nie wtrąca. Zaczęła się seria coraz to dalej idących afrontów pod adresem byłego wodza. Ten, zamiast znosić je grzecznie i cicho, pozwolił sobie odpowiedzieć w tonie buńczucznym. No, to już było nie do zniesienia. Jeśli ten dureń roi sobie, że ktoś go tutaj jeszcze do czegokolwiek potrzebuje, no to proszę bardzo, zrobimy powszechne wybory prezydenckie i wygramy je w cuglach!

No i tak się zaczęła niesławna wojna na górze – zderzenie pychy zaczadzonych własną urojoną potęgą warszawki i krakówka z pękającym z pychy wodzem. Dla Familii była ona politycznym nieszczęściem i praktycznym zniweczeniem jej marzeń o „co najmniej dwunastu latach nieprzerwanych rządów", których zresztą wcale nie uważała za swe marzenie, tylko za pewnik. Dla Konfederacji, „niepodległościowców", po których teraz Wałek sięgnął, wydawała się szansą na dojście do władzy, ale w istocie też była politycznym nieszczęściem, bo wykorzystał on ich nader cynicznie, ani przez moment nie mając zamiaru realizować żadnych ich postulatów, poza personalnymi, ale i tu stawiał warunki: po doświadczeniu z Familią tolerował tylko ludzi całkowicie bezwolnych i możliwie jak najbardziej miernych, z czasem, można to prześledzić obserwując nominacje prezydenta Wałęsy aż do samego końca, coraz bardziej się w tym uskrajniając. Zresztą, nie mając żadnego z atutów Familii, ani jej kontaktów, ani wpływów w mediach, ani medialnego wizerunku, a za to wiecznie się ze sobą żrąc i grając na wzajemnym się szantażowaniu i licytowniu radykalizmem, Konfederacja jako sojusznik lub, nie daj Boże, zaplecze, byłaby dla Wałka raczej obciążeniem, niż pomocą, stąd właśnie sięgnął po... Ale to za moment, dokończmy myśl: dla samego Wałęsy mianowicie też była wojna na górze katastrofą, bo wskoczył w buty w oczywisty sposób dla niego za duże – czego chyba do dziś nie zrozumiał – i to wskoczył w nie w najgorszym możliwym stylu.

Ale przede wszystkim było to nieszczęście, raczej cały szereg nieszczęść dla Polski. Było to pasmo przejmującej głupoty nowej władzy, głupoty graniczącej ze zbrodnią, pasmo szkodliwych dla Polski posunięć, które definitywnie zabiły w Polakach wiarę w „Solidarność" oraz w niepodległą Polskę i uwięziły ich w polactwie.

Nawet ci, którzy to pamiętają, nie pamiętają tego, jak było naprawdę, bo ludzki umysł z natury swojej łagodzi wspomnienia, szlifuje kanty, pokrywa co najgorsze mgiełką zapomnienia; inaczej, twierdzą psychologowie, bylibyśmy wszyscy wariatami. Kto nie chce mi wierzyć na słowo, niech przejdzie się do biblioteki i poczyta gazety z tego okresu.

Po szwedzkim Potopie, kiedy to, jak śpiewamy w naszym hymnie narodowym (jeśli kto zna cały jego tekst, oczywiście – wedle badań jest takich coś ze 3 procent), Czarniecki wrócił się przez morze, jego chorągwie zostały wyrżnięte w pień w bratobójczej bitwie pod Mątwami. Była to bitwa wieńcząca rokosz podniesiony przez innego wybitnego dowódcę wojny ze Szwedami, Lubomirskiego. Wojska królewskie zderzyły się z wojskami rokoszan z taką zawziętością, jakiej, wedle świadków z epoki, nie okazywały w żadnej z wcześniejszych bitew z najeźdźcą. Szwedom często dawały „pardon" – rodakom nie. Jeńców nie brano, rannym podrzynano gardła. Najświetniejsze, dopiero co zwycięskie wojska Rzeczypospolitej wymordowały się nawzajem w jakimś niepojętym szale dzikiej nienawiści.

Tak zwana wojna na górze była powtórką tego szaleństwa. Wobec komunistów nigdy nie wykazali jej uczestnicy ani cienia tej nienawiści, z jaką rzucili się do gardeł sobie nawzajem. Trzeba by naprawdę wielkiej klasy psychologa, aby rozpętlił ten węzeł. Na pewno, u podstaw tego wszystkiego leżało błogie przekonanie, że sprawa z komunistami jest całkowicie zamknięta, że reformy idą same z siebie, społeczeństwo cieszy się i chwali nową władzę, a sztandar „Solidarności" powiewa wysoko i ktokolwiek wyrwie go pozostałym i będzie trzymał, ten wygrywa wszystkie wybory w cuglach jeszcze przez co najmniej dwanaście lat – wszystko to było jak najdalsze od prawdy, ale w neosolidarności zapanowała wtedy już nawet nie ślepota, ale jakieś zacietrzewienie, żeby nie tylko nie dostrzegać rzeczywistości, tylko żeby ją dostrzegać inaczej, żeby wręcz, pokazując czarne, domagać się od wszystkich zapewnień, że widzą białe, jako deklaracji lojalności. Na pewno była w tym skumulowana złość z wielu lat wspólnego duszenia się w podziemiu, jakaś, jak to nazywa psychologia, „furia ekspedycyjna", tłumiona latami, której wreszcie można było pofolgować i wziąć odwet – na tym chamie, że przez tyle lat musieliśmy się przed nim płaszczyć i go okadzać, na tamtych cwaniaczkach, że nas odcięli od kontaktów z Zachodem, pieniędzy i maszyn, na tych oszołomach, którzy chcą tutaj budzić endeckie upiory; a do tego jeszcze doszły jakieś zupełnie nie do wyjaśnienia normalnemu człowiekowi urazy, że ileś tam lat temu ktoś komuś nie podał ręki, albo powiedział komuś, że słyszał o innym, jak tamten mówił o tym, że ktoś słyszał, że on kapuje ubecji, czy coś takiego.

Jeśli w nadmiarze targających mną uczuć zatracę na chwilę stylistyczną przyzwoitość i pojadę urbanem, że nie było takich chujów, jakich by wtedy na sobie nawzajem bohaterowie podziemia, żywe legendy, bojownicy z komunizmem i tak dalej, publicznie nie powiesili, to i tak zdanie to zabrzmi słabiej, niżby należało.

*

Kiedyś pisałem, że bohaterowie podziemia z natury nie nadają się na polityków w państwie demokratycznym. Nie chcę powtarzać całego tego wywodu, ale muszę się tu odwołać do niego. Te cechy osobowości, które w totalitaryzmie tworzyły bohatera, w demokracji tworzą warchoła. Niezłomność, która była cnotą u bohatera antytotalitarnej opozycji, u polityka zamienia się w ośli upór, nieprzyjmowanie do wiadomości faktów i niezdolność do jakichkolwiek kompromisów. Człowiek, który z podziemia trafił do normalnej polityki, odstrasza od siebie wyborców, bo guzik go zawsze obchodziła jakakolwiek publiczność, zresztą w ogóle jej nie miał; powoduje jeden rozłam po drugim, bo wobec systemu każdy był w gruncie rzeczy sam i nikt nie nauczył się grać w drużynie; no i koniec końców niszczy wszystko, bo nie interesuje go nic mniej niż stuprocentowe zrealizowanie swojej woli, nie ustąpi przed argumentem, skoro nauczył się nie ustępować przed więzieniem, a w polityce nigdy nie wygrywa się w stu procentach, kto mówi „wszystko albo nic" może być pewien, że skończy się na niczym.

Bohaterowie podziemia nie nadawali się na polityków; nieszczęście polega na tym, że innych kadr dla polityki w wolnej, demokratycznej Polsce nie było. Z poczucia obowiązku poszło do polityki trochę intelektualistów, ale ci się do tego na dłuższą metę nie nadawali jeszcze bardziej – zresztą o tym wiedzieli. Jedyną alternatywę dla działaczy podziemia stanowili ludzie ze starego, komunistycznego aparatu. Przyprowadził ich potem szeroką ławą Miller, i to nie tylko ze wspominanych tu związków socjalistycznej młodzieży, ale z komend milicji i komitetów wojewódzkich. Z wiadomym skutkiem. Do tego doszli jeszcze działacze związków zawodowych i związków rolników – a to jest dopiero mętownia, co się zowie, i kto przeciera dziś w zdumieniu oczy, co w Sejmie Rzeczypospolitej robią typki z „Samoobrony", ten niech się nastawi na jeszcze fajniejsze doznania.

Mam wrażenie, że do tego zestawu cech bohatera podziemia, które strasznie utrudniają mu bycie demokratycznym politykiem, trzeba dodać jeszcze jedną, o której we „Viagrze maci" zapomniałem, więc od tego zdania już się nie powtarzam. Jest to swoista zawziętość w odrzucaniu tego, co nie pasuje do przyjętych założeń. Mówią ci wszyscy: to nie ma sensu, to się nie uda, oni są niepokonani i tak dalej, a ty zaciskasz zęby i robisz swoje. Konsekwentnie i niezłomnie. Nie od rzeczy dodać będzie, że ten przez nikogo nie oczekiwany cud, jakim było załamanie się Sowietów, dla ludzi kierujących się w życiu tą niezłomnością był potwierdzeniem, iż tak właśnie robić należy, na nic nie zważać, nie zawracać sobie głowy faktami, tylko uparcie realizować, co się raz postanowiło.

Przyznam, że bez takiej psychologicznej hipotezy nie jestem w stanie niczym wytłumaczyć ani nijak pojąć postępowania neosolidarności. Kolejne fakty niweczyły z hukiem całą tę sprytną, ubecką grę, w jaką wciągnął ich czerwony przy Okrągłym Stole, ale solidarnościowcy z premedytacją nie chcieli tego widzieć. Sowiety zdychały, o żadnej interwencji nie było mowy. Komunizm walił się w kolejnych krajach. Nie było żadnego powodu trzymać się traktatu wymuszonego zupełnie innymi warunkami – ale Mazowiecki i cała Familia z jakąś sklerotyczną zajadłością trzymali się go tym bardziej kurczowo, im mniej miało to sensu. Czerwony uciekał w rozsypce, a oni ani na to spojrzawszy, mozolnie realizowali kolejne drobne kroczki, w ramach zaplanowanego na najbliższych trzydzieści lat programu mającego stopniowo dać Polsce względną autonomię w ramach sowieckiego bloku, który, ale na to też ani spojrzeli, właśnie przestawał istnieć. Nagle okazało się, że obok pacyfikowania społeczeństwa i niedopuszczania do wybuchu entuzjazmu z powodu odzyskania niepodległości, który to wybuch mógłby sprowokować sowiecką inwazję, neosolidarność ma jeszcze jeden nadrzędny cel: niedopuszczenie do zbyt szybkich zmian.

Przez pięćdziesiąt lat czerwony obsadzał stanowiska wedle zasady bierny, mierny ale wierny, nie fachowiec, ale partyjny, awansował tym wyżej, im kto bardziej bezmyślny i przez to bardziej oddany oraz mniej niebezpieczny dla władzy – i nagle okazało się, że ludzie zajmujący właśnie wskutek takiej polityki kadrowej stanowiska są najlepszymi fachowcami, jakimi Polska dysponuje, i wyrzucać ich w żadnym wypadku nie wolno. Przez pięćdziesiąt lat kontrolowali Polskę Sowieci. Usadzali w kluczowych punktach państwa, w wojsku, w służbach specjalnych swoich ludzi. Sowieccy doradcy plątali się gdzie chcieli, wzywali do siebie kogo chcieli na rozmowy, poza wszelką służbową hierarchią, montowali swoje agentury – nagle się okazało, że to właśnie ci ludzie są najwierniejszymi Polsce patriotami, że

„Solidarność" po to objęła władzę, aby ich ochronić przed niepotrzebnymi zmianami. Przez pół wieku komuniści dopuszczali się najgorszych zbrodni – nagle okazało się, że wystarczy przy oberubeku, ojcu chrzestnym wszystkich zbrodniarzy, posadzić jakiegoś dziadka z „Tygodnika Powszechnego", który, gdyby mu podwładni przyszpilili do pleców kartkę z brzydkim wyrazem, chodziłby tak ruski miesiąc, i szef całego aparatu zbrodni i terroru staje się człowiekiem godnym całkowitego zaufania, a potem wręcz „człowiekiem honoru".

Mówiąc krótko, po to najlepsi Polacy przez pół wieku walczyli z komunizmem i okupacją, żeby zaraz po odzyskaniu niepodległości usłyszeć od bohaterów tej walki histeryczny krzyk, że nie wolno pozostałości komunizmu likwidować, nie wolno komunistów karać ani nawet odsuwać od stanowisk, nie wolno złodziejom odbierać tego, co ukradli, ani okradzionym oddawać tego, co wzięli sobie ubecy i partyjniacy, nie wolno sporządzać żadnych rachunków krzywd, nie wolno szukać sprawców politycznych mordów, nie wolno przeszkadzać w paleniu archiwów zawierających dowody tych zbrodni, nie wolno spytać, kto się wysługiwał ubecji jako kapuś, szpicel czy prowokator, nie wolno zgodnie z prawdą wskazać tych, którzy odpowiadają za stan gospodarki państwa, odpowiedzialnych za to, że absurdalnie rozbudowany przemysł ciężki marnuje zasoby, produkując rzeczy potrzebne tylko ruskim fabrykom zbrojeniowym, że rolnictwo jest zacofane w stosunku do Zachodu o pięćdziesiąt lat, że przez te pięćdziesiąt lat z poziomu Grecji i Portugalii, które przed wojną nieznacznie wyprzedzaliśmy, spadliśmy do poziomu państwa od tych dwóch czterokrotnie biedniejszego, nie wolno wskazać, kto odpowiada za to, że milionom Polaków zniknęły z kont i bieliźniarek oszczędności, nie wolno zdemaskować, w jaki sposób różni dranie nagle stali się właścicielami fortun, pochodzących wyłącznie z rozkradania majątku likwidowanego państwa, nie wolno przeciwdziałać dalszemu tego majątku rozkradaniu, nie wolno zmieniać ustalonych przez komunistów przepisów, które umożliwiają im bezkarne robienie wszelkiego rodzaju szwindli, nie wolno chwycić za rękę grasującej w państwie postubeckiej mafii, nie wolno w żadnym wypadku, bo – to jest nienawiść, to jest podłość, to jest nikczemna zemsta, to jest polityczna głupota i nieodpowiedzialność, to jest podpalanie kraju, i ludzie, którzy by chcieli jakichś rozliczeń komunizmu są frustratami, chorymi z nienawiści, obsesjonatami, spoconymi facetami goniącymi za władzą, są zwykłymi durniami, bohaterami ostatniej godziny i...

Daj już spokój, Ziemkiewicz, nie przeżywaj tego znowu, bo ci zaszkodzi.

Przepraszam za ten przydługi akapit. Na swoje usprawiedliwienie mam tylko jedno, że żadnej zawartej w nim obelgi nie wymyśliłem – wszystkie były wtedy w powszechnym użytku michnikowszczyzny.

*

Jeżeli w czerwcu 1989 opieprzany przez Wałęsę za to, że nie zagłosowałem na PZPR, albo widząc w telewizji tego samego Wałka jak wściekle bluzga ludziom z FMW, którzy okupując komitet partyjny usiłowali nie dopuścić do palenia pezetpeerowskich akt, czułem się jak ten miś z czeskiej dobranocki, to tego, co poczułem potem, nie umiem oddać, choć uważam się za pisarza, i to, mówiąc uczciwie, niezłego. Co czuję, przypominając sobie, że śp. Jacek Kaczmarski odmówił w 1990 roku występu na koncercie w rocznicę Sierpnia, bo miał tam być Wałęsa, a czas jakiś potem, już ozdobiony orderem od Kwaśniewskiego, nie widział przeciwwskazań, by na rocznicy ZSP przygrywać jakimś typkom z Ordynackiej? Że śp. Giedroyc odmówił przyjęcia od Wałęsy orderu, a od Kwaśniewskiego przyjął? Że Michnik odmawiał w ostrych słowach wypowiedzi dla takiej gazety, jak krakowski „Czas”, choć bez żenady poszedł po latach do „Trybuny” na pogawędkę z jedną z najgorszych szumowin stanu wojennego, towarzyszem Barańskim?

Jak mogło dojść do takiego amoku? Myślę, że bez tej nieszczęsnej wojny na górze nie byłoby aż tak źle. Z jednej strony, jak już wspomniałem, Familia rzuciła wszystkie siły do obrony pozostałości peerelu dlatego, że likwidowanie tych pozostałości i rozliczenia były hasłem znienawidzonego Wałęsy i jego „przyśpieszaczy”. Z drugiej, to sklerotyczne trzymanie się procedur, peerelowskich przepisów i zawartych niby dopiero co, ale przecież w innej epoce, umów było skutkiem jakiegokolwiek pomysłu ekipy Mazowieckiego i całej Familii na głębszą i dalej niż „finlandyzacja" idącą zmianę Polski. Mówimy przecież o człowieku, który z tekstu swego pierwszego sejmowego przemówienia usunął słowo „kapitalizm", zastępując je nie wiadomo co znaczącym frazesem „społeczna gospodarka rynkowa".

Ale było i coś więcej. Było wyrachowanie.

Skoro głównym wrogiem stali się nagle wczorajsi współpracownicy i przyjaciele to, rzecz jasna, wczorajsi wrogowie stawali się automatycznie sojusznikami. Zwłaszcza że wczorajsi przyjaciele wydawali się straszliwie groźni, a komuniści – nie. Przecież zostali już pokonani. Naród, w to żadna ze stron wojny na górze nie wątpiła ani przez sekundę, będzie teraz zawsze, w każdym razie bardzo długo, głosował na sztandar „Solidarność", i właśnie dlatego trzeba całkowicie eksterminować wszystkich poza nami, którzy mogliby się na ten sztandar powoływać. A komuniści? Komuniści będą tu mieli z dziesięć procent elektoratu, z wolna wymierającego, groźni z tym nie są, ale mogą być cennymi sojusznikami.

Mieliśmy w wojsku takiego majora, z pozoru człowiek dość kontaktowy, więc przy jakiejś okazji kolega, z wykształcenia ekonomista, zaczął mu tłumaczyć przyczyny, dla których gospodarka kraju pada – a był to koniec roku 1988. Od przyczyn przeszedł kolega do środków zaradczych, tłumaczy, że ceny muszą być ustalane według gry popytu i podaży, a nie kosztów, że trzeba uwolnić mechanizmy rynkowe, obywatel major słuchał tego wreszcie przez jakiś czas, po czym wzruszył ramionami i parsknął: „a co wy mi pierdolicie o farmazonach, podchorąży, jak tu się toczy ostra walka polityczna!".

Otóż hierarchia ważności spraw naszego majora w wojnie na górze znalazła doskonałe ucieleśnienie. Co tam myśleć o farmazonach, kiedy się toczy ostrą walkę polityczną. A walczono wszak o najwyższą stawkę, praktycznie o wszystko. Wałęsa walczył o pełnię władzy, przekonany, że mu się to należy, bo to przecież on obalił komunizm w Polsce i na całym świecie. Familia walczyła o monopol władzy, przekonana, że jej się to należy, bo ma w swych szeregach wszystkich ludzi najmądrzejszych, najuczciwszych i najbardziej kompetentnych, jacy w Polsce żyją – i że jeśli rządziłby ktoś inny, to nie tylko rządziłby gorzej, ale te rządy musiałyby doprowadzić do wybuchu nacjonalizmu, powrotu endeckiego ciemnogrodu, nietolerancji i antysemickich pogromów, w najlepszym wypadku państwa wyznaniowego. Familia bała się panicznie utraty kontroli nad społeczeństwem, powiedzmy szczerze, nad tym polskim motłochem, po którym spodziewała się wszystkiego najgorszego, bała się panicznie zwłaszcza jakichkolwiek rządów „prawicowych", cokolwiek by to słowo oznaczało, bała się śmiertelnie „Polaka-katolika". Obok ogólnego poczucia wyższości, ten strach był najsilniejszym spoiwem, łączącym tę pod każdym innym względem niespójną formację. Ludziom zdarza się, że ze strachu zabijają. Familia ze strachu przed Polakiem-katolikiem musiała zabić, zniszczyć i spopielić wszelką polską prawicę, a ponieważ istnienie takowej jest niezbędnym elementem normalnej sceny politycznej – musiała zniszczyć polityczną normalność. Kto tego nie rozumie, nigdy nie znajdzie konsekwencji w zachowaniu „autorytetów moralnych", które z jednej strony chroniły bandytów przed karą w imię procedur demokracji, a z drugiej starały się uniemożliwić powstawanie partii politycznych, zastępując je jednym, masowym, i oczywiście przez nie kontrolowanym ruchem społecznym – co było wszak pomysłem jak raz rodem z faszyzmu.

A skoro walczono o pełnię i monopol władzy, to dwoma głównymi filarami monopolistycznej władzy komunistów, które w ten czy inny sposób musiały istnieć także w wolnej Polsce, była telewizja i służby specjalne. I tu, i tu istniała budowana latami struktura służąca rządom czerwonej mafii. Każde dziecko zdawało sobie sprawę, że aby zniszczyć totalitarne państwo, należało obie te instytucje rozwiązać i zbudować od nowa. Ale nie w warunkach walki o władzę!

W chwili, gdy największym zagrożeniem dla Polski wydawał się Familii Wałęsa, potrzebą chwili było, żeby telewizja z obu rąk nawalała w Wałęsę i w stojących za nim oszołomów, „spadkobierców nienawistnego ducha czarnej sotni spod znaków ONR" i klerykałów. Kto mógł to zrobić lepiej, niż wyćwiczeni w takiej robocie funkcjonariusze propagandy peerelu? Służyli wiernie komunie, teraz posłużą nam. Po co brać jakichś nowych ludzi, młodych, którzy będą mieli głowy pełne ideałów dziennikarskiej niezależności i wolności słowa, oczywiście to są ideały generalnie słuszne, ale nie w chwili obecnej, kiedy toczy się ostra walka polityczna... Dlatego w telewizji nie zmieniło się nic, poza nominalnym szefem. A z drugiej strony – rozbijać służby specjalne w momencie, kiedy ich przejęcie było najlepszym sposobem wzięcia w rękę całej władzy? Z punktu widzenia Wałęsy byłoby to podobnym absurdem, jak z punktu widzenia michnikowszczyzny zmienianie czegokolwiek w TVP.

Jak wspomniałem, po zwycięskiej wojnie na górze, pierwszą potrzebą chwili było dla Wałka pozbycie się kopniakiem Konfederacji. Nie po to walczył z jednymi doradcami, aby ulegać drugim, i to jeszcze takim „popaprańcom". Ale na czym miał oprzeć swą władzę, poza, oczywiście, swym imieniem, w którego magiczny wpływ na masy wierzył bezgranicznie? Uprawnienia prezydenta były nieokreślone – całe te wybory odbyły się przecież na wariata, bez konstytucji, burząc wszelki ład prawny w państwie, co, nawiasem, stanowiło jeszcze jedną niepowetowaną szkodę, wyrządzoną przez tę bijatykę krajowi. Swojej partii zakładać ani myślał. Zresztą parlament był w proszku, politycy nie mieli u ludzi miru, a on sam nie chciał być przecież politykiem, tylko ojcem narodu.

Wałek był człowiekiem wystarczająco cwanym, by widzieć, jakie są realne siły, działające w strukturach przeżywającego tyleż gwałtowne, co bezładne przemiany państwa. Dość szybko zauważył, że komunistyczne specsłużby, mało co ruszone jakimiś tam weryfikacjami, „sprywatyzowały się" i tworzą swego rodzaju mafię – czy raczej, konfederację wielu mniejszych i większych mafii. Miały wpływy, miały swoich kapusiów w rozmaitych sferach społecznych, miały swoich biznesmenów, będących przez całe lata „słupami" dla pieniędzy służb, miały dostęp do tajnych informacji, nierozliczone fundusze. Zresztą Wałęsa nie musiał tego odkrywać, przecież właśnie o tolerowanie tego układu, w jaki przekształcały się peerelowska SB i WSI toczyła się propagandowo-polityczna walka, stanowiąca istotną część wojny na górze. Ale czy w warunkach ostrej walki o władzę miał Wałęsa interes w niszczeniu tak, potencjalnie, pożytecznego narzędzia? W życiu. Służyli komunie, teraz posłużą mnie. Uznają we mnie nowego ojca chrzestnego, a ja ich obronię przed rozliczeniami, lustracjami, weryfikacjami i innymi pomysłami popaprańców.

Nie oczekujcie po mnie szczegółów. Kiedyś, jak zwykle wtedy dopiero, gdy już nie będzie to miało praktycznego znaczenia, zostaną one ujawnione. Wtedy się okaże, kto, z kim, czy tylko polskie, czy i zagraniczne, jaką rolę pełnił w tym wszystkim tajemniczy Wachowski, kto i jak wykreował Leppera... Ja tych szczegółów nie znam i znać nie mogę. Ale co innego szczegóły, a co innego sam fakt – skutki przecież widać gołym okiem, i nie trzeba być Sherlockiem Holmesem, żeby powszechnie dostępną wiedzę złożyć w jedyną logicznie spójną całość.

To, co było wyrachowaniem, cynizmem, politycznym cwaniactwem, jest akurat najłatwiej zrozumieć. Najtrudniej mi zrozumieć, jak przywódcy neosolidarności mogli wykazać się aż taką ślepotą. W końcu od samego początku były konkretne oznaki, że nie są wcale aż tak popularni, jak im się zdawało. W plebiscycie wyborów kontraktowych wygrali wprawdzie wysoko, ale przy marnej frekwencji. Jeśli policzyć, wychodzi, że na neosolidarność głosowało raptem około jednej trzeciej społeczeństwa. Potem był Tymiński, fenomen, z którego żadnych wniosków nie wyciągnięto. Była dzika popularność książek Gierka i Urbana, pod 800 tysięcy sprzedanych egzemplarzy, wybuch antyklerykalizmu i szereg innych oznak, szkoda miejsca je tu wyliczać, że Polska, wbrew histerycznym obawom z czasów Okrągłego Stołu, choruje nie na nadmiar, ale na brak entuzjazmu dla rozbijania peerelu. Społeczeństwo pozostawało bierne i apatyczne w stopniu zagrażającym powodzeniu ustrojowej transformacji, należało je za wszelką cenę zaktywizować, a nie usypiać i wtrącać w nieufność jeszcze bardziej.

Reforma finansowa, za którą pełną odpowiedzialność wzięła nowa władza na siebie, zwłaszcza w kontekście zupełnie bezsensownych obietnic, że za trzy miesiące wszystko będzie już doskonale, psuła ludziom krew. Ponieważ jednocześnie okazało się, że można strajkować ile kto chce, polactwo, które w 1988 trzęsło tyłkami ze strachu, teraz tym bardziej ochoczo rzuciło się organizować protesty – wystarczyło tupnąć, żeby te strajki i blokady się skończyły, wystarczyło posłać w porę paru gliniarzy z drogówki, żeby wlepili po kilka mandatów za złe parkowanie, i byłoby po krzyku. Ale nie w warunkach

„ostrej walki politycznej" – władza chciała być dobra i rozdawała podwyżki, Wałęsa chciał być tym, który solidaryzuje się z protestującymi, Konfederacja chciała rozbudzać nastroje społecznego gniewu i łapać się na nie, żeby uzyskać wreszcie jakieś polityczne znaczenie. A przy tym, jak za peerelu – o „bolączkach" możemy rozmawiać, o Polsce wara. Zaczęło się rozdawanie przez Kuronia pieniędzy, które zapoczątkowało hodowlę leżących brzuchem do góry, żyjących z zasiłku meneli, mnożących się potem z roku na rok. Przed samymi wyborami prezydenckimi, aby zwiększyć szanse Mazowieckiego, zmuszono nawet Balcerowicza do inflacyjnego dodruku pieniędzy, co w sumie na dłuższą metę wiele nie zaszkodziło, ale sam fakt godny jest odnotowania. A rodząca się centroprawica w tym właśnie momencie uznała, że najlepszym sposobem zdobywania poparcia będzie propagandowe walenie w Balcerowicza i judzenie przeciwko kapitalizmowi, wolnemu rynkowi, prywatyzacji i w ogóle wszystkiemu, co hasłowo zaczęto nazywać „reformami".

Jak mogli nie zdawać sobie sprawy, że plotąc o „zniszczeniu i wyprzedaży" rehabilitują peerel, moszczą drogę powrotu do władzy komunistom, i to poprzez zwycięstwo w demokratycznych wyborach? Jak mógł Wałęsa być tak głupi, by wierzyć, że starzy ubecy będą mu naprawdę wiernie służyć, że nagle zapomną o swoich prawdziwych, wewnętrznych hierarchiach i podległościach? Jak mogła Familia nie zdawać sobie sprawy, że chwilowo obłaskawiona komuna z telewizji przy najbliższej okazji wypnie się na nią i wróci do komuny?

Familia ostatecznie wojnę na górze przegrała. Konfederacja przegrała ją jeszcze szybciej. Wałęsa przegrał chyba najbardziej, choć wydawało się, że wygrał. Wygrał tylko peerel, wygrali komuniści, i wygrał „TKM", czy raczej, różne „TKM-y", które wdarły się na zrujnowaną scenę polityczną i zabrały tam do szarpania na sztuki czerwonego sukna Rzeczypospolitej.

Tak naprawdę, po wojnie na górze było już po ptakach. Klapa lustracji i nocna zmiana Olszewskiego to był już łabędzi śpiew „Solidarności", ale w istocie wszystko załamało się i zostało załatwione przez społeczeństwo odmownie już wcześniej. Stopniowe wstrzymywanie reform gospodarczych, które zaczyna się od roku 1993, było tylko oczywistą konsekwencją załamania politycznego. W roku 1989 nie było żadnego planu przemiany ustrojowej, żadnej wizji i żadnego przywódcy, męża stanu, który by mógł i umiał nas dokądś zaprowadzić. W 1993 nie tylko, że nadal tego nie było, ale, co gorsza, już nie mogło być. Nawet gdyby ktoś sensowny plan sformułował, nie można realizować społecznych przemian, nie ciesząc się zaufaniem rządzonych. A po katastrofie wojny na górze nikt już nie był w stanie takiego zaufania w wystarczającym stopniu pozyskać.

Od momentu wojny na górze Polska znalazła się w dryfie. Szczęśliwie, geopolityczne prądy niosły nas w nie najgorszą stronę – ku Ameryce i Europie, ku Unii i NATO, ku spełnianiu kryteriów Międzynarodowego Funduszu Walutowego i Banku Światowego. Kolejne ekipy, jako tako tym administrując, nie zdołały nas na razie z tej drogi zawrócić, choć zarazem w imię rozpanoszonego partyjniactwa coraz bardziej psuły państwo, zawłaszczając jego struktury, mnożąc biurokrację i okazje do korupcji. Dryfujemy w dobrą stronę, ale nasze państwo gnije i nie widać, kto i jak mógłby to gnicie powstrzymać.

Wystarczy pojechać do Bułgarii czy na Ukrainę, by uświadomić sobie, o ile mogło być gorzej. Ale zamiast się cieszyć z byle czego, myślmy raczej, o ile mogło być lepiej. Szansa na Polskę mnożącą dostatek w tempie Estonii, na Polskę sprawiedliwą, nie obciążoną całym parszywym dziedzictwem peerelu, była w zasięgu ręki. Została zmarnowana, bo ludzie, którzy w decydującym momencie rozstrzygali o biegu wydarzeń, ludzie, którym trafił się „złoty róg", nie kierowali się dobrem Polski, ale swoimi drobnymi zawiściami, frustracjami, obsesjami, wreszcie interesami swoich koterii, nawet tych zresztą nie potrafiąc prawidłowo zdefiniować. Nie można było od nich wymagać geniuszu, trudno, to nie ich wina, że nie trafił się wśród nich żaden Reagan ani Piłsudski. Ale można było wymagać odrobiny rozsądku i zwykłej, ludzkiej uczciwości. Tego im też zabrakło. Zawiedli na całej linii. Czy jest w ogóle cokolwiek, co im dziś można powiedzieć?

Moja babcia, gdy rozmowa schodziła czasem na jakieś doznane kiedyś przez nią krzywdy, używała wobec ich sprawców takiego pełnego bezsilności złorzeczenia: bodajbyś z piekła nie wyszedł. To, że ja, jakiś tam mały miś, czuję się przez swoich bohaterów z dzieciństwa okłamany i zdradzony, to, że musiałem ze wstydem i zażenowaniem patrzyć, jak pogrążają się oni w obłędzie, a mój kraj pakują w bagno, to, że udowodnili mi czarno na białym, że uwierzyłem miernotom, pętakom i durniom, to wszystko nie byłoby warte przekleństwa. Ale to, że zmarnowano niepowtarzalne szanse, o jakich całe pokolenia Polaków nie mogły nawet marzyć...

Bodajbyście z piekła nie wyszli, wy, zadufani w sobie, skaczący sobie do gardeł głupcy, coście dla swoich ambicji uruchomili lawinę, która zniszczyła wielki, wspaniały mit „Solidarności" i wszystko to, co mógł z niego naród mieć. Bodajbyście z piekła nie wyszli. Bodajbyście tkwili tam po wieczność razem z wszelką komunistyczną kanalią, z tłumem szpicli, szujek, komunistycznych redaktorków, opluwaczy i aparatczyków, z mordercami Pyjasa, Popiełuszki, Zycha, Suchowolca, Przemyka, Bartoszcze, Pańko, Falzmanna...

Chyba się nie gniewacie? Sądząc po waszych dokonaniach z historii najnowszej, nie będzie wam takie towarzystwo niemiłe. Nie aż tak w każdym razie, jak byłych przyjaciół z podziemia.

Rozdział VII

Nie skończyliśmy jeszcze o nieszczęściach, jakie wynikły z wojny na górze – przerwałem, tylko by nabrać oddechu i trochę się wysapać. Przepraszam Czytelnika, jeśli już ma dość, ale pozostała jeszcze jedna sprawa, której absolutnie nie wolno mi pominąć, i zresztą najbliżej związana z tematem książki.

W wojnie na górze Familia sięgnęła z punktu po to, co uważała, nieco przesadnie, jak się miało okazać, za swój najoczywistszy atut – po stwierdzenie, że jest ona elitą tego kraju. A zatem ci, którzy ustawiają się do niej w opozycji, są, tutaj padały różne określenia, ciemnogrodem, czarną sotnią, w każdym razie odwrotnością elity. Jeśli jesteś z Familią, jesteś inteligentem, jeśli przeciwko – mówiąc delikatnie – nie jesteś inteligentem. Proste jak konstrukcja cepa.

Nie miało to nic wspólnego z prawdą. Mazowiecki nie był kandydatem inteligencji, występującym przeciwko kandydatowi roboli i chłopstwa, Wałęsie. Odsetek pracowników umysłowych (bo tylko tak można to statystycznie zmierzyć) w obu elektoratach był niemal identyczny. Ale propagandowa siła „Wyborczej" zrobiła wtedy i w następnych miesiącach swoje – udało się „bycie inteligentem" utożsamić z byciem wyznawcą michnikowszczyzny i wyborcą Unii Demokratycznej, względnie Kongresu Liberalno-Demokratycznego. Oczywiście, twórcy tej propagandy – możliwe zresztą, że nawet niespecjalnie cokolwiek tu tworzono, że ten a nie inny ton licznych artykułów i wypowiedzi w mediach pojawił się i podchwycony został spontanicznie – przekonani byli, że z inteligencją w Polsce jest tak, jak z „klasą średnią" w USA. Jeśli wierzyć własnym deklaracjom, to amerykańska klasa średnia obejmuje dziewięćdziesiąt parę procent społeczeństwa – niemal każdy, kogo o to spytać, uważa się za członka klasy średniej, czy jest milionerem, czy starym komiwojażerem. Wydawało się Familii, że u nas każdy będzie chciał być inteligentem. Zwłaszcza, jeśli będzie to takie proste – tylko słuchać autorytetów moralnych i pilnie powtarzać to, co ogłoszą one w gazecie.

Nie była to wcale nieprzytomna intuicja. Michnik i jego kompania trafili tu doskonale w potrzeby bardzo licznej grupy ludzi. Być może ta grupa nie była jednak aż tak liczna, jak się to Familii wydawało, ale nie tu tkwił główny błąd. Sądzono, że zachowania tej grupy są przez resztę, świadomą swej podlejszej wobec niej kondycji, kopiowane w ramach podobnego snobizmu, jaki rządzi społeczeństwami zachodnimi – gdy tymczasem była ona przez resztę społeczeństwa traktowana bardzo podejrzliwie.

Muszę przyznać, że nie cierpię używać w tym kontekście słowa „inteligencja" i czynię to tylko dlatego, że „pracownicy umysłowi" to jakiś peerelowski językowy koszmarek. Nie lubię słowa „inteligencja" z uwagi na jego dwuznaczność. Używane w odniesieniu do grupy ludzi zdaje się ono sugerować, że chodzi o ludzi szczególnie inteligentnych, co jest mylące: nieszczęście na tym właśnie polega, że polska inteligencja jest, w swej masie, inteligentna niespecjalnie.

Co gorsza, polski inteligent jest wyjątkowym konformistą. Owszem, uwielbia mieć własne zdanie, ale pod warunkiem, że jest to zdanie podzielane przez wszystkich innych. Z przejęciem powtarza więc obiegowe banały i nawet nie przyjdzie mu do głowy, aby zadać jakieś pytanie. Uwielbia chodzić w nogę, być w masie, po słusznej stronie i śpiewać w chórze. Wielkie sukcesy „Gazety Wyborczej" mają swe źródło, poza oczywiście jej niewątpliwym profesjonalizmem, w tym, że umiała pełnić rolę codziennego podręcznika dla inteligenta, co mówić, co myśleć i przede wszystkim, co stanowczo odrzucać, aby nikt nie mógł ci zarzucić, że nie jesteś inteligentem. W końcu stał za tą gazetą kwiat polskich intelektualistów, uwiarygodniali ją profesorowie i nobliści, a ludzie o wielkich, sławnych nazwiskach, którzy mieliby ochotę podejmować z nią spór, przez długi czas w ogóle nie mieli tego gdzie zrobić.

Środowiskowa presja, by mieć słuszne, odpowiednie zdanie, by nie odstawać od wzorca narzuconego przez, jak to nazywał Piotr Wierzbicki, „eleganckie towarzystwo", jest naprawdę silna. Jestem publicystą, który dość często wygłasza poglądy zaskakujące, politycznie niepoprawne, dla niektórych nawet, bywa, szokujące. Bynajmniej nie wskutek jakiegoś z góry przyjętego założenia, żeby szokować i mieć zawsze inne zdanie niż wszyscy. Jestem od takich pomysłów jak najdalszy, tak zwane „dowalanie równo wszystkim", które w niektórych środowiskach uchodzi u nas za wielką cnotę, uważam za jakiś ponury absurd, bo „dowalać" trzeba nie „równo", tylko tym, którzy na to zasłużyli. Ale ponieważ mam zasadę, żeby mówić i pisać to, co myślę, często rzeczywiście, przepraszam, że jeszcze przez jedno zdanie pozostanę w tym żargonie, coś „dowalającego" mi spod pióra spływa. Często słyszę potem (przepraszam, nie chełpię się, potrzebne mi to do wywodu): wie pan, ale pan dobrze napisał, dokładnie to, co ja sam na ten temat uważam!

Kiedy słyszę coś podobnego od taksówkarza albo inżyniera budowlanego, który nie ma okazji do wygłaszania tego, co uważa, przyjmuję to jako komplement i miłą oznakę, że mój wysiłek na coś tam się przydaje. Ale częściej, niżby się to mogło zdawać, słyszę takie komplementy od ludzi, którzy spokojnie mogliby podobną opinię wygłosić sami, mało tego, zabrzmiałaby ona wtedy znacznie mocniej, niż kiedy firmuje ją jakiś Ziemkiewicz. I nawet, myślę sobie, byłoby to dla sprawy doskonale, gdyby taką właśnie opinię wygłosił ktoś, kto nie jest uważany za prawicowca, oszołoma albo chorego z nienawiści.

Jak na potomka chłopów jestem dziwnie uprzejmy, więc nigdy jakoś nie zareagowałem pytaniem: no to dlaczego pan sam nigdzie tego nie napisze, dlaczego ja to musiałem zrobić? I tak wiem, co bym usłyszał po długiej chwili zdumionego milczenia: no, wie pan, jak to by było przyjęte, co by o mnie powiedziano?

Konformizm polskiego inteligenta wynika z jego dwóch wielkich kompleksów. Pierwszy silny jest szczególnie u tych, którzy stanowią liczebną większość: ludzi ze społecznego awansu, inteligentów w pierwszym pokoleniu, zwanych pogardliwie „półinteligentami".

Sam nie wywodzę się ze starej inteligencji, więc doskonale ten kompleks znam i rozumiem. Studia w peerelu, wbrew dzisiejszym wspominkom różnych sklerotyków, przeważnie warte były niewiele, i z dekady na dekadę mniej. Na tych, które pamiętam z autopsji, można się było czegoś nauczyć, jeśli się ktoś uparł – ale równie dobrze można było się nie nauczyć niczego i mieć dokładnie taki sam dyplom. Polski inteligent z awansu czuje swoją niekompetencję, słabość, i to go powstrzymuje przed ryzykiem własnego zdania. Wygłaszając opinię oryginalną, a już zwłaszcza sprzeczną z utartymi poglądami, potępioną przez autorytety, ośmielając się na spór, naraża się, że ktoś wytknie mu słomę w butach, której się bardzo wstydzi i bardzo by chciał ją ukryć.

Kompleks jest tym silniejszy, im w istocie bardziej ułamkowa jest inteligencja inteligenta i im mniejszy dystans dzieli go od środowiska, z którego wyszedł. Półinteligent w stopniu nieporównywalnym z inteligentem prawdziwym czuje się czymś lepszym od „chama" (w tym kontekście nie przypadkiem biorę to słowo w cudzysłów). Swój awans uważa za wielką nobilitację, chce nim kłuć w oczy, podkreślać na każdym kroku przynależność do kasty wyższej. Dla takich ludzi oferta Familii była czymś wspaniałym. I to oni właśnie stworzyli publiczność z największym zapałem podchwytującą kawały o Wałęsie, mądrości o „państwie wyznaniowym" szykowanym tu jakoby przez „czarnych", oni najgoręcej oklaskiwali i z przejęciem powtarzali intelektualne wygibasy publicystów „Gazety Wyborczej", udowadniających zgodnie z aktualną polityczną potrzebą, że sprawiedliwość jest zemstą, donoszenie za pieniądze nieszczęściem dla donosiciela, czerń bielą, uczciwość świństwem, świństwo cnotą, religijność fanatyzmem, a żadnego komunizmu nigdy w ogóle w Polsce nie było i tak dalej, można by tu wyliczyć szereg podobnych liczmanów z michnikowego niezbędnika, ale w sumie po co.

Jest też, oczywiście, w Polsce wciąż trochę starej inteligencji, z tradycją pokoleń, nie tak skłonnej do zamykania ust na pierwszą pogróżkę, że jeśli ośmielasz się mieć inne od autorytetów zdanie, to widocznie jesteś jakimś prymitywem i ciemnogrodzianinem. Są zresztą też, trudno tu generalizować, i wśród tych bez takiej tradycji ludzie na tyle pewni swej klasy i wartości, że szantaż jedynie słusznych poglądów na nich nie działa.

Ale trzeba pamiętać, że, jak to już sobie mówiliśmy, te niedobitki prawdziwej polskiej inteligencji przez pół wieku poddane były inwazji chamstwa na każdą dziedzinę życia publicznego. Człowiekowi, mającemu słabe, kruche paznokcie i zęby przystosowane do rozdrabniania ugotowanego pokarmu w walce wręcz trudno jest pokonać dzikie zwierzę, które do walki na szpony i kły przystosowane jest z natury. Podobnie bezbronny jest wychowanek starej, inteligenckiej rodziny w starciu z wypuszczonym z czworaków chamem, dla którego deptanie cudzej godności, walenie na odlew i urąganie jest chlebem codziennym, bo wiadomo – nie weźmiesz od razu pod fleki, to ciebie wezmą.

Inteligencja żyła w peerelu w stanie oblężenia i udręczenia – przez partyjnego dyrektora z awansu, przez chamusiowatych „fachowców", demolujących dom przez tydzień, by wymienić dziurawą rurę, urzędasów, sklepowe, szoferaków... Wspominałem tu o filmach Barei: przecież cham, dręczący człowieka przyzwoitego, całe stada takich prześladujących go chamów, bezczelnych, perfidnych i prymitywnych, to najczęstsza w tych filmach sytuacja fabularna. W jednym z odcinków „Zmienników" poczciwy taksówkarz, litując się nad prośbami pasażerów, którzy uszkodzili mu samochód, macha ręką na poniesioną stratę, godząc się, że mu to potrącą z pensji. A gdy odchodzi, pasażer mówi do żony: „musi, taka jego mać, nieźle kraść, jak go stać na takie gesty". To nie były dowcipy wyssane z palca, takie było polactwo w całej swej krasie, i takie jest nadal.

Więc trudno się dziwić, że ta sytuacja ciągłego oblężenia wywołała u polskiej inteligencji reakcję obronną: skłonność do idealizowania własnego środowiska, potrzebę takiego inteligenckiego azylu, gdzie wszyscy potrafią się posługiwać nożem i widelcem, toczą miłe, erudycyjne dialogi, nie kłócą się. Nie ma co gadać, eleganckie towarzystwo, które dała tym ludziom michnikowszczyzna było właśnie tym, czego potrzebowali zgoła rozpaczliwie.

Nie można odmówić Familii sukcesu. Ona rzeczywiście w pewnym momencie praktycznie zmonopolizowała polską inteligencję i miała prawo twierdzić, że przemawia jej głosem. Z Michnikiem, Kuroniem, Geremkiem i nawet pomniejszymi postaciami tej grupy się nie dyskutowało. Sam fakt podjęcia takiej dyskusji był grzechem niewybaczalnym i dyskwalifikującym. Jeśli ktoś głosował na PC czy ZChN, to musiał się tego wstydzić. A my, z naszymi prawicowymi, biedującymi gazetkami, byliśmy, co tu gadać, marginesem. Marginesem dodatkowo zaszachowanym wciąż przez różnych autentycznych antysemitów, moczarowców i siódme wody po ONR, przez to wszystko, co hasłowo nazywam tu Konfederacją – których z kolei „Wyborcza", tym chętniej, im byli bardziej skrajni i żenujący, cytowała na swoich łamach, podtykając inteligentom: patrzcie, oto ci, którzy nienawidzą Unii Demokratycznej, oto są ci, którzy wojują z Michnikiem. I inteligentowi do głowy nie przyszło, żeby wziąć do ręki tekst Wierzbickiego, Łysiaka czy Rymkiewicza, o jakimś Ziemkiewiczu nie mówiąc. Inteligent, karmiony codzienną porcją swoich autorytetów, z góry wiedział, kim jesteśmy i co o nas myśleć. Boże mój, przecież michnikowszczyzna w dniach swojej potęgi była w stanie zrobić wariata i hunwejbina nawet ze Zbigniewa Herberta, i nie miała w tym żadnych skrupułów!

*

Za lat kilkanaście, a może już kilka, student historii najnowszej, siadając w czytelni nad rocznikami gazet z początków lat dziewięćdziesiątych, będzie pewnie przecierał oczy ze zdumienia, w jaki sposób formacja umysłowa, którą zwę tu michnikowszczyzną, zdołała rzucić tak przemożny urok na polskiego inteligenta. W gruncie rzeczy, kto przeczytał kilkadziesiąt artykułów powstałych w tym kręgu, bez trudu przewidzi, co napisane będzie w tysiącu następnych. Intelektualna sprawność michnikowszczyzny sprowadza się bowiem do jednego, stale powtarzanego chwytu. Do prostej, acz dla umysłu nie wyćwiczonego w obronie trudnej do odparcia erystycznej sztuczki, na dodatek potwornie starej (kto ciekaw, niech poczyta sobie książkę I.F. Stone'a o Sokratesie). Jest to metoda doprowadzania wszystkiego do absurdu przez stałe przedstawianie przykładów skrajnych jako reprezentatywnych, a wynaturzeń jako nieuniknionej konsekwencji przyjętych przez przeciwnika założeń – w połączeniu z wypracowaną przez propagandę systemów totalitarnych zasadą silnego oddziaływania na emocje odbiorcy. Argumentem przeciwko zakazowi zabijania poczętego dziecka jest lament nad losem regularnie gwałconej przez męża alkoholika matki dziewięciorga dzieci, w ciąży z dziesiątym, przymierającej głodem gdzieś na zapadłej wsi. Dekomunizacja zawężona zostaje do obrazu wściekłej tłuszczy prześladującej Bogu ducha winnych ludzi za to tylko, że byli kiedyś szeregowymi członkami PZPR. Lustracja, całkowicie wyrwana z kontekstu problemów sprawianych przez państwo w państwie, jakim były i w dużej mierze pozostały komunistyczne specsłużby, rozważana jest wyłącznie jako moralny problem, czy godzi się dodatkowo gnębić jakiegoś konkretnego człowieka, na którym szantażem, groźbami i prześladowaniem najbliższych ubecja wymusiła kiedyś, że „coś tam podpisał".

Może ktoś zauważyć, że skoro w taki sposób wszystko można doprowadzić do absurdu, ośmieszyć i skompromitować, to w takim razie da się zdyskredytować również te hasła i wartości, które głosi dyskredytujący. Słusznie. Właśnie dlatego musi istnieć instytucja autorytetów moralnych, rozstrzygających nieuchronnie pojawiające się sprzeczności poprzez orzeczenie, czego krytykować nie wolno, i mówiących rzeszy dbałych o swą inteligenckość inteligentów, czego się w danej chwili mają trzymać.

Propaganda michnikowszczyzny, ubrana w szatki moralizowania, rozważania wątpliwości i szlachetnej zadumy, była strasznie prymitywna. Ale na tę naszą zastępczą inteligencję wystarczała.

*

Taki sukces michnikowszczyzna osiągnęła nie tylko uczciwymi metodami. Zajadłość, z jaką Familia „musiała" zniszczyć Wałęsę, Kaczyńskich, ZChN i wszelką prawicę, aby ocalić Polskę przed powrotem Czarnej Sotni, przejawiała się w najostrzejszej bodaj formie w walce o zduszenie, zniszczenie, a przynajmniej zepchnięcie na margines jakichkolwiek niesympatyzujących z nią mediów. Gdyby jakaś licząca się gazeta czy telewizja pozostała poza kontrolą Unii Demokratycznej, a nie daj Boże wpadła w ręce prawicy, na pewno prędzej czy później ukazałoby się tam jakieś antysemickie podżeganie lub coś równie niedopuszczalnego. Tam, gdzie szło o uniemożliwienie adwersarzom możliwości głoszenia swoich poglądów, tam eleganckie towarzystwo nie czuło się skrępowane żadnymi zasadami elegancji. Los krakowskiego „Czasu", który, mając największe czytelnictwo w regionie, nie mógł zdobyć żadnej reklamy i w końcu został zduszony finansowo, los „Spotkań" czy telewizji „RTL-7", które, choć rozwijały się dynamicznie, były nagle niszczone przez zachodnioeuropejskiego inwestora, bo dotarły do niego ostrzeżenia, że zagnieździli się w tych mediach faszyści, to wdzięczne tematy dla kogoś, kto chciałby napisać o dziejach honoru w III RP. Dlatego, nawiasem mówiąc, kiedy prominentni przedstawiciele Familii zanoszą się oburzeniem nad raportem Rokity, że jak można, jak można, no po prostu jak można insynuować, że „Agora" prowadziła jakąś nieładną grę z władzą, chcąc zapewnić sobie uprzywilejowaną pozycję na rynku mediów, to ja osobiście zupełnie powodów do oburzenia nie widzę, bo sięgam pamięcią do początków III RP, pamiętam, jak budowano tu „ład medialny" i uważam, że owszem, można.

Ten sukces był dla Polski kolejnym nieszczęściem, bo oznaczał on po prostu zdławienie debaty publicznej. Wielkie, ważne obszary stały się w Polsce tematami tabu. Choć nie pilnowała tego żadna cenzura, żaden wydział prasy KC, napisać o tym w żadnym z mediów mających naprawdę realny zasięg ani powiedzieć w telewizji się nie dało. Mówiliśmy tu o politycznej poprawności? Wiem co nieco na ten temat. Prędzej w „New York Timesie" można by było przeczytać, że homoseksualizm jest zboczeniem, niż w wolnych mediach wolnej Polski umieścić tekst broniący potrzeby przeprowadzenia lustracji i dekomunizacji.

Może ktoś powiedzieć, że jako uparty zwolennik wolnego rynku i kapitalizmu powinienem docenić przynajmniej jedno: że, mimo wszystko, michnikowszczyzna rozpięła parasol ochronny nad Balcerowiczem i jego reformami. Cóż, mimo wszystko nie jestem jej za to wdzięczny. Parasol ochronny, polegający na uczynieniu z dyskusji o reformach tabu, nie był wcale tym, o co chodziło. Ucinając wszelkie spory o plan Balcerowicza, wszelkie zastrzeżenia, bez różnicowania, czy wychodziły one od profesora Winieckiego, profesora Kurowskiego czy Zygmunta Wrzodaka, i bez względu na to, czy zarzucano Balcerowiczowi przesadne usztywnienie kursów, czy celowe niszczenie polskiej gospodarki na polecenie międzynarodowej finansjery, w gruncie rzeczy zrobiono reformom niedźwiedzią przysługę. Neoficki entuzjazm dla Balcerowicza ze strony salonu, w którym chwilę wcześniej z równym entuzjazmem zachwalano samorządy pracownicze i gdzie ludzi mających o ekonomii jako takie pojęcie można było policzyć na palcach jednej ręki, przyczynił się do tego, że próby rozsądnej debaty zginęły w populistycznym jazgocie.

*

Ale triumf michnikowszczyzny miał swoją ciemną stronę. Nie wiem, czy Familia w ogóle sobie to uświadomiła – jeśli tak, to za późno, by cokolwiek zrobić. Ta sama strategia propagandowa, która okazała się bardzo skuteczna wobec jednej grupy społecznej, która pozwoliła bardzo mocno związać ze sobą inteligencję i praktycznie zmonopolizować jej głos, odepchnęła od michnikowszczyzny większość. Przekonanie, że jeśli coś się społeczeństwu przedstawi jako opinię jednogłośnie podzielaną przez wszystkich ludzi wykształconych, inteligentnych i na poziomie, to ta opinia zostanie jednogłośnie przyjęta także przez tych mniej wykształconych, w oczywistym szacunku dla wiedzy i fachowości mądrzejszych od siebie – okazało się zupełnie fałszywe.

Gorzej. Brutalne postawienie sprawy: my jesteśmy głosem polskiej inteligencji, nasze poglądy są podzielane przez wszystkich ludzi „z górnej półki", a kto głosi poglądy przeciwne, jest ciemnogrodzianinem i obskurantem – odnowiło, jak to już w innym miejscu wspominałem, starą ranę. Ranę pozornie zaszytą w sierpniu 1980, kiedy to robotnicy i inteligenci wystąpili przeciwko komunie razem, ramię w ramię, i razem założyli „Solidarność" – pozornie, bo już na pierwszym zjeździe związku złość delegatów na doradców, wtedy jeszcze nie nazywanych „różowymi hienami", złość niewahająca się przed sięganiem po antysemickie emocje, wybuchła z siłą, która wielu przeraziła i napełniła niesmakiem.

Dziel i rządź, sformułował jedno z podstawowych przykazań autokraty rzymski cesarz. Towarzysz Stalin i jego uczniowie doskonale to wskazanie znali i umieli je zastosować w praktyce. Świadomie i cynicznie wygrywali wszelkiego rodzaju urazy, resentymenty i fobie. Także antysemityzm. Stalin nie ukrywał, że umieszcza w Polsce na najbardziej eksponowanych stanowiskach komunistów żydowskiego pochodzenia najzupełniej świadomie. U siebie grał tą kartą z dużym powodzeniem, dlaczegóżby nie miał robić tego w kraju podbitym?

Nie tylko partia komunistyczna podzieliła się na, jak trafnie nazwał to Jedlicki, „chamów" i „żydów". W znacznym stopniu ten podział dotknął całe społeczeństwo i jest to jeszcze jedno ponure dziedzictwo peerelu, którego nie udało nam się przezwyciężyć. „Żyd" nadal boi się tu „chama", „cham" boi się „żyda" – każdy patrzy na drugiego nieufnie i podejrzewa go o najgorsze.

Cudzysłowy są konieczne – czy jest się „chamem", czy „żydem" to nie kwestia pochodzenia, tylko przynależności do pewnej grupy politycznej. Ekonomista, który pisze, że reformy były „obłędem" i „wyprzedażą" Polski, czyli to, co chcą słyszeć środowiska kolportujące różne parszywe „listy Żydów", jest dla tych środowisk prawdziwym Polakiem, choć za jego aryjskość nikt przy zdrowych zmysłach nie dałby złamanego grosza. I odwrotnie, politykowi partii liberalnej, który jasno się opowiada po stronie wolnego rynku, monetaryzmu i liberalizmu, ci sami ludzie urągają w swych pisemkach od „żydów", chociaż jest wysokim, niebieskookim blondynem i pomiary antropologiczne na komisji poborowej do SS przeszedłby bez jednego punktu ujemnego (znowu nic nie zmyśliłem – oba wypadki jak najbardziej autentyczne, z łamów tej samej narodowo-katolickiej gazety; nie podaję nazwisk, bo nie chciałbym nikogo dotknąć, a w końcu chodzi o *exemplum*, nie o personalia).

Gdyby Familii udało się spełnić swoje marzenia i, powiedzmy, uzyskałaby całkowitą kontrolę nad mediami, to wcale nie oznaczałoby, jak ostrzegali liczni politycy Konfederacji, monopolu jednej opcji politycznej. Familia gotowa jest w sobie mieścić wszelkie polityczne opcje – w takich michnikowych mediach mieliby swoje miejsce i lewicowy Beylin, i prawicowcy od Halla, i katolik Turnau, i antyglobalista Domosławski... Familia nie jest opcją polityczną, tylko Towarzystwem. Towarzystwem eleganckim, najlepszym z możliwych, poza którym po prostu nie może istnieć nic godnego uwagi. Pamiętam pewnego redaktora z tego towarzystwa, z drugiego szeregu, ale na tyle wiernego, że dostał kolejno pod zarząd różne medialne przedsięwzięcia, a kiedy okazał się w tej dziedzinie totalnym antytalentem i wszystkie po kolei doprowadził do bankructwa, został dyrektorem państwowej instytucji kulturalnej, która zbankrutować nie może. Otóż u początków swojej kariery człowiek ów był szefem redakcji parlamentarnej w jednym z programów państwowego radia. Kiedy przez antenę przewinęło się już, na jego zaproszenie, coś ze dwudziestu posłów UD i KLD, plus kilku przedstawicieli „światłej części" SdRP, dyrektor programu zagadnął podwładnego, czy nie sądzi, że z czystej przyzwoitości należałoby zaprosić choć raz kogoś z PC, ZChN albo innej partii z tych okolic. Redaktor popatrzył na szefa z bezbrzeżnym zdumieniem i autentycznie zdziwiony zapytał: ale po co, panie dyrektorze? Co oni mogą mieć do powiedzenia?

Los Unii Demokratycznej, partii „ludzi rozumnych", wiecznie sparaliżowanej konfliktami między frakcją „demokratycznej prawicy" i „społecznego liberalizmu", dobrze pokazuje, co było istotą Familii. Kiedy odnosiła sukcesy, odnosiła je nie dlatego, że była lewicowa czy prawicowa, ale dlatego, że była elegancka. Gdy zaś zaczęto ją skreślać, to też nie dlatego, że była za bardzo czy za mało lewicowa, prawicowa, konserwatywna czy liberalna, ale dlatego, że była „arogancka". To określenie, „arogancja", było w kontekście UD, a potem UW, powtarzane wielokrotnie. To jasne: skoro jakieś towarzystwo mówi „my mamy monopol na kulturę, rozum, przyzwoitość", to tak samo, jakby mówiło wszystkim innym: a wy jesteście chamami.

No, to jak my jesteśmy chamami, powiedziały na to chamy – to wy jesteście żydy!

W czasie wojny na górze rozdrapano tę straszną bliznę, odnowiono ranę, przecinającą polskie społeczeństwo na nierówne części. Zresztą wszystkie podziały, wydobyte ze zbiorowej pamięci, nałożyły się na siebie. Podział na „chamów' i „żydów", podział na zaborców i okupowanych, na fornali i dziedziców, na rządzącą partię i jej poddanych, na władzę i społeczeństwo, zlały się w jeden wielki podział na „nas" i „onych". Państwo w tym podziale jest strukturą z zasady należącą do onych. Tu jest sedno naszych społecznych nieszczęść: państwo polskie dla większości swych mieszkańców nie jest ich państwem.

Francis Fukuyama sformułował tezę, podjętą przez wielu myślicieli i powszechnie dziś podzielaną, że oprócz kapitału finansowego, kapitału pracy i kapitału wiedzy, czwartym, zasadniczym czynnikiem cywilizacyjnego rozwoju jest kapitał społecznego zaufania. Nie może się szybko i dobrze rozwijać społeczeństwo podzielone, w którym rządzeni przyjmują z biernym oporem albo wręcz sabotują wszystkie zarządzenia władzy, a i na siebie nawzajem patrzą tak podejrzliwie, że wszelkie transakcje zawierać trzeba na zasadzie „z ręki do ręki".

Nasz wieszcz na długo przed Fukuyamą tę samą intuicję ujął w słowach: „Jeden, jeden tylko cud – z polską szlachtą polski lud!". Ten cud jak dotąd się nie ziścił.

*

Nie lubię słowa „antysemityzm". Niewiele ono wyjaśnia, raczej zaciemnia sprawę. W odniesieniu do problemu, z jakim mamy miejsce w Polsce, znacznie poręczniejszym wydaje mi się słowo „żydofobia". Polactwo słowem „Żyd" zwykło określać każdego obcego, i w każdym Żydzie widzi obcego, a obcy oznacza kogoś wrogiego. „Żydem" w pewnym momencie zostanie każdy, kto cokolwiek w Polsce zaczyna znaczyć. Zdawałoby się, że buraczana fizjonomia Leppera przynajmniej jego jednego ochroni na sto procent przed takim oskarżeniem, a dopiero co widziałem w kiosku książeczkę „Cała prawda o Lepperze", na okładce której wódz „Samoobrony" wyobrażony był w mycce, a paski na krawacie miał biało-niebieskie. Pluję sobie zresztą w brodę, że książeczki tej nie kupiłem, bo już następnego dnia nadział we wszystkich okolicznych kioskach był wyczerpany. A jeśli i Lepper może być ukrytym Żydem, to co dopiero ludzie o bardziej inteligentnym wyglądzie?

Ten smród ciągnie się za nami z głębin ruskiego zaboru i pewnie będzie się ciągnął jeszcze długo. W chłopskiej, pańszczyźnianej nieufności polactwa do władzy gotowość na przyjęcie do wiadomości, że ten czy tamten jest Żydem jest tak nieustająca, że wystarczy tylko rzucić hasło, bez silenia się na najgłupsze choćby dowody. Znikąd się ta nieufność nie bierze – wychrzczonych Żydów było w aparacie bezpieczeństwa i partii sporo, wielu z nich zmieniało nazwiska, wielu zbrodniarzom dorobiono potem fałszywe życiorysy i do dziś dziennikarz natyka się ze zdziwieniem na fakt, że historia rodziny wysokiego urzędnika państwowego zaczyna się od roku 1957, a wykazywanie się nadmiarem ciekawości w tej sprawie grozi zawodową i cywilną śmiercią. Nie są niczyim zmyśleniem plugastwa środowisk żydowskich z Zachodu o „polskich obozach koncentracyjnych", „polskich nazistach", „oddziałach polskich i niemieckich likwidujących warszawskie getto" czy Armii Krajowej, „która eksterminowała polskich Żydów najpierw u boku hitlerowców, a po ich wycofaniu się, samodzielnie". Nie są wytworem chorej wyobraźni pazerni adwokaci z Nowego Jorku, którzy z shylockowską bezwzględnością zabierają się do odbierania dzisiejszym właścicielom majątku nie na rzecz ich prawowitych właścicieli i spadkobierców, ale przyznając sobie na mocy jakiejś dziwnej, plemiennej logiki prawo własności do mienia, które kiedykolwiek należało do Żydów, choć Żydzi ci i ich gminy dawno już bezpotomnie i bez prawnych spadkobierców zginęli – dodajmy, przy całkowitej i haniebnej obojętności żydowskiej społeczności zza oceanu, która się dziś wzięła za „odzyskiwanie" ich majątków.

Nie jest też wyssana z palca wrogość, jakiej z racji swego żydostwa, choć z reguły bardzo odległego i dawno zapomnianego, doznawali wielokrotnie przedstawiciele Familii. Nie zmyśla prasa antysemickich złorzeczeń, sypiących się na protestacyjnych wiecach czy wypisywanych na transparentach. Nie zmyśla takich faktów, jak pani nauczycielka w prowincjonalnej szkole, używająca wobec nielubianej uczennicy obelgi „żydówa". Ludzie dotknięci żydowską traumą gromadzą te fakty bardzo starannie, przeceniając ich znaczenie. Z żydofobią polactwa zderza się wywołana urazami przeszłości i teraźniejszości fobia przed antysemityzmem, a tam, gdzie się fobia zderzy z fobią, rozum nie ma już nic do powiedzenia.

Są ludzie, dla których antysemityzm jest główną cechą polskości, i są ludzie, dla których życiową misją i wykładnią polskości jest obowiązek walki z „żydowską okupacją". Nie jest przecież ani jednych, ani drugich aż tak wielu, by wokółżydowskie histerie miały być głównym polskim problemem. Zwłaszcza, gdy niepostrzeżenie wokół nas zrobił się wiek XXI i Europa. A jednak wciąż są do takiej rangi podnoszone.

Bo brakuje nam tych normalnych, którzy rozdzieliliby fobie kordonem sanitarnym zdrowego rozsądku. Słaba, przetrzebiona i pełna konformizmu inteligencja zastępcza III RP nader rzadko wydaje ze swych szeregów ludzi, którzy mieliby odwagę pchać się między młyńskie kamienie. Jedni, bijąc pokłony bożkowi politycznej poprawności, chcą napełniające ich wstydem zachowania rodaków wynagrodzić Żydom wzmożoną i śmieszną żydofilią, a plugastwa o „polskich nazistach" ocenzurować i przemilczeć, aby nie jątrzyły. Drugim brak odwagi, by na zebraniu katolickiej organizacji czy partii prawicowej zażądać wyrzucenia robiącego antysemicki smród maniaka na zbity pysk za drzwi. Nikt nie chce ryzykować znalezienia się na liście Żydów albo na liście antysemitów.

*

Radio, jestem zaproszony jako jeden z gości, dyskusja nie pomnę już o czym, i w pewnym momencie prowadzący używa określenia „naród polski". Siedząca z nami młoda pani doktor filozofii, na oko dwadzieścia parę lat, podskakuje i z miną pełną bezbrzeżnego obrzydzenia oznajmia: „ale ja bardzo proszę, nie używajmy takich określeń. To się przecież jak najgorzej kojarzy!".

Naprawdę, nie zawracałbym głowy, gdyby to był wypadek odosobniony. Ale nie jest. W różnych kontekstach stwierdzenie, że nie należy w ogóle używać słowa „naród", że to słowo cuchnie, ciągnie za sobą skojarzenia z ciemnotą, z pogromami i wszystkim co najgorsze, sam słyszałem i czytałem wielokrotnie, i dostrzegło je wielu znajomych. Zresztą zbieżność sformułowań nie dziwi, michnikowszczyzna zawsze używa tych samych zdań, zbitek i frazesów, wszyscy ci ludzie nagrani są jedną płytą z głosem swych autorytetów. Regularna, bezkrytyczna lektura „Wyborczej" robi swoje – byle cipcia, która pewnie nie wie, czym się różniło Monte Cassino od Monte Carlo, ma już wdrukowane w zwoje, że słowem „naród", cóż dopiero samym narodem, trzeba się brzydzić, bo to coś podejrzanego.

Właśnie dlatego nazywam michnikowszczyznę „Familią", nawiązując do tamtej, przedrozbiorowej formacji, która w imię unowocześnienia Polski zadała jej pospołu z dwiema konfederacjami katolickich patriotów śmiertelne ciosy. Familia Michnika, Geremka i Kuronia też chciała Polskę unowocześnić i wprowadzić do Europy, ale, tak samo jak Familia Czartoryskich, uznała, że główną przeszkodą, jaką trzeba w tym celu pokonać, jest nasza polskość. Bo Familia nie umie i nigdy nie będzie umiała odróżniać patrioty od nacjonalisty. Dobry Polak (swoją drogą, to też zwrot, którego nie wolno używać, bo się źle kojarzy) to taki Polak, który całkowicie odrzuca swą narodowość na rzecz kosmopolityzmu. A jeśli nie może się wylegitymować jakimś przodkiem w KPP lub organizacjach zbliżonych, to jedyną drogą uzyskania przez niego glejtu człowieka rozumnego jest publiczna aprobata dla stwierdzenia, że wszyscy Polacy, z wyjątkiem tych, którzy to publicznie przyznają, to ciemni antysemici.

Familia, co oczywiste, jest genetycznie niezdolna do sformułowania dla narodu i państwa polskiego sensownego programu, bo samo istnienie narodu odrzuca, a w państwie widzi narzędzie do odpolaczania polactwa. Jest jeszcze gorzej: Familia w ogóle nie jest w stanie sformułować żadnego sensownego programu, bo jej zauroczenie Zachodem, co także stanowi podobieństwo do Familii przedrozbiorowej, jest powierzchowne i sentymentalno-naiwne. Familia wpatrując się w „starszą siostrę" Francję nie umie dostrzec, że pod powierzchnią salonowego bełkociku o tolerancji, walce z fundamentalizmem i innych postępowych błyskotkach, elity tamtejsze bardzo ostro formułują swoje narodowe interesy i dochodzą ich z bezwzględnością pruszkowskiego egzekutora długów. Familia widzi tylko błyskotki i zachwyca się nimi bez reszty, a zdawkowe komplementy chwyta jak fundamentalne deklaracje, zmieniające na raz-dwa, tylko dzięki autorytetowi tego lub innego Profesora z warszawsko-krakowskiego salonu, całą europejską i światową politykę. Zawsze wydawało się jej, że wystarczy cały kraj przebrać z kontuszy i sukman w pluderki i peruki, a cała reszta dokona się sama z siebie.

Zaślepiona miłością własną, zaślepiona pychą i zaczadzona poczuciem bycia elitą elit, stale skupiała Familia uwagę swoją i swoich stronników nie na tym, co naprawdę stanowiło problem, ale na czymś zupełnie innym. Kiedy problemem była apatia społeczeństwa, Familia drżała ze strachu, aby przypadkiem nie zrobiło ono jakiegoś nieprzemyślanego powstania. Kiedy komuniści na potęgę budowali swe fortuny, w nos się śmiejąc patrzącym na to bezradnie prostym ludziom – Familia wytoczyła najpotężniejsze działa przeciwko żądaniom „odwetu" na ludziach obalonego reżimu. Kiedy przestępcze układy rodem z poprzedniego systemu zawłaszczały Polskę kawałek po kawałku, zmieniając ją w kartoflaną podróbkę republik bananowych, Familia toczyła wściekłą walkę przeciwko demonom nietolerancji. I tak na każdym kroku – polactwo zatraca wszelkie, poza najbardziej trywialnymi, cechy narodowej wspólnoty, a Familia histerycznie wojuje z nacjonalizmem i szowinizmem. Rozpadają się podstawowe kodeksy moralne, pleni się powszechnie aprobowane złodziejstwo, cwaniactwo, Polki od żon górników po studentki modnych wydziałów kurwią się bez cienia wyrzutów sumienia, elementarnej uczciwości ani za grosz – a michnikowszczyzna tokuje o zagrożeniu religijnym fundamentalizmem i państwem wyznaniowym. A kiedy buduje swą potęgę postkomunistyczny, czy, może należy powiedzieć, post-postkomunistyczny populista grający na miłości do peerelu, Gierka i dobrobytu dawnych pegeerów, za szczyt intelektualnej mody nadal uchodzi walenie na odlew w wymierającego „Polaka-katolika". Zawsze od czapy, zawsze tyłem do wydarzeń, i zawsze z niewiarygodną pychą, pewnością siebie i przekonaniem o nieomylności.

Ta głupota Familii ugodziła straszliwie w polską gospodarkę. Familia, generalnie, nie ma pojęcia o ekonomii i gardzi nią. Uważa, że to sprawa, do której się wzywa jakiegoś profesora, jak hydraulika do cieknącej rury, i szkoda sobie zawracać tak nikczemnymi sprawami głowę. W pismach podziemnych, we wszystkich zapisach umysłowego życia opozycji, poza Kisielem i Dzielskim, nie uświadczysz bodaj cienia zainteresowania sprawami narodowej gospodarki. Owszem, eleganckie towarzystwo poparło Balcerowicza, bo właściwe autorytety powiedziały, że należy on do eleganckiego towarzystwa, ale gdyby Balcerowicz się nazywał Kołodko albo Pipsztycki i gdyby nie realizował takiej ekonomicznej teorii, tylko zupełnie inną, towarzystwo popierałoby go równie gorliwie, równie nie rozumiejąc ani w ząb, co właściwie facet robi, i nie czując wcale potrzeby rozumienia. Towarzystwo kształtowało się w duchu demokratycznego socjalizmu i jako takie uważało, że kapitalizm z zasady musi nieść ze sobą niesprawiedliwości. Kiedy więc ktoś usiłował mu wytłumaczyć, że czerwoni dopuszczają się strasznych świństw, machali ręką – trudno, kapitalizm jest skuteczny, ale nieetyczny, niesprawiedliwość jest wpisana i w ten ustrój, i w układ Okrągłego Stołu, a tak między nami, przecież wszyscy wiedzą („przecież wszyscy wiedzą" to ulubiony argument towarzystwa), że pierwszy milion trzeba ukraść. Niech się byli komuniści zmieniają w kapitalistów, bardzo dobrze. Tego, że zmieniają się oni nie w kapitalistów, tylko w oligarchów, że to, co budują, nie jest przejawem gospodarki wolnorynkowej, tylko jej zaprzeczeniem, że tworzy się i krzepnie struktura, która zawłaszczając majątek, szybko będzie w stanie zawłaszczyć także władzę polityczną, a potem państwo, tego towarzystwo swoimi salonowymi móżdżkami pojąć nie umiało. Że nie umiało, można wybaczyć – Pan jednym daje rozum, innym nie, i do tych, których nie obdarował, pretensji mieć nie można. Wybaczyć nie można tego, że ktokolwiek próbował zwrócić uwagę społeczeństwa, co się naprawdę dzieje, był przez towarzystwo niszczony i usuwany poza nawias debaty publicznej, równie skutecznie, jak niegdyś eliminował ludzi zakaz publikacji wydany przez wydział kultury albo prasy w KC.

Nie za to skreślam tu Familię podwójną krechą, że prawem i lewem uzyskała rząd dusz nad polską inteligencją, bo gdzie jest walka, tam są zwycięzcy, i tylko idiota miałby komuś za złe, że się okazał lepszy od rywali. Skreślam ją za to, że hołdując przy tym swej wewnętrznej salonowej hierarchii, uczyniła się ślepą i głuchą, zabiła w sobie krytycyzm i kreatywność, zdolność analizy i syntezy, zdolność tworzenia idei czy choćby tylko przejawiania zdrowego rozsądku. I że uzyskując władzę nad polskim życiem umysłowym i miażdżąc wszelką debatę publiczną wykraczającą poza jej wewnętrzną paplaninę zaraziła tą chorobą całą polską inteligencję, czy raczej te jej resztki, które zwę tutaj inteligencją zastępczą, i przerobiła ją na stado bezmyślnych potakiwaczy, przeżuwających pseudomądrości z warszawki i krakówka. A trochę i za to, że, być może, tych, którzy nie chcą się z tym pogodzić, na długi czas zepchnęła swą agresywną polityką w mediach i swym rozpanoszeniem w nich na pozycję bohaterów cytowanej tu lemowej przypowieści, zmuszonych ukrywać się w robocich skorupach, każdy z osobna, każdy przekonany, że jest on ostatnim autentycznym człowiekiem ukrywającym się pośród zarazem bezmyślnych i agresywnych automatów.

*

Uwaga, odpowiadam na ważne, może kluczowe dla całej tej pracy pytanie, które mi zadawali i przyjaciele, i ludzie wobec mojej publicystyki niechętni, ilekroć w felietonach czy artykułach wspomniałem o polactwie. A co się czepiasz, mówili, w innych krajach to niby nie ma hołoty? Czy w niemieckiej knajpie siedzą lepsi pijaczkowie, niż w polskiej? Czy angielscy chuligani różnią się czymś od polskich? Czy francuski chłop jest mniej pazerny i przejawia więcej troski o państwo, niż polski? I sam pisałeś, że wykolejeńcy na amerykańskim murzynowie niczym się poza kolorem skóry i wyborem środków odurzających nie różnią od pegeerowskiej degenery spod Słupska.

Otóż jest jedna zasadnicza różnica. W krajach cywilizowanych nad ludźmi ze społecznych nizin są ludzie ze społecznych wyżyn. W krajach zachodnich nikt nie przejmuje się tym, jeśli prosty chłop nie uświadamia sobie interesu narodowego i nie dba o jego realizację, bo od tego są elity, które sobie doskonale z tym poradzą. A u nas tych elit praktycznie nie ma, bo te, które są, okazały się niezdatne. U nas elity nie prowadzą ze sobą społeczeństwa, tylko korzystają ze swoich przywilejów wobec niego, społeczeństwo nie wzoruje się na elitach, tylko ich nienawidzi, a awans społeczny, który najprościej dokonuje się w drodze kariery w aparacie partii politycznej albo związku zawodowego, nie oznacza wejścia pomiędzy ludzi lepszych, mądrzejszych i uczciwszych, tylko przejście spomiędzy frajerów pomiędzy cwaniaków, którzy tych frajerów dudkają i na nich pasożytują.

A do tego wszystkiego – mamy demokrację, to znaczy jej zewnętrzne atrybuty, jej procedury, które dla zachodniego świata są tak strasznie ważne, że zupełnie nie zwraca on uwagi, jak te procedury w konkretnym społeczeństwie funkcjonują i czemu konkretnie służą. Mamy demokrację, która sprawia, że polactwo może meblować kraj po swojemu, odsuwając tych, na których gęby nie może już patrzeć, i premiując politycznych cwaniaczków, którzy umiejętnie wciągną je w swoje szwindle.

*

Poświęciłem w tej książce nieproporcjonalnie wiele miejsca Adamowi Michnikowi. Proszę mi to wybaczyć i zrozumieć – to ostatnia okazja. Książkę piszę raz na kilka lat, częściej nie potrafię. A o Michniku napisać mogę, co myślę tylko i wyłącznie we własnej książce. Gazet i czasopism ten temat nie interesuje. Nie ma w tym, oczywiście, żadnej spiskowej teorii, po prostu nikt nie chce z tym człowiekiem zadzierać, zwłaszcza że znana jest jego drażliwość na własnym punkcie. Nawet w pismach uchodzących za bardzo antymichnikowe bywałem uprzejmie proszony, żebym dał sobie spokój. Nie upieram się – Michnik nie jest jakąś moją obsesją, z ostatnich pięciu lat, obejmujących przecież także okres afery Rywina, zebrały mi się na twardym cztery traktujące o nim teksty, z których trzech nikt nie chciał opublikować. Nie tak wiele. Ale rzecz czegoś mnie drażni. Prędzej można w Polsce obsobaczyć samego Papieża, niż skrytykować, choćby w bardzo wyważonych słowach, redaktora naczelnego prywatnej gazety. A jeśli to się już zdarzy, przychodzą jakieś absurdalne pozwy i wydawca gazety, która się nieopatrznie publikacji dopuściła, blednie, kaja się na swoich łamach i zabrania mnie tam więcej wpuszczać, prywatnie przepraszając, że oskarżenie może być choćby i najgłupsze, ale z człowiekiem, który ma takie koneksje i którego stać na takich prawników to my sobie na proces pozwolić nie możemy.

Owszem, są też pisemka, które chętnie wydrukują coś złego o Michniku, ale, po pierwsze, one nie mają ochoty współpracować ze mną, było nie było, człowiekiem umieszczonym przez „Naszą Polskę" na liście wrogów Radia Maryja, jak raz między arcybiskupem Życińskim a samym Adamem Zagozdą – a po drugie, ja bym nie chciał, aby mój tekst sąsiadował z artykułem, w którym jakiś prawdziwy patriota protestuje przeciwko temu, że krzyże na karetkach pogotowia zastępowane są „stylizowaną gwiazdą Dawida” i napisem wykonanym wprawdzie naszymi literami, ale po żydowsku, wspak. (Nie zmyśliłem tego, przeczytałem taki tekst w „Naszym Dzienniku”.) Zresztą tym pismom w zupełności, jak się zdaje, wystarcza, że Michnik działał w antykomunistycznej opozycji. Prawdziwi patrioci, ideowy trzon Konfederacji, już dawno, jak się zdaje, doszli do wniosku, że opozycyjna przeszłość hańbi, bo w latach peerelu wypadało być jedynie u Moczara, względnie w którejś z satelickich organizacji PZPR-u.

A czasu jest coraz mniej, bo niebawem nadęta wielkość Michnika pęknie jak balon. Dlaczego tak uważam? Bo jego coraz bardziej nieodpowiedzialne wyskoki kosztują „Agorę” straszne pieniądze. Jeśli Michnik w swej bucie nie zauważył, że od roku 1990, kiedy to nikt nie odważył się go publicznie spytać, czego szukał w teczkach bezpieki, czy to znalazł i, jeśli tak, co z tym zrobił – że od tego czasu coś się jednak w Polsce zmieniło, jeśli swoim niejasnym zachowaniem w aferze Rywina, swoim pokrzykiwaniem na komisję sejmową i sąd doprowadza do tego, że wiarygodność gazety spada o połowę; jeśli potem w środku kosztującej grube miliony kampanii reklamowej, która ma temu zaradzić, a której on sam jest główną twarzą, brutalnie ruga radiową dziennikarkę i pokazuje się na obiadku z osobą najbardziej w całej aferze podejrzaną, to na miejscu udziałowców „Agory” nie zastanawiałbym się dłużej, czy taki Michnik jest mi jeszcze do czegokolwiek potrzebny.

Gdy zaś okaże się, że Michnik nie jest już wcale takim mocarzem, jakim się wydawał, głosów ludzi krytykujących go za wszelakie jego błędy, małości i błazeństwa będzie się wokół odzywać tyle, że swojego już bym wolał pośród nich nie słyszeć.

A przecież jest to jedna z najważniejszych postaci minionego piętnastolecia. Człowiek niegdyś wielce zasłużony, a potem z kolei nieopisanie szkodliwy, który z bohatera stoczył się do rangi żałosnego pajaca w rękach sprytnych komuchów. Wspaniały temat na powieść, oczywiście, jeśli jakiś autor i wydawca gotowi są potem długo się procesować.

Więc piszę tu o nim niewątpliwie za dużo, zaburzając proporcje, ale dzięki temu, mam nadzieję, nie będę już o nim musiał pisać później.

*

Właśnie dopiero co, w piętnastą rocznicę Okrągłego Stołu, pojawił się telewizyjnej dyskusji towarzysz Ciosek. I postawił tezę, że w czasach przed Okrągłym Stołem tymi, którzy najbardziej ryzykowali, nie byli wcale opozycjoniści. Skądże; najwięcej ryzykowali on (Ciosek, znaczy), Urban oraz jeden ubecki generał, z którym wspólnie przygotowywali dla Najwyższych Czynników Partyjnych i Państwowych, zresztą na ich zlecenie, poufne memoriały, analizujące sytuację w państwie i proponujące zawarcie z opozycją „historycznego kompromisu". Czynnikom przecież mogła się ta śmiała myśl nie spodobać i mogły Cioska z Urbanem oraz tym trzecim za nią ukarać.

No pewnie – bo co właściwie ryzykował w peerelu opozycjonista? Najwyżej, że go wsadzą do więzienia. Albo że mu odbiją nery. Względnie, że zjawią się u niego „nieznani sprawcy". Awansować i tak nie mógł, paszportu mu i tak nie dawali, chyba że bez prawa powrotu, do mienia też nie był przyzwyczajony, bo mu je w każdej chwili mogli skonfiskować. A takiemu Cioskowi niełaska władzy mogła złamać karierę! Mógł, aż strach pomyśleć, pójść w odstawkę! Stracić dochody, willę, wylądować w jakimś gminnym komitecie albo na ambasadzie w Mongolii. Więc to chyba jasne, kto się wtedy bardziej dla Polski narażał!

Nie zawracałbym miłemu Czytelnikowi głowy jakimś Cioskiem, gdyby to, co przy okazji rocznicowej dyskusji z niego wylazło, nie było bardzo charakterystyczne. Ludzie peerelowskiego reżimu, w jego schyłkowych, jaruzelskich czasach, mieli w zasadzie wszystko, poza jednym: dobrym imieniem. I z jakiegoś powodu brakowało im tego do szczęścia. Nie wszystkim, oczywiście. Ale tym najważniejszym – owszem. Czuli się strasznymi świniami, a mało kto lubi się tak czuć.

Za Jaruzelskiego psychologiczna sytuacja komuny była zasadniczo odmienna, niż za, powiedzmy, Bieruta, czy jeszcze nawet średniego Gierka. Czerwona mafia, oczywiście, nadal trzymała wszystko za pysk, nadal miała na swe rozkazy esbecję, zomoli i wojsko, nadal mogła każdego bezkarnie zamordować, spałować, wsadzić do więzienia lub zgnoić w inny sposób. Ale nie miała już do tego ideologicznej podkładki. Poza grupką starych pryków w partyjnej centrali i pewną liczbą ideowych głupoli, też przeważnie ze starych roczników, rozsianych po niższych sferach aparatu, nikt już w komunizm nie wierzył. Władzy, zwanej żartobliwie „ludową", pozostał na użytek ludu już tylko jeden, ostatni, „geopolityczny" argument – że póki za Bugiem stoi czterdzieści dywizji, póty w Polsce musi być tak, jak jest. A żeby było jak jest, ktoś się musi poświęcić i okupantowi wysługiwać. Ale sami twórcy tej propagandy doskonale sobie zdawali sprawę z tego co jest warta. W pamiętnikach któregoś z prominentnych komuchów, bodajże Urbana, znalazłem śmieszną do rozpuku, ale i nader pouczającą historyjkę, jak to czerwoni postanowili sobie poćwiczyć przed Okrągłym Stołem argumenty. Zebrali się więc w którymś z ośrodków KC, podzieli, że jedni na niby będą władzą, a drudzy „Solidarnością", przystąpili do ćwiczebnej dysputy – i okazało się, że ćwiczebna „opozycja" bez trudu wymyśla przeciwko ustrojowi nieodparte argumenty, na które nikt na sali nie umie znaleźć odpowiedzi.

Tutaj leży jeszcze jedno, wcześniej nie wspomniane, źródło siły, jaką w latach dziewięćdziesiątych miał Adam Michnik. Otóż stał się on dla byłych komunistów naczelnym rozgrzeszaczem i dowartościowywaczem. Można powiedzieć, zgoła nosił przy sobie stosowny kwitariusz z zaświadczeniami, że niniejszy komuszek był typem pozytywnym i reformatorem, jak lekarz nosi bloczek z formularzami recept: tylko wpisać imię i nazwisko, potwierdzić brudziem, i ot, mamy następnego bohatera i człowieka honoru.

I znów: nie mam zresztą zamiaru potępiać Michnika za sam fakt, że sobie takie uprawnienie przyznał. Skoro chciał wejść w politykę, a przecież miał do tego prawo, to rzecz oczywista, używał w grze wszystkiego, co mogło być jego atutem. Taśmowe wystawianie rozmaitym szujom świadectw moralności na pewno nie jest ładne z etycznego punktu widzenia, i na pewno nie przystoi komuś, kto się stroi w piórka moralisty – ale polityka mniej baczy na to, co jest etyczne, a bardziej, co skuteczne. A to, jak najbardziej, skuteczne być mogło. Problem nie w tym, że Michnik budował swoje wpływy na brataniu się z ludźmi nikczemnymi, nawet nie na tym, że swymi świadectwami moralności z czasem coraz bardziej szafował – ale w tym, że rozdawał je, z punktu widzenia polityki, za bezdurno, nie zagwarantowawszy sobie trwałości świadczeń wzajemnych. Posolidarnościowa centroprawica, która oskarżała Michnika, że niszczył legendę „Solidarności" w zamian za polityczne wpływy i ułatwienie jego środowisku objęcie niepodzielnego „rządu dusz" w mediach, moim skromnym zdaniem Michnika w ten sposób przeceniła. On wcale takiego dilu nie zawierał – w zamian za usługi, które świadczył kreaturom reżimu, wystarczały mu pochlebstwa. Może jego pokręconej psyche przedziwnie dogadzał fakt, że jest otaczany czołobitnością właśnie przez swych byłych oprawców i różnych partyjnych karierowiczów, że tacy ludzie jak Kwaśniewski czy Urban przychodzą do niego z wódką, że Jaruzelski traktuje jak rodzonego syna, i wszyscy razem prawią mu, jak się niezmiernie co do niego mylili, jaki jest wspaniały, jak uosabia samą cnotę i szlachetność, jak się pięknie umiał wznieść ponad nienawiść i osobiste krzywdy, stanowiąc drogowskaz moralny dla wszystkich krajów i społeczeństw wychodzących z socjalizmu. Po prawdzie, ludziom, którzy przeszli partyjny trening w smarowaniu wazeliną, pochlebstwa na zawołanie przychodziły zapewne bez trudu, ale – choć trudno mi uwierzyć – na Michnika to wystarczyło. A może bardziej od tych pochlebstw uderzyła mu do głowy sama czynność udzielania rozgrzeszeń, dająca złudę bycia jakimś omalże postkomunistycznym Bogiem, w którego mocy wyrokować, kto zostanie zbawiony, a kto nie?

Akurat w dniu, gdy pisałem powyższe słowa, „Gazeta Wyborcza" piórem jednego ze swych czołowych publicystów postanowiła dać odpór oskarżeniu Jarosława Kaczyńskiego, że stanowi ona część rządzącego Polską oligarchicznego układu. Myśl główna tego odporu była taka, iż twierdzenie, jakoby Michnik był oligarchą to taki absurd, że w ogóle polemizować z nim nie warto. To, nawiasem, dowód, że „Wyborcza" nie zmienia się nic a nic – stwierdzenie, że argumenty czy tezy przeciwnika są tak głupie i absurdalne, że w ogóle nie warto się nimi zajmować, to chwyt przez publicystów tej gazety ulubiony. I zresztą jej przeciętnemu czytelnikowi zawsze to w zupełności wystarczało; „Wyborczej", powtórzę raz jeszcze, nie czytało się u nas po to, by poznać argumenty za i przeciw czemukolwiek, tylko żeby się dowiedzieć, co wypada w danym tygodniu myśleć. Inna sprawa, że ostatnio ten wpływ gazety wydaje się słabnąć. Ale wracając do rzeczy: istotnie, twierdzenie że Michnik jest oligarchą, to nonsens. Tylko co zrobić, skoro on sam, jak się zdaje, w ten nonsens uwierzył? Bo, ujmując sprawę krótko, na tym właśnie zasadzała się cała „afera Rywina": Michnik sądził, że jest oligarchą, a nagle wyszło, że tylko mu się tak wydawało.

Nie chodzi, oczywiście, o finansowy kontekst tego słowa. Michnik czuł się oligarchą nie w tym sensie, że uważał się za jednego z najbogatszych ludzi w Polsce, ale w tym, że sądził, iż jako Michnik ma na najwyższych urzędników państwa wpływ porównywalny do takiego, powiedzmy, Kulczyka. Nie z tego powodu, że ma pieniądze, tylko z tego, że jest Michnikiem, najwyższym autorytetem i wyrocznią w kwestiach etyki – takim oligarchą ducha, można powiedzieć. Kiedy byłem mały, często sobie wyobrażałem, że jestem dowódcą czołgu. Wyciągałem przed siebie wyprostowaną prawą rękę, zwijałem dłoń w pięść imitującą wylot lufy, wydawałem na wargach dźwięki imitujące pracę silnika i serwomotorów wieży, a potem z głośnym „puff" strzelałem z wyciągniętej ręki i cel przestawał istnieć. Nie mogę się oprzeć wrażeniu, że Michnikowi przez wiele lat na podobnej zasadzie wydawało się, że robi wielką politykę. Że jego biesiadne gaduły z tym czy innym ważniakiem ustawiają rządy i międzynarodowe traktaty, że jakieś tam bełkotliwe „aha" czy inne beknięcie współbiesiadnika oznacza, iż właśnie załatwił z nim Michnik sprawę.

Błazen.

Wyobrażam sobie, jak musiało go zaboleć, że do kogoś takiego „grupa trzymająca władzę" miała czelność przysłać Rywina z oznajmieniem, iż układ ganglandu nie przewiduje żadnych wyjątków dla autorytetów moralnych i one też muszą bulić – ustawa pozwalająca mu kupić telewizję będzie mianowicie kosztować siedemnaście i pół miliona zielonych. A zwłaszcza, kiedy potem okazało się, że ani premier, ani prezydent, nie zakipieli tym samym oburzeniem i nie ukarali zuchwalców przykładnie – lub, jeszcze gorzej, zakipieli tylko w bezpośredniej rozmowie, a po wyjściu oberguru wyśmieli go w kułak. A wreszcie, o zgrozo, że jakieś sejmowe komisje czy sądy ośmielają się jego, Michnika, przesłuchiwać jak zupełnie zwykłego człowieka, a jakiś Rokita pisać o wątku „Agory" w aferze. Świat naszego oligarchy ducha po prostu się zawalił. Ciekawe, czy on sam już to przyjął do wiadomości.

Podobnie jak Wałęsa, Michnik wskoczył w za wielkie dla siebie buty. I podobnie jak on, gdy rzeczywistość zaprzeczyła miłości własnej, poszedł w urojenia. Wałęsa do dziś, sądząc po jego wypowiedziach, nie przyjął do wiadomości, że przegrał jakieś wybory – przegrał, mówi, tylko liczenie głosów. Michnik nadal chyba sądzi, że rozdaje w polskiej polityce karty. Ale w istocie Familia przegrała i została ostatecznie zmarginalizowana już w momencie, gdy władzę nad postkomuną chwycił Miller i jego partyjniacy, którym na świadectwach moralności od Michnika zależało mniej więcej w tym samym stopniu, jak mnie na nagrodach od „ministry" Jarugi-Nowackiej. Familia stopniowo zeszła na margines i już z niego nie wyjdzie. Konfederacja zresztą też. Gęby za lud krzyczące szybko lud znużyły i lud zwrócił się ku stanowiącym obraz i podobieństwo jego, pozbawionych intelektualnych czy ideologicznych obciążeń chamusiom, czy to ze związku, czy z pezetpeeru, czy z pegeeru, ale nieodmiennie spod transparentu z radosnym „tera, kurwa, my!!".

Adam Michnik uwielbia być porównywany do Jerzego Giedroycia i uwielbia się do niego sam porównywać. „Mój wielki poprzednik", mawia, a kontekst nie pozostawia wątpliwości, o kogo chodzi. Stać mnie przecież, żeby na zakończenie tego wątku zrobić mu tę drobną uprzejmość i też go z Redaktorem porównać. Otóż w „Autobiografii na cztery ręce" powiada Giedroyc, że wszystkiego, czego w życiu dokonał, dokonał kosztem życia osobistego, którego nie miał. O Michniku powiedzieć można, że wszystko, co zmarnował i roztrwonił, a zmarnował i roztrwonił, poza szansami Polski, także cały dorobek swojego niełatwego życia, to zmarnował i roztrwonił w imię życia towarzyskiego – w imię toastów i pochlebstw, które ukochał bardziej niż cokolwiek innego.

[illegible] Sowietów [illegible]

[illegible]

[illegible] wyzwolonych [illegible] Kościoła [illegible] władze nad [illegible]

[illegible]

[illegible]

Rozdział VIII

O wielu sprawach tu nie napisałem. Nie napisałem, na przykład, zbyt wiele o Konfederacji. Skoro poświęcam tyle uwagi Familii, to symetria nakazywałaby skupić porównywalną uwagę na księdzu Rydzyku, Giertychach, „Głosie" czy „Naszej Polsce". Ale co mi po symetrii? Symetria, jak słusznie zauważył pewien malarz, jest estetyką głupców. A w sferze idei symetria jest, obok idiotycznej zasady „prawda zawsze leży pośrodku", głównym intelektualnym wyposażeniem półinteligenta. Jak wczoraj komunizm, to dziś katolicyzm. Jak socjalizm był utopią, to liberalizm też musi być utopią. Jak wczoraj Moskwa, to dziś Bruksela, Waszyngton, Watykan, Tel Awiw, w każdym razie musi być symetrycznie, bo tak idiota rozumuje.

Konfederacji dostaje się wystarczająco od innych, przeważnie słusznie. Wyręczyli mnie już. Ode mnie też się jej zresztą nieraz dostawało. Jej wpływ na społeczeństwo nigdy nie był porównywalny z tym „rządem dusz", jaki sprawowała Familia. Aberracje Polaka-katolika, co w tej książce podkreślałem wielokrotnie, wbrew potocznemu mniemaniu, dotyczą drobnej i wymierającej części społeczeństwa. Znacznie od nich groźniejsze są aberracje mas zdeprawowanych peerelem, dla których człowiek w sutannie, jakkolwiek potrzebny do chrzcin, ślubu i pogrzebu, jest takim samym „obcym" i obiektem zawiści o lepsze życie, jak ubrany w krawat i garnitur miastowy „Żyd".

Nie mam też w sumie do Konfederacji aż takich osobistych urazów. Owszem, za tych parę słów prawdy o ludziach, którzy patriotyzmem zastępują myślenie, a zgoła uważają je za rzeczy sprzeczne ze sobą, bywałem karany zjadliwymi atakami konfederackich publicystów. Nie pamiętam wśród nich żadnej obelgi na tyle inteligentnej, żeby mnie dotknęła. Zresztą mam po przodkach dość grubą skórę, a hołdując zasadzie, by się nie szczypać i nie owijać w bawełnę, tylko jechać otwartym tekstem, co o kim myślę, byłbym śmieszny, obrażając się za równie bezceremonialne odpowiedzi. Wybaczam obelgę, jeśli jest poparta argumentem. A jeśli, jak to zwykle bywa w pisemkach ludzi, którzy doznali olśnienia, posiedli sekret o prawdziwej naturze politycznej i społecznej rzeczywistości, obelga jest argumentem sama w sobie, nie chce mi się nawet trudzić informowaniem jej autora, gdzie może mi skoczyć.

No, z osobistych urazów godnym podjęcia jest jeden, wynikający z mojej rodzinnej endeckiej tradycji. Po części z tej tradycji, ale przede wszystkim z wyboru, czuję się narodowcem i, w jakimś stopniu, uczniem Dmowskiego. Ale nie we wnioskach, do jakich Dmowski w swoim myśleniu dochodził, bo te często uważam za całkowicie nie do przyjęcia – w metodzie, jaką zaproponował. Chciałbym, żeby Dmowskiemu pamiętano przede wszystkim to, iż bodaj jako pierwszy w Polsce stworzył on szkołę nowoczesnego, politycznego myślenia o sprawach narodu. Kiedy Dmowski się w polskiej polityce pojawił, nasza „myśl polityczna" ograniczała się do sekciarskich bredni towiańszczyzny, że należy w pole wyjść, ofiarę krwi złożyć, a Pan Bóg zajmie się resztą – oraz do starań grupek arystokratów, którzy uważali, że cokolwiek zdziałać można to tylko misterną grą prowadzoną z innymi arystokratami na dworach Europy i Rosji, w której to grze wszelka aktywność szlacheckiej ciemnoty, o „ludzie" nie wspominając, może tylko przeszkadzać.

Dmowski jako pierwszy dostrzegł naród polski, zdefiniował jego interesy, zdefiniował zasady polityki, wyznaczając drogę realizowania tych interesów – i to właśnie powinno być mu pamiętane, a nie antyżydowskie, antymasońskie i antykapitalistyczne obsesje, w które popadł na starość. I którymi, ku mojemu obrzydzeniu, cała kupa ludzi nikczemnych, uświnionych i skompromitowanych kolaboracją z komunizmem, i to jeszcze w jego stalinowskiej, najbardziej odrażającej, prymitywnej i zbrodniczej formie, usiłuje tę kolaborację usprawiedliwić i wybielić, twierdząc, że komunizm owszem, zły był, ale to i tak nic wobec tego endeckiego ciemnogrodu, którego rządom przynajmniej zapobiegł.

Z dwóch ojców założycieli naszej niepodległości w roku 1918 Dmowski był znakomitym teoretykiem, który ze swej teorii wyciągnął, niestety, fatalne wnioski w praktyce – Piłsudski zaś wybitnym praktykiem, na skutkach działań którego fatalnie zaciążyło zaniedbanie teoretycznej refleksji. Z nich dwóch Dmowski nie doczekał się dotąd sprawiedliwości.

Po części sprawiło to, że do jego tradycji przyczepiła się taka ekipa, że, jak pozwoliłem sobie kiedyś ku jej oburzeniu napisać, i jak tu powtórzę raz jeszcze, gdyby sam Dmowski mógł dzisiejszych neodmowszczan zobaczyć, pewnie by na ich widok zwymiotował. Dzisiejsza neodmowszczyzna, silny nurt Konfederacji, z politycznej myśli Dmowskiego nie rozumie nic a nic. Bliższa jest głupocie patriotyzmu mistycznego, w typie powstańczym, z którym Dmowski w całej swej działalności zajadle wojował, widząc w nim szkodliwe szaleństwo niszczenia narodowej substancji. Neodmowszczyzna zamiast sposobu rozumowania patrona podchwyciła właśnie jego starcze obsesje – wyżywa się w wojowaniu z masonami, Żydami i kapitalizmem. Tylko że Dmowski opowiadał się za kontrolą rządu nad gospodarką, bo wierzył – i w świetle tego, co wiedziano we wczesnych latach trzydziestych, miał prawo wierzyć – że państwowa gospodarka lepiej sprzyja industrializacji, bardziej efektywnemu wykorzystaniu zasobów i budowaniu gospodarczej siły państwa, będącego z kolei podstawą siły narodu. Natomiast jego, pożal się Boże, uczniowie domagają się większej roli rządu w gospodarce po to, aby skromne narodowe zasoby tym bardziej trwonić na dotowanie niepotrzebnych narodowi reliktów sowieckiego kompleksu zbrojeniowego, na podtrzymywanie wegetacji skansenu rozdrobnionego rolnictwa i sponsorowanie byczących się degeneratów, których, prawdę mówiąc, w interesie narodu byłoby raczej eutanazować (i zresztą robi się to, w cywilizowany sposób, pozwalając na masową produkcję i sprzedaż siarkowanego zajzajeru na bazie soków owocowych i podejrzanej jakości spirytusu, żartobliwie nazywanego w Polsce winem). Jako wnuk zagorzałego endeka, na tych pseudoendeków nie umiem patrzeć bez irytacji, ani tym bardziej puszczać mimo wygadywanych i wypisywanych przez nich bredni. Nadają się w sam raz do wojowania z pederastami i nieudacznymi artystami, i zresztą w tym się czują najlepiej.

Ale to sprawy marginalne. Spory o Dmowskiego i Piłsudskiego nie mają dla dzisiejszej Polski żadnego praktycznego znaczenia. Twierdzenie śp. Redaktora, jakoby Polską ciągle władały ich trumny, mam za przejaw jego wyjścia z czasu rzeczywistego w ostatnich latach życia. Właściwie to bez sensu, że nie oparłem się pokusie wtrącenia tutaj powyższej dygresji; nie miała ona większego znaczenia, poza nabiciem objętości książki, od której w końcu zależy moje honorarium.

*

Chcieliście Polski, no to ją macie, pisał pewien poeta. Mamy więc Polskę. Mamy Polskę, która wprawdzie dawno już straciła opinię lidera przemian, ale wciąż zaliczana jest do pierwszej ligi w swoim regionie – za Słowenią, Czechami, Węgrami i Estonią, ale przed pozostałymi. Polskę, która należy do NATO, choć dwa tysiące żołnierzy w Iraku, bez ciężkiego sprzętu, korzystających z amerykańskiego transportu i w większej części opłacanych przez amerykańskiego podatnika, to, jak nieopatrznie wypsnęło się stosownemu ministrowi, wszystko, na co nas stać. Polskę, która należy do Unii Europejskiej, chociaż, zmarnowawszy ogromną część swojego budżetu na bzdury, nie umie znaleźć pieniędzy na współfinansowanie inwestycji infrastrukturalnych, do których Unia gotowa była dołożyć się w połowie, i tym samym nie wyciąga ze swego członkostwa takich korzyści, jakie by wyciągnąć mogła. Polskę, w której rozwija się wolna przedsiębiorczość, ale też Polskę zamienioną w, jak to nazwał profesor Winiecki, urzędniczy gangland, w której rozchamiona biurokracja najbezczelniej w świecie wymusza od przedsiębiorcy, a i od zwykłego obywatela pragnącego, na przykład, postawić sobie dom, bandyckie haracze, pod groźą przewlekania w nieskończoność idiotycznych procedur, nękania nieustającymi inspekcjami, złośliwego interpretowania wzajemnie sprzecznych i mętnie sformułowanych przepisów czy blokowania wymaganych prawem zezwoleń – choćby najprostszą, stosowaną na co dzień metodą nieodpowiadania na podania, na które urząd teoretycznie ma obowiązek odpowiadać w ustawowym terminie; tylko że za niewywiązywanie się z tego obowiązku nic urzędnikowi nie grozi, podczas gdy prosty obywatel, po dawnemu bezbronny wobec urzędniczej samowoli, jeśli mylnie wpisze w papierach jakiś idiotyczny numer, ciągany jest po sądach. Mamy Polskę, która osiągnęła znowu wysoki wzrost gospodarczy, eksportuje coraz więcej przetworzonych wyrobów, a nie tylko, jak kiedyś, surowce, ma stabilną walutę i niską inflację, ale też jest zadłużona w stopniu zagrażającym finansową katastrofą na miarę tego, co dotknęło Argentynę, wcześniej Meksyk, Rosję i Daleki Wschód.

Mamy Polskę zalewaną wzbierającymi potokami coraz to nowych ustaw, przepisów i zarządzeń. W roku 1989, ostatnim roku istnienia zbiurokratyzowanego ponad wszelki rozsądek peerelu ostatnia ustawa opublikowana w Dzienniku Ustaw miała numer 341. W 1994 uchwalonych ustaw było już 700, w 1998 – 1300, w 2002 – 2100. Parlament, zaludniony w większości partyjniakami bez wykształcenia i jakichkolwiek kwalifikacji, produkuje prawnicze buble w takim tempie, że Trybunał Konstytucyjny nie nadąża z orzekaniem ich niezgodności z Konstytucją, ograniczając się do tych najważniejszych – co zresztą przychodzi mu bez trudu, jako że Konstytucja, zafundowana nam przez szeroką koalicję sił politycznych, pełna jest takich mętniactw i diabli wiedzą co znaczących frazesów, że sprzeczne z nią może być właściwie wszystko. W administracji co roku przybywa trzydzieści tysięcy stołków, bo partie wciąż potrzebują więcej i więcej synekur dla swoich kolesiów. Z tego samego powodu nie można wciąż sprywatyzować idiotycznych „jednoosobowych spółek skarbu państwa", dostarczających władzy tysięcy dobrze opłacanych stołków w radach nadzorczych i zarządach, a na dodatek pieniędzy na polityczne potrzeby, łatwych do wydobycia ze szkodą dla przedsiębiorstwa.

Mamy Polskę ze śmiechu wartą, ale wciąż oficjalnie „bezpłatną" służbą zdrowia i katastrofalnie złym, ale naturalnie wciąż państwowym i „bezpłatnym" szkolnictwem. No i, co najgorsze, Polskę ogarniętą całkowitym politycznym bezwładem. Nie sposób przepchnąć przez parlament jakiejkolwiek sensownej reformy, bo partie licytują się w demagogii i obietnicach bez pokrycia, kto lepiej się przypodoba najbardziej tępej części elektoratu, uważając, niebezpodstawnie, że to właśnie ta jego część jest kluczem do politycznego sukcesu.

Mamy Polskę, jak to już powiedziałem, leżącą w dryfie. Nie jest to Polska „wyprzedana i zniszczona", jak bredzą ku ukontentowaniu gawiedzi różni wariaci albo cyniczni dranie, chcący też się dorwać do koryta, jakie daje władza. Ale też wciąż nie jest to Polska, w której by się chciało żyć. Jest to Polska coraz bardziej stająca się krajem pastuchów, rządzona kaprysami motłochu i manipulujących tym motłochem cynicznych, bezwzględnych „układów". Czyli taka Polska, w której ci, którzy w normalnym kraju tworzą dobrobyt i pracują na cywilizacyjny awans narodu, nie mają głosu.

Ale ci, którzy nie mają głosu, mają nogi. I paszporty. Prawie połowa studentów polskich uczelni, przypomnę to badanie, chce stąd wyjechać. Najlepiej na zawsze. I nikt im tego nie zabroni. Jeśli Polska nie stanie się wreszcie krajem, w którym człowiek zdolny może rozwijać swoje zdolności, a przedsiębiorczy i mądry czerpać ze swej przedsiębiorczości i mądrości profity, zamiast utrzymywać meneli, wyłudzających świadczenia oszustów, małorolnych chłopów i niewykwalifikowanych robotników, to... To znowu ktoś w końcu zapuka w mapę, żeby wygniłe państwo wysypało się z niej i stworzyło miejsce dla jakichś sprawniejszych struktur.

*

Pytanie, jak tę Polskę naprawić, jest pytaniem tego samego rodzaju, co „jak schudnąć". Każdy wie, jak: przestać żreć. Recepta prosta i oczywista, ale spróbuj grubasa przekonać, żeby ją zastosował. Jak uzdrowić nasz kraj, pisali i mówili wielokrotnie ludzie ode mnie mądrzejsi. Po prostu: trzeba wreszcie skończyć z socem i wprowadzić wolny ranek, prawdziwy wolny rynek, nie żadne durnowate hybrydy wymyślone przez bogate kraje do trwonienia bogactwa. Trzeba przestać mamlać polactwu bzdury w stylu „tyle kapitalizmu, ile konieczne, tyle socjalizmu, ile można", bo to – wypisz, wymaluj – ta koreańska pasza z trawy z niezbędną domieszką ekstraktu zbożowego, czy też, jak to trafnie ujęła Ayn Rand, „kompromis między chlebem a trucizną". Trzeba przestać się popisywać „społeczną wrażliwością", licytować na obietnice i szukać łatwego poklasku, tylko po prostu zacząć się kierować dobrem państwa i narodu, troską o ich przyszłość.

Jak naprawić Polskę, to łatwo powiedzieć, łatwo zrozumieć – tylko strasznie trudno przyjąć polactwu do wiadomości. Ludziom, którzy uwierzyli w swoje „prawa socjalne" i w to, że pieniądze na ich realizację muszą się znaleźć, a jeśli pan dziedzic twierdzi, że cały folwark przez to zbankrutuje i pójdzie pod wykup, to jego zmartwienie – takim ludziom wyperswadować, że trzeba skończyć z socjalizmem, jest równie trudno, jak grubasowi z programu Jerry'ego Springera, że jeśli będzie żarł na obiad codziennie cztery wielkie pizze, kojfnie przed czterdziestką. Trudno także dlatego, że elity, które powinny się o przyszłość Polski troszczyć, po części same są za głupie, by sformułować narodowe interesy, i gotowe wierzyć, że Państwo Polskie istnieje przede wszystkim po to właśnie, aby być dla polactwa zarazem niańką i dojną krową – a po części interesuje je tylko napchanie własnej kabzy. A także dlatego, że nie ma w tym gnijącym kraju autorytetu, któremu jego mieszkańcy potrafiliby zaufać. I nie dojdziesz, czy dlatego, że polactwo tak już zdegenerowane i nic poza własnym tyłkiem nikogo nie obchodzi, czy też dlatego, że od lat nikt z nim nigdy nie rozmawiał uczciwie, nie starał się, jak Reagan czy Thatcher, nakreślić wiarygodnej wizji przyszłości i porwać do jej realizowania. Wszyscy z góry zakładali, że z ciemnotą nie ma co poważnie gadać i nie ma co jej tłumaczyć, trzeba pleść to, co tłuszcza chce usłyszeć, a jak się dorwiemy do władzy, to weźmiemy jakiegoś profesora, on zrobi reformy, zanim kadencja minie reformy przyniosą ciemnocie poprawę i problem tłumaczenia jej czegokolwiek zniknie.

Fakt, tłumaczyć niełatwo. Polactwo nie uwierzy, że od lat żyje ponad stan. „Ponad stan" w potocznym rozumieniu oznacza luksusy, a przecież to oczywiste, że te kilkaset złotych miesięcznie zasiłku czy renty to żaden luksus. Ale fakt jest faktem, wystarczy porównać strukturę wydatków u nas i u sąsiadów, którzy mają dochód na głowę mieszkańca znacznie wyższy, a żyją o wiele od Polski skromniej. Pewien zachodni dziennikarz ujął to prosto i obrazowo: gdy się przejeżdża przez Czechy czy Węgry, jedzie człowiek doskonałą autostradą, a na prawo i lewo widzi skromne domy. W Polsce odwrotnie, droga jest wąska, pełna wybojów i dziur, za to widać z niej wille jak pałace.

W latach siedemdziesiątych, mając w pamięci los swego poprzednika, Gierek nakazał rzucić znaczną część zaciąganych pożyczek na konsumpcję. A że osiągnięty w ten sposób wzrost poziomu życia mas nie zadowolił, odsetek ten stopniowo zwiększano. Oczywiście, kosztem inwestycji, infrastruktury, odnawiania parku maszynowego przedsiębiorstw. Potem przyszedł Jaruzel, któremu tym bardziej zależało na kupieniu sobie społeczeństwa, więc wszystko, co tylko dało się jeszcze wyskrobać z dna kasy i pożyczyć, znowu szło na zawyżenie stopy życiowej. A potem zaczęła się wolna Polska i licytacja pomiędzy partiami i partyjkami, kto rozda więcej, kto jest bardziej wrażliwy społecznie i bardziej „po stronie ludzi", bo to przecież „człowiek jest najważniejszy", a nie ekonomiczne doktryny.

Jak pan możesz mówić ludziom, że żyją ponad stan, jak oni żyją w biedzie? Ależ oni właśnie dlatego żyją w biedzie, że od dziesięcioleci – ponad stan! Wcale nie trzeba wkuwać tej tak pogardzanej przez większość naszych polityków ekonomii, żeby to zrozumieć. Roczny Produkt Krajowy Brutto – to jak wór zboża, plon z pola. Im więcej zjesz, tym mniej zasiejesz. Im więcej zasiejesz, tym więcej zbierzesz w przyszłym roku. Jeśli zaciśniesz pas na rok, parę lat, będziesz się bogacił szybko, a jeśli nie odmówisz sobie jedzenia do syta, będziesz się bogacił wolniej albo w ogóle.

Jeśli od lat prawie całe plony są zżerane i sieje się za mało, to bieda na naszym folwarku trwa i trwa, wyrwać się z niej ciągle nie można, ciągle na wszystko brak i brak. Gdyby drobną część tego, co przez ostatnie trzydzieści lat poszło na rozkurz i zostało zećpane, zasiano, dziś byśmy żyli o wiele lepiej. I jeśli dalej będziemy wszystko, co się da, przeżerać, ledwie urośnie, to się z tej bylejakości nie wyrwiemy nigdy. Z wyjątkiem oczywiście tych, którzy machną ręką i pojadą szukać szczęścia do innych krajów.

Nie trzeba ciąć socjalu, reformować finansów państwa, uznali przywódcy wolnej Polski, podtrzymamy go na dotychczasowym poziomie dzięki wpływom z prywatyzacji. W ten sposób prywatyzację, która powinna służyć modernizacji gospodarki, zamieniono w wyprzedaż. Zamiast prywatyzować to, co przestarzałe, wymagające inwestycji i głębokiej restrukturyzacji – prywatyzowano to, za co można było najwięcej dostać do budżetu. Byle mieć czym opędzić bieżące wydatki, załatać dziurę w budżecie. Aby do następnych wyborów. Polska zachowywała się jak pijak, który woli wynosić z domu rodowe srebra i meble, żeby zdobyć na następną flaszkę, niż podjąć próbę wyjścia z nałogu.

Nie trzeba ciąć socjalu ani reformować finansów państwa, uznawano nadal, kiedy okazało się, że niewiele już zostało do sprzedania, dostaniemy fundusze z Unii Europejskiej. I publiczne pieniądze wciąż szły w większej części na rozkurz i opędzanie roszczeń co silniejszych grup zawodowych, niż na inwestycje.

Nie trzeba ciąć socjalu ani reformować finansów państwa, uznała postkomuna, kiedy się okazało, że rozszerzenie nie nastąpi tak szybko. Trochę zwiększymy deficyt, pożyczymy, potem przyjdzie wzrost gospodarczy, przyjdą w końcu te fundusze z Unii, się jakoś pospłaca. Każdy kolejny rząd zadłużał nas coraz bardziej, ale to, co rozpoczął Miller, to była już istna orgia zaciągania długów na prawo i lewo. W ciągu dwóch lat nabrał ich Miller drugie tyle, co jego poprzednicy przez dziesięć. Nie na inwestycje – na podtrzymanie tego marnotrawczego systemu, na dalsze przejadanie zasobów.

Jest wiosna 2004, towarzysz Miller obrzydł w końcu do cna nawet własnemu „żelaznemu elektoratowi" i schował się na zapleczu, SLD się rozpękł, na lidera obozu postkomunistycznego wyrósł Lepper, gospodarcze wskaźniki drgnęły – i oto z Sejmu Rzeczypospolitej dobiega wrzawa przekrzykujących się lewicowych i lewicujących politykierów, że oto wreszcie jest, jest wzrost gospodarczy, trzeba go zaraz jak najszybciej „zdyskontować na rzecz potrzebujących", skonsumować, uchwalić nowe zasiłki, nowe dopłaty, wziąć na utrzymanie budżetu jeszcze liczniejszą grupę obiboków, żeby pozyskać w zamian ich głosy, i pod pozorem nasilenia państwowej opiekuńczości naustawiać nowych biurek dla kolesiów.

A tu w istocie nie ma żadnych owoców wzrostu, są gigantyczne długi, zaciągnięte pod ich zastaw zanim jeszcze wykiełkowały – długi, od których bieżące odsetki pochłaniają już bez mała piątą część rocznego budżetu państwa! I które, jeśli jakieś zawirowanie światowej gospodarki spowoduje gwałtowny ruch kursów walut, w kilka tygodni mogą doprowadzić Rzeczpospolitą do bankructwa. A bankruta się licytuje i nie ma on już nic do gadania.

Nie będzie tak źle, pocieszają niektórzy ekonomiści. Jakoś tam się uda utrzymać deficyt pod kontrolą. Nie wiem, czy to nie jeszcze gorzej. Czy już nie byłoby, z dwojga złego, lepiej zbankrutować i zacząć od zera, na nowo, niż jeszcze przez wiele lat spłacać koszty szaleństwa, patrząc bezradnie, jak ucieka nam świat, jak ucieka stąd marząca o lepszym życiu, najzdolniejsza młodzież, a w końcu, kiedy odwrócą się przychylne międzynarodowe koniunktury, jak nasz wiecznie na poły zdechły i słaby kraj znowu nie jest w stanie oprzeć się działającym nam siłom?

Z każdym dniem przegrywamy przyszłość, odbieramy własnym dzieciom szansę życia w wolnej i normalnej Polsce. Codziennie triumfuje głupota lewicowych i lewicujących polityków, gotowych podejmować najbardziej szkodliwe dla państwa i narodu decyzje, byle tylko poprawić swoje szanse na usadzenie się w Sejmie, rządzie, radach nadzorczych i zarządach wciąż niesprywatyzowanych, państwowych pseudospółek. I każdego dnia polactwo, doprowadzone do totalnego skołowania, sfrustrowane, skundlone, oduczone troski o jakiekolwiek wspólne dobro, wymusza na swoich elitach taką właśnie politykę. Aby pod siebie. Aby do jutra.

Nic w tym dziwnego. Zaraza socjalizmu daje te same skutki wszędzie, gdzie się pojawi – czy choroba przebiega w ostrej, totalitarnej formie, czy w łagodnej, demokratycznej, to kwestia drugorzędna. Bogate i zepsute tym bogactwem państwa zachodniej Europy ugrzęzły w tym samym bagnie co i my – tłumy wychodzą dziś na niemieckie i francuskie ulice przeciwko każdej, najdelikatniejszej nawet próbie ograniczenia ich „praw socjalnych", choć kraje te pod ciężarem rozdętego socjalu zupełnie już przestały się rozwijać. Te tłumy nie różnią się wiele od polactwa. Tyle, że tam spada się z wyższego poziomu. I że tamtejsi politycy, rozpaczliwie szukając, czym by tu do najbliższych wyborów opędzić narastające roszczenia, mają jeszcze po co sięgać. Między innymi, będą mogli sięgnąć po obiecane nam unijne fundusze na pokrycie połowy kosztów inwestycji w infrastrukturę – z których i tak nie korzystamy, bo przepuściliśmy już tę drugą połowę. Będą też naciskać, żeby Polska doszlusowała do ich poziomu wydatków na socjal, będą naciskać na „jednolitą europejską politykę społeczną i podatkową", żeby ich pracodawcy nie wynosili się do nowych krajów członkowskich. Pewnie bez trudu znajdą tu chętnych do wyświadczenia im takiej przysługi.

Pomóc to nie pomoże – wiemy na pewno, bo widzieliśmy u siebie. Im bardziej „państwo opiekuńcze" wyprzedaje się i zadłuża, by podołać żądaniom milionów swych beneficjentów, tym bardziej ci ostatni są niezadowoleni. Im więcej rozda socjalu, tym więcej go musi rozdać w roku następnym. Im większa część produktu krajowego znajdzie się w rękach państwa, tym wolniejszy rozwój, i tym większą część trzeba z kolei zabrać potem. Rozwścieczeni niewolnicy socjalu odrzucają więc gniewnie swe polityczne elity, obdarowując sympatią radykalnych populistów. Europa, zwłaszcza Francja i Niemcy, stanem ducha coraz bardziej przypominają Republikę Weimarską. Dojrzewa do oddania się duszą i ciałem jakimś neobolszewikom, którzy mają na wszystko proste wyjaśnienia: wszystko przez globalny kapitalizm, przez syjonizm i amerykański imperializm. Jeśli w chwili, gdy to się stanie, Polska wciąż będzie krajem beznadziejnie chorym, słabym i niereformowalnym, to marny jej los.

Z tym się nie da nic zrobić, mówią mi przyjaciele, trzeba wypieprzać, póki jest dokąd. W Polsce nie trafi się Pinochet, bo skąd takiego wziąć w armii zdominowanej przez komunistycznych trepów po moskiewskiej akademii, w Polsce nie będzie rodzimego Reagana ani Thatcher, bo tam było się do kogo odwołać, była jeszcze normalna, zdrowa struktura społeczna, trochę tylko zniszczona socem, a u nas – pańszczyźniane chamstwo i niewiele więcej.

Nie da rady, mówią mi niektórzy.

Może mają rację. A może nie. Może ta dziwna siła, którą zapamiętałem z sierpnia osiemdziesiąt, wciąż gdzieś w nas tkwi, w głębokim uśpieniu? Może jeszcze umiemy być narodem? Może, jeśli ktoś wreszcie spróbuje się do tej umiejętności odwołać, obudzić w polactwie Polaków, wybuchnie raz jeszcze ten sam entuzjazm, siła, nadzieja, i można będzie zbudować na nich lepszą, IV Rzeczpospolitą?

Niemożliwe, myślę sobie czasem.

A kiedy indziej: co za gadanie, czy możliwe? Ważne, że konieczne.

czerwiec 2004

Spis treści

Viagra Mać
Rafał A. Ziemkiewicz

Ceniony pisarz i felietonista przygotował wybór najlepszych swoich tekstów, komentując wydarzenia ostatnich kilku lat. Za pomocą humoru i rzeczowego podejścia do omawianych zagadnień autor wydobywa ich prawdziwe znaczenie oraz obnaża obłudę, fałsz i głupotę.

Lektura jest naprawdę pasjonująca, a wrażenia gwarantowane.

Rafał A.

Ziemkiewicz

viagra mać

Naprawić Polskę – no problem!

Janusz Korwin-Mikke

Dziś wygodniej jest płynąć z prądem. Zwłaszcza w polityce.

Wygodnie jest mówić, że sytuacja jest zła. Mniej wygodnie jest podawać recepty. Najbardziej niewygodnie jest działać, ulepszać.

Janusz Korwin-Mikke dał się poznać jako człowiek bezkompromisowy i o zdecydowanych poglądach. Wie, że jest źle, ale stwierdzenie to mu nie wystarcza. Szuka rozwiązań – skutecznych, nie popularnych.

Polskę naprawdę da się naprawić.

Janusz

Korwin-Mikke

Naprawić Polskę

NO PROBLEM